アーティスト・イン・レジデンス

まち・人・アートをつなぐポテンシャル

菅野幸子・日沼禎子 編

Artist-in-Residence Programs in Japan

美学出版

アーティスト・イン・レジデンス
まち・人・アートをつなぐポテンシャル
Artist-in-Residence Programs in Japan

AIR ケーススタディ 036

AIRのつくり方 212

AIRデータ集 243

アーティスト・イン・レジデンス
まち・人・アートをつなぐポテンシャル

はじめに
なぜこの本を作ったのか

日本国内のあちこちで「アーティスト・イン・レジデンス（以下「ＡＩＲ」）の取り組みが見られるようになった。ＡＩＲの歴史は諸説あるが、主として欧州を起点としながら発展してきたＡＩＲは、世界中に無数に存在し、アーティストの創造的プラットフォームとして必要不可欠な存在となっている。日本では、１９８０年代後半から90年代にかけて、海外の文化機関により、自国のアーティストが日本国内でのリサーチ、滞在制作を行うための拠点整備が行われた。また、国際文化交流活動の発展と国による地域創生に向けた政策に伴い、日本各地において「国際性」と「地域性」の双方の視点からの新たな文化芸術活動、施設（拠点）のあり方が模索される中、同時期、国際交流基金による欧州の主要なＡＩＲのリサーチが行われる。これらの一連の動きの中で、地方自治体を中心にＡＩＲへの関心が高まり、主に美術分野を対象としたパイロット的なプログラムが実施されるようになる。特に廃校や遊休施設の利活用を目的とした運営が多く行われてきたが、現在では公営、民営、組織の大小、専用施設の有無を問わず、また対象とする分野も音楽、舞台芸術、あるいは地域芸術祭と連携するなど多くのプログラムが運営され、その数は増加、多様化が進んでいる。

ますます発展を遂げ続けている一方、日本のＡＩＲをめぐる課題は山積している。多様なＡＩＲの仕組み・運営を支え、持続可能なものとする資源や文化政策は追いついておらず、美術館、劇場などのように制度化された存在としての社会的認知、顕在化はまだ道半ばであると言わざるを得ない。また、それぞれの目的に沿った自由度の高い運営が可能であることがＡＩＲの大きな魅力である一方で、ＡＩＲの根幹を成す「アーティストの創作活動を中心に置く」こととは離れ、主客転倒とも捉えられるようなプログラムも散見されている。さらに、この本をまとめている間に、ＣＯＶＩＤ-19によるパンデミックが世界を覆い、国外への移動はおろか、国内の県域を越えた移動を制限される事態が起こった。この事態は、移動を伴うＡＩＲの根幹を揺るがすものであり、ＡＩＲとは何か、なぜＡＩＲを求めるのか、運営しなくてはならないのかということを、アーティスト、運営者の双方が共に自問し、見直しを余儀なくされる大きな出来事であった。

　こうした状況や課題への問題意識から、ＡＩＲの社会的な顕在化と持続可能な仕組みづくりのため、また、ＡＩＲに取り組む、あるいはこれから取り組みたいアーティストや運営者にも向けて、少しでも貢献したいという思いから、この本の制作は始まった。ＡＩＲに関しては、文化庁による調査報告書のほか、各団体・組織によるＡＩＲプログラムの滞在記録・成果報告としての冊子・Ｗｅｂアーカイブ、データベースなどは数多く出版・発信されているものの、日本におけるＡＩＲ全体の歴史や多様な活動を俯瞰する書籍はほとんど見受けられない。そこで、国内のＡＩＲに関わる活動をしている方々とチームを組み、日本のＡＩＲの「これまで」と「これから」について、多様な視点から言語化していただいた。この本の中には、異文化との出会いの中でインスパイアされ、自身の成長とともに新しい表現を生み出すアーティストたち、自らの足元にある豊かな文化を再発見していくプロセスを共有する運営者（地域）のそれぞれの経験に基づく言葉が記述されている。それは世界に無数に存在するＡＩＲをめぐる、一粒の砂のようなものかもしれない。ＡＩＲとは何かを定義づけたり、概論とするまでにはまだまだ時間をかけ、言葉やデータを集めていく必要があるだろう。しかし、本書には、私たちがまだ見ぬ未来を切り拓くための大切なヒント、アイデアが詰め込まれていると自負している。本書がこれからのＡＩＲのさらなる発展に向けた長い道のりへの「最初の一歩」となることを願っている。

編者

1

AIR 概説

本章では、1990年以後の文化・まちづくり政策、文化拠点、アーティスト支援の仕組みとして発展してきた日本のAIRを概観しながら、AIRの意義、役割、持続可能性、未来への展望について記していく。

Image by PARADISE AIRトークイベント
Photo by 加藤甫

アーティスト・イン・レジデンスとは何か？

芸術的・社会的価値を支える仕組み

日沼禎子

(1) AIRは誰のものか？ AIRの役割と定義

アーティスト・イン・レジデンス（AIR）とは何か。そのシンプルな問いに対して、アーティストのモビリティ、AIRへの参加を促進、支援するオランダの中間支援団体、TransArtists[1]はこのように定義している。

——Artists and other creative professionals can stay and work elsewhere temporarily by participating in artist-in-residence programs（ママ） and other residency opportunities. These opportunities offer conditions that are conducive to creativity and provide their guests with context, such as working facilities, connections, audience, etc.

（アーティスト、その他プロフェッショナルのクリエーターが、AIRなどの滞在型プログラムに参加することで一時的に他の場所に滞在して制作を行うこと。そこでは創造性を促すさまざまな条件、制作のための施設、コネクション、観客などのコンテクストをゲストに提供する。——筆者訳）

また、TransArtistsのミッションとして、アーティストのキャリアに必要なAIR参加への機会を提供する必要性について、下記のように示している。

——Residency programmes（ママ） have become intrinsic to many artists' careers. There is a wide variety of reasons for artists to engage in residencies as well as a widening variety of artists who go on them. Many artists coming straight out of college and higher education see residencies as a first step into becoming an artist, other, more established artists take 'time out' to go on a residency or see the residency as a mid-career break or step. DutchCulture | TransArtists develops its activities from the deep understanding and awareness of the importance that the phenomenon has for artists and through them, for the Arts and the art world.

（レジデンス・プログラムは、多くのアーティストのキャリアにとって不可欠なものとなっている。アーティストがレジデンスに参加する理由は様々で、参加するアーティストも多様化している。大学や高等教育機関を卒業したばかりのアーティストの多くは、レジデンスをアーティストになるための第一歩と考え、また、より実績のあるアーティストは、レジデンスに参加するために「時間をつくる」、あるいはレジデンスをキャリアの途中の休息や次へのステップと考える。DutchCulture | TransArtistsは、これらの事がアーティストにとって、またアーティストを通して芸術と芸術界に対する重要性をもたらすことを深く理解し、その活動を展開している。——筆者訳）

欧米では、ＡＩＲはアーティスト個人のためならず、アートの発展にとってなくてはならないとの認識、深い理解のもと、文化政策や教育機関によるアーティストのＡＩＲへの参加を促進するための支援活動が多様に展開されている。その歴史は古く、17世紀のフランス王室によるローマ賞によるヴィラ・メディシスへの滞在が起源という説が有力である。

日本において「ＡＩＲとは何か」を明文化した取り組みとして〈平成24年度「諸外国のアーティスト・イン・レジデンスについての調査研究事業」〉[2]がある。その調査・報告書の中では、「ＡＩＲは多様で普遍的な価値に通じるもの」とし、ＡＩＲの定義付けのひとつとして「あらゆる芸術作品の原点を支えるインフラであり、アーティストの想像力を培養するためになくてはならない環境である」としている。また

〈R1（2019）年度 新たな文化芸術の創造を支える活動支援および人材育成のプラットフォーム形成研究〉[3]では、AIRをめぐる3つのカテゴリー「アーティストの多様な表現活動を支える」「豊かな地域づくり」「国内外の民間文化交流の促進」と、それらに紐づく役割が示された（図1）。

日本では旅の俳人である松尾芭蕉、種田山頭火、あるいは民藝運動に携わる工芸家・美術家等の活動や起業家からの支援などがAIRと同様に位置付けられると考えるが、欧米のようなシステムとしてAIRが取り入れられたのは、日本が経済的な発展を遂げた1990年代後半から2000年にかけてであり、国や自治体の政策によって国際社会への参画と地域創生の双方の観点からの事業推進が行われたことが大きい。また、それと同時にアーティスト個人の渡航が容易になり、自身の関心やフィールドが海外へ、特にサイトスペシフィックな表現や脱・美術館を希求するアートフィールドの潮流も後押ししたと言える。こうして文化政策、国際交流の観点から、システムの作り方、またそれらの諸活動に対する調査研究を経て、全国で事業が展開されるようになる。

(2) 日本におけるAIRの変化

① 地域創生、新たな文化芸術振興拠点としてのAIR

先述したように、日本でAIRが本格的に始まったのは1990年代からとされており、主に自治体が主導する形での運営形態が発展してきたが、その背景には、当時の日本の政策に大きな要因があるだろう。1988年から1989年にかけて実施された「ふるさと創生事業（正式名称：自ら考え自ら行う地域づくり事業）」（旧自治省）により、市町村が自主的・主体的に実施する地域づくりが支援され、その結果、都市基盤・環境整備、学習・文化・交流情報ネットワークおよび観光施設などの整備が行われた。続く、

1994年には「財団法人地域創造」が設立され、ふるさと創生事業により全国に数多く整備された公共文化施設運営の充実を図るための支援策、つまりハードからソフト事業へ力点を置いたディレクション、マネジメントのスキルアップを図る支援、事業提案が行われるようになる。最も大規模な事例としては、地域の文化政策による「TAMAらいふ21」(東京都多摩地区全域、1993年)[4]、また、地場産業である陶芸を中心に文化振興拠点としてAIRプログラムを整備した「滋賀県立陶芸の森」(滋賀県甲賀市、1992年〜)[5]がある。

1997年には、文化庁(地域振興課)が実施した「アーティスト・イン・レジデンス事業」が開始され、事業開始から2年目の1998年には12件、1999年には15件の事業採択があった[6]。この時期は、自治体が中心となり、直接あるいは実行委員会への委託、あるいは90年代半ばから盛んになるNPO組織による運営などにより、全国で展開が見られるようになる。90年代後半から2000年初頭にかけて創設された代表例として「アーカスプロジェクト」(茨城県守谷市、1994年〜)、「秋吉台国際芸術村」(山口県秋芳町、1998年〜)、「NPO S-AIR」(札幌市、1999年〜)[7]、「京都芸術センター」(京都市、2000年〜)、「トーキョーワンダーサイト」(東京都、2001年〜)[8]、「国際芸術センター青森」(青森市、2001年〜)[9]が挙げられ、遊休施設の活用や、アートセンターという美術館に変わる新しい文化振興拠点のプログラムとしてAIRが運営されるようになる。

これらの政策が行われる以前の文化振興拠点の中心は、「文化的シンボル」としての施設そのもの、いわゆる「ハコモノ」であったが、文化的価値は「モノ」から「出来事」へと移行していく。AIRによる諸活動によって、アーティストにとって最も重要な「インスピレーション」の源となる「文化的資源の活用」と、アーティストの滞在による「異文化交流」、「地域活性」、「コミュニティの形成」に対する効果への期待から、地域創生と文化振興の双方に働きかける日本型のAIRが発展していくこととなった。

豊かな地域づくりのために

地域の文化芸術の創造・発展・継承と教育を担う役割を担い、アーティストの創造的活動を通した豊かな地域づくり（文化資源の再発見、創造的人材の育成、交流、定住など）を促す仕組み。

異文化との出会い、交流をもたらすことで、多文化共生社会に向けた地域の寛容性や絆を深める機会をもたらす活動。

地域のアーティスト、芸術関係者、文化施設や芸術機関との国際的な結節点、文化の受発信の場。

国内外の民間文化交流の促進

国内外において、日本および地域の文化的プレゼンスの向上を促進する活動。

国際間の移動をともなう表現活動を行うアーティストを支援し、プレゼンスを高めることにより、国際的なアートシーンの発展へと寄与する仕組み。

文化芸術を介した国際交流、多様なパートナーシップ、ネットワークを育むプラットフォームとして、政治や経済の枠組みを超えた対話、相互理解を促す活動。

出典：『［文化庁と大学・研究機関等の共同研究事業］「R1（2019）年度 新たな文化芸術の創造を支える活動支援および人材育成のためのプラットフォーム形成研究」報告書』より一部改変の上、転載

アーティスト・イン・レジデンス(AIR)とは?

AIRをめぐる 3つのカテゴリーと役割

アーティストの 多様な表現活動を支えるために

あらゆる芸術活動、作品の創造の原点を支える仕組みであり、創造力を育むためになくてはならない環境。

アーティストにさまざまな経験と出会いを提供し、新たなアイデアや表現を生み、アーティストの成長を促す場、自発的・有機的な新しい表現活動のためのプラットフォーム。

アートマネジメントの高度なノウハウが集積した専門機関。

時代によって変化する文化芸術の創造を支え、社会的ニーズに呼応するための新たな文化政策の指標をつくりだす活動。

図1　ＡＩＲをめぐる3つのカテゴリーと役割

②国際交流の場、文化発信拠点としてのＡＩＲ

国内でのＡＩＲは、諸外国の例をモデルとしながら海外からアーティストを招へいするという仕組みを取り入れ、中でも１９９０年代初頭からの国際交流基金による事業がＡＩＲの国際的展開の促進に寄与した。同基金は、１９９３年に「アーティスト・イン・レジデンス研究会」を立ち上げ、国内および国外約１５０のＡＩＲ団体・施設について大規模な調査を実施し、１９９５年『アーティスト・イン・レジデンス研究会報告書 '93～'95』を刊行。国内外のニーズに応える形で、２００１年バイリンガルのＡＩＲデータベースとしてウェブサイト「AIR_J」（現在は京都市が運営）を開設しており、現在もＡＩＲの国際間の情報交換、交流の促進に大きく貢献をしている。

また、文化庁の事業としては、地域振興課が所轄し１９９７年から「アーティスト・イン・レジデンス事業」が実施され３か年で終了したが、その約10年後、国際課の所轄により、２０１１（平成23）年に「文化芸術の海外発信拠点形成事業」がスタート。補助対象者は地方公共団体のほか、ＮＰＯ法人、一般社団・財団法人など法人格を有する者、実行委員会などに拡張され、２０１３年からは２０１１年に発生した東日本大震災からの復興に資する活動への対応として「復興支援枠」が設けられ、ＡＩＲによる地域社会課題への取り組みが文化政策として実施された[10]。

２０１８（平成30）年からは所轄は地域文化創生本部へと移り、現在の「アーティスト・イン・レジデンス活動支援を通じた国際文化交流促進事業」に引き継がれ、国際性・地域性の双方を併せ持つ事業が推進されていくことになる。いずれも補助対象事業としての条件は、招へいアーティストの半数以上は海外から受け入れること。帰国後の成果報告会や展覧会など、個々のアーティストの成果、事業効果を共有する機会を設けること。海外のＡＩＲ施設・運営者とのパートナーシップ事業を実施する、あるいは国内のＡＩＲ運営者とのネットワーキングや研究会等を実施するプログラムには助成枠を増額する戦略が盛り込まれるなど、文化拠点としての基盤づくりと国際交流のさらなる展開を後押しした[11]。

③ 海外文化機関が運営するＡＩＲ拠点、各国の文化政策としてのＡＩＲ

現在こそ日本各地で多様なＡＩＲが展開されているが、国内におけるＡＩＲの導入は海外文化機関が先行しており、各国が国際文化政策施策の一環としてＡＩＲプログラムを推進してきた。その理由として、海外のアーティストにとって、ＡＩＲはすでに表現活動にとって欠かせないものとなっていたこと、とりわけ日本文化への関心の高さから滞在制作、リサーチを可能にするＡＩＲへの要請があったことが推察される。

オーストラリア政府主導による自国のアーティストの文化交流拠点形成はすでに35年もの歴史がある。１９８７年、オーストラリア・カウンシルによる「ＶＡＣＢスタジオ（通称：オーストラリアン・アーティスト・スタジオ）」が、東京・門前仲町のマンションの一室を借りて運営され、１９９２年には、オーストリア大使館が神奈川県藤野町の古民家を改修した「オーストリア芸術の家」が運営されていた。そして、２００９年には、日本の国際芸術祭を代表する大地の芸術祭との連携により、新潟県十日町市に「オーストラリア・ハウス」が開設され現在に至る。

フランス外務省による「関西日仏交流会館ヴィラ九条山」は、１９９２年に京都に開所。ドイツについては、１９６２年より自国のアーティストの日本での滞在制作を含む両国の文化交流を担うゲーテ・インスティトゥートが、２０１１年に日独交流１５０周年記念事業の一環として「ヴィラ鴨川」を京都に開設している。オランダによるＡＩＲの取り組みについては、本書で詳しく紹介するが[12]、その特徴として、ＡＩＲ専用の施設は持たず、日本各地のＡＩＲとの事業連携を通して、自国のアーティストに対する多様な滞在創作の機会を創出している点が挙げられる。

④ 2000年代以後の多様な活動、展開——オルタナティヴ、領域横断のプラットフォームとして

2018年度に実施されたAIRに関する調査[13]では、1990年代から現在も活動を継続している長いキャリアを持つ団体から、開始して数年のエマージングな団体があることがわかる。組織形態においても自治体によるAIRだけではなく、公益財団法人、NPOまた、個人運営による小規模AIR（マイクロレジデンス）、株式会社等、またCSRやメセナの視点など、意義、事業目標をそれぞれが設定し、AIRと名乗りをあげた運営を行っている状況が示されている。表現の領域においても、かつては美術（工芸分野も含む）の中でも現代美術の分野、特に若手アーティストを対象とした活動が主要であったが、現在では舞台芸術、領域横断型などの、多様化が進んでいる。

2000年代の最も大きな特徴として、アーティスト（あるいはアート）・イニシアティブ、アーティスト（あるいはアート）・コレクティブという概念にもとづく活動と連動する形でAIRが行われているが、日本における民設・民営によるAIRの先駆けとなったのは「遊工房アートスペースAIRプログラム」（東京都杉並区、1989年～）[14]である。アーティストの村田弘子とその夫である村田達彦が共同ディレクターとして、1984年に自宅を改装したスタジオ兼ギャラリー「遊工房アートスペース」をオープン。村田弘子自身がアーティストとして国内外での彫刻シンポジウムに参加する経験を持ち、そのネットワークで海外からのアーティスト、研究者、研修生の受入を始めたことからAIRの立ち上げにつながっていく。後に、遊工房は、インディペンデントの小規模AIRを「マイクロレジデンス」と名付け、国際ネットワーク「マイクロレジデンスネットワーク（Microresidence Network）」を発足させる。それらの経験から達彦は世界的AIRネットワーク「Res Artis」のボードメンバーをつとめ、国内外のアーティストのプラットフォーム形成のみならず、小規模AIRの活動の発展に大きな影響を与えた。その他にも「AIT Residency」（東京都渋谷区、2003年～）[15]、「AIR 3331」（東京都千代田区、2010年～）[16]、「PARADISE AIR」（松戸市）[17]が

各組織の理念に基づき、行政のまちづくり、企業のCSR活動と連携しながら、民間ならではのユニークかつフレキシブルな運営を行っている。

他方、年代は遡るが、舞台芸術表現の領域で最も初期に始まったプログラムとして「セゾン・アーティスト・イン・レジデンス」（東京都江東区、1994年〜）」があり、国内外の舞台芸術に携わる表現者・制作者のネットワーキングにも大きく寄与している。また、新たなアート・コレクティブの動きとして、俳優・ダンサーである森山未來が自らのAIRでの経験に基づき、神戸在住のクリエーターたちとともに「A.iRK」（神戸市、2022年〜）を立ち上げ、運営を行っている。

2017（平成29）年6月に改正された〈文化芸術基本法〉では、「文化芸術により生み出される様々な価値を文化芸術の継承、発展及び創造につなげていく」ことを重要視すると示された。このことから、AIRにおけるアーティストのリサーチ、創作活動は、新たな芸術表現のみならず、観光、まちづくり、国際交流、福祉、教育、産業、食文化に至るまでの多様な分野と結びつき、領域を横断する、新たな創造による地域文化発信のプラットフォーム、社会実験の場として、積極的かつ戦略的・効果的な発信へとつながることが期待されている。

現在のAIR運営団体・プログラム数[18]は、AIR_J掲載団体59件、その他のインターネット検索では75件。文化庁が実施している「アーティスト・イン・レジデンス活動支援を通じた国際文化交流促進事業」の、平成27、29、30年度の3か年の事業実績報告書からの実績では延件数71件。年度別では、平成27年度は24件、29年は18件、30年は29件となっており、地域・ブロック別の採択数からもAIRは国内全域にわたって実施されていることがわかる。現在もその数は増加していることから[19]、文化政策に一定の成果があったと言えるだろう。

AIR実施団体、ジャンル、対象などの現況

＜実施団体＞
- 自治体
- 芸術祭実行委員会
- まちづくり団体
- 教育機関
- アートＮＰＯ（アーティスト・イニシアティヴ、アーティスト・コレクティヴ）
- 一般社団法人、文化財団等
- 企業

＜表現ジャンル、対象、目的＞
- 美術
- 工芸
- 舞台芸術（音楽、演劇、ダンス等）
- 領域横断型
- 食文化（シェフ・イン・レジデンス）
- 福祉
- 教育（大学等のプロジェクト、海外派遣）
- まちづくり（地域振興、災害復興などの社会課題への取り組み）
- ゲストハウス（主に創造活動を行うアーティスト、クリエーターを対象）
- 地場産業（信楽、瀬戸などの地場産業とのかかわり）

④文化観光のブランディングと芸術祭

今日のＡＩＲの役割、あり方を考える上で、文化観光のブランディングとして国、地域が着目し、振興している国際芸術祭と、ＡＩＲとの関係性にも目を向ける必要がある。芸術祭で発表される作品、あるいはアートプロジェクトでは、その表現において、地域資源の活用、コミュニティとの交流を目的とした活動

が国内外を問わず取り入れられており、そうした場合、その地域に一定期間滞在し、リサーチ、創作活動することが必要不可欠となる。この点において芸術祭とＡＩＲとの差異は、主催者の目的、意図、成果目標によって、滞在制作（つまり、アーティストという存在がそこにいることを重視）が主であるか、成果物（展示などのイベント性を重視）が主であるかということである。つまり、芸術祭を成功に導くことと、アーティスト自身の成果が一致しているとは限らない。芸術祭には、地域経済を優先する観点など、プロジェクトとしての成功に貢献することが重要視されるが、集客に紐づく制作や企画だけが成果・目的として位置付けられるとすれば、経済効果、費用対効果、効率性や分かりやすさが優先される。一方、ＡＩＲは、アーティスト個人の新たな表現の萌芽、成長やキャリア形成につながると同時に、特定の場のリサーチや交流のプロセスによってコミュニティに介入し、地域文化の再発見、新たな魅力の創出へとつながり、その結果として文化観光のブランディングへと寄与する場合もある。ＡＩＲの本質とは何かを考え、創造的活動を消費せず、豊かな土壌をつくる活動として位置付け、アーティストのキャリア支援と地域創生とを切り結ぶための差異化、あるいは連携が必要となるだろう。（図２）

(3) アートにおけるエコシステムとしてのＡＩＲ

① ＡＩＲはアートの生態系を支え、好循環をつくるエコシステム

現在の世界的な動向では、好循環、エコシステムに着目した持続可能な社会への実現という新しい指標軸が語られ始めている。豊かなコミュニティを形成するためには、今後、国際社会、地域社会双方ともに、経済活動を軸とした右肩上がりの成長だけではなく、循環という考え方が必要になってくるだろう。

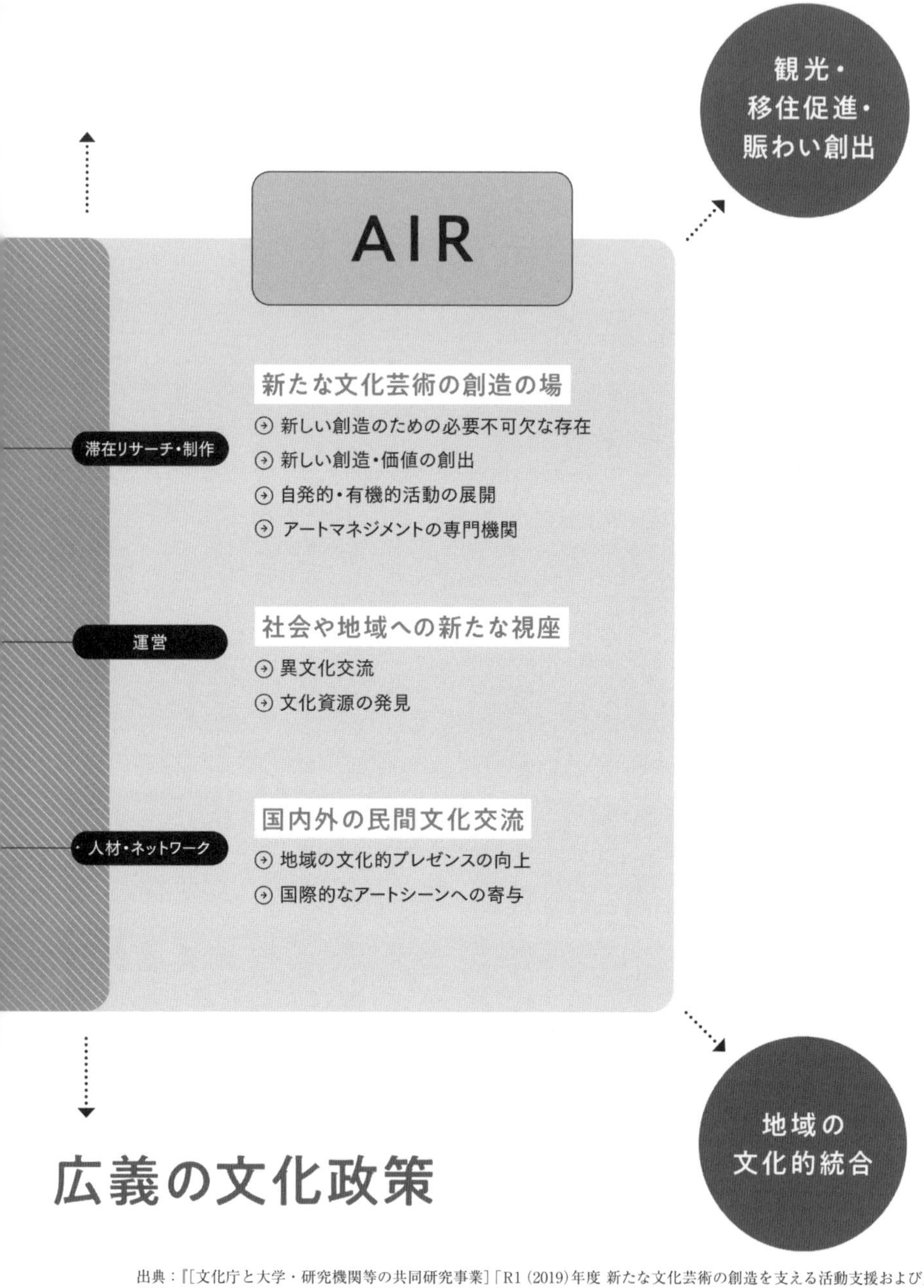

観光・
移住促進・
賑わい創出

AIR

滞在リサーチ・制作

運営

人材・ネットワーク

新たな文化芸術の創造の場

- 新しい創造のための必要不可欠な存在
- 新しい創造・価値の創出
- 自発的・有機的活動の展開
- アートマネジメントの専門機関

社会や地域への新たな視座

- 異文化交流
- 文化資源の発見

国内外の民間文化交流

- 地域の文化的プレゼンスの向上
- 国際的なアートシーンへの寄与

地域の
文化的統合

広義の文化政策

出典：『［文化庁と大学・研究機関等の共同研究事業］「R1（2019）年度 新たな文化芸術の創造を支える活動支援および人材育成のためのプラットフォーム形成研究」報告書』より転載

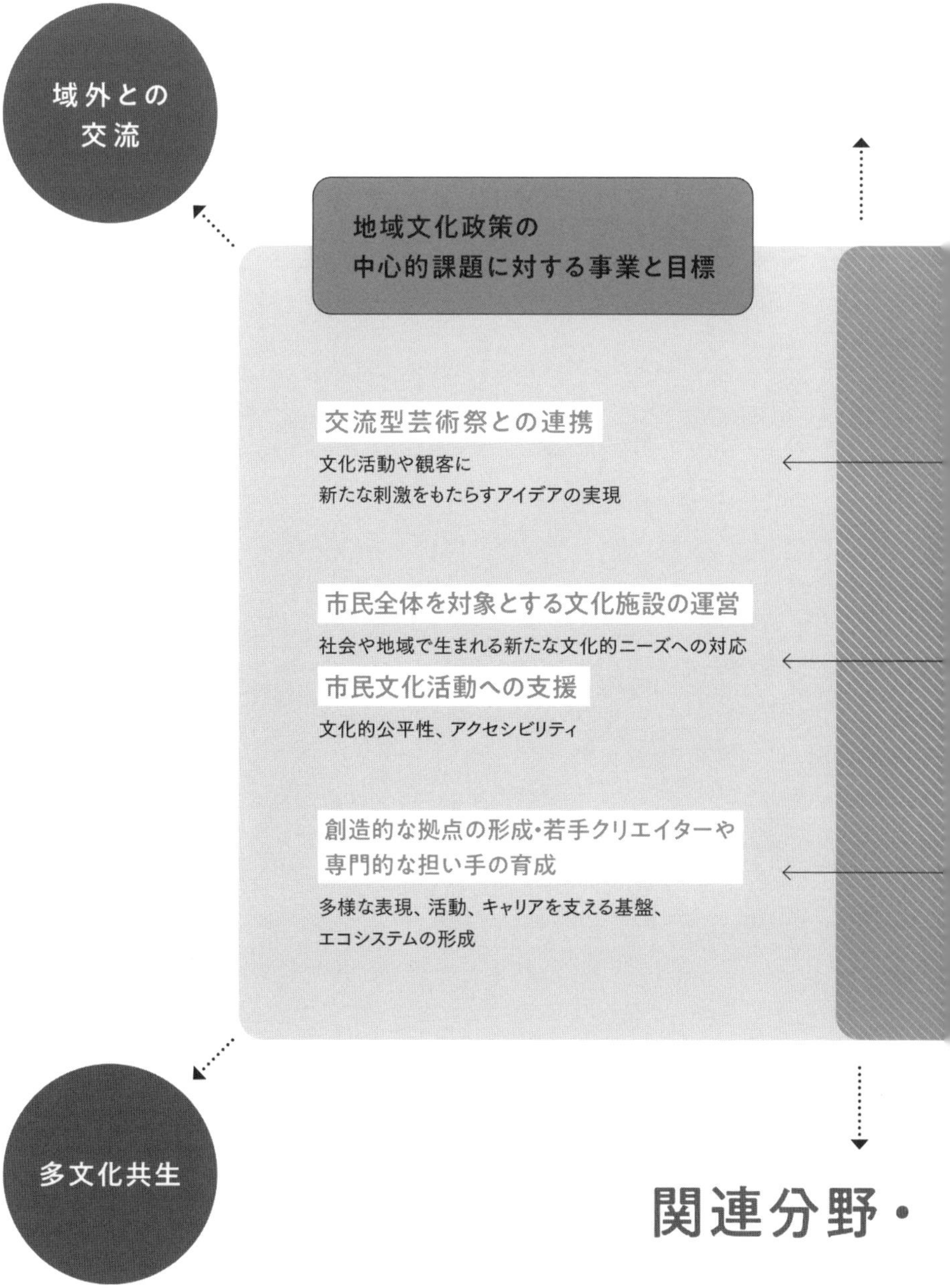

域外との
交流

地域文化政策の
中心的課題に対する事業と目標

交流型芸術祭との連携

文化活動や観客に
新たな刺激をもたらすアイデアの実現

市民全体を対象とする文化施設の運営

社会や地域で生まれる新たな文化的ニーズへの対応

市民文化活動への支援

文化的公平性、アクセシビリティ

創造的な拠点の形成・若手クリエイターや
専門的な担い手の育成

多様な表現、活動、キャリアを支える基盤、
エコシステムの形成

多文化共生

関連分野・

図2　ＡＩＲとの関連分野、相関、広義の文化政策への位置付け

ＡＩＲは移動、滞在をともなうアーティストの表現活動、キャリア支援、異文化交流の場であるということを定義とすれば、美術館、劇場、大学などの文化・教育機関やアートフェアや芸術祭などのプロジェクト、あるいは文化事業を支える助成機関などとの国内外の有機的なネットワークが形成される。さらに、そこに地域特性が結びつくことで、アートの生態系のみならず、地域創生と国・国際レベルの双方に働きかける好循環、エコシステムとして重要な役割と言えるのではないだろうか。（図３）

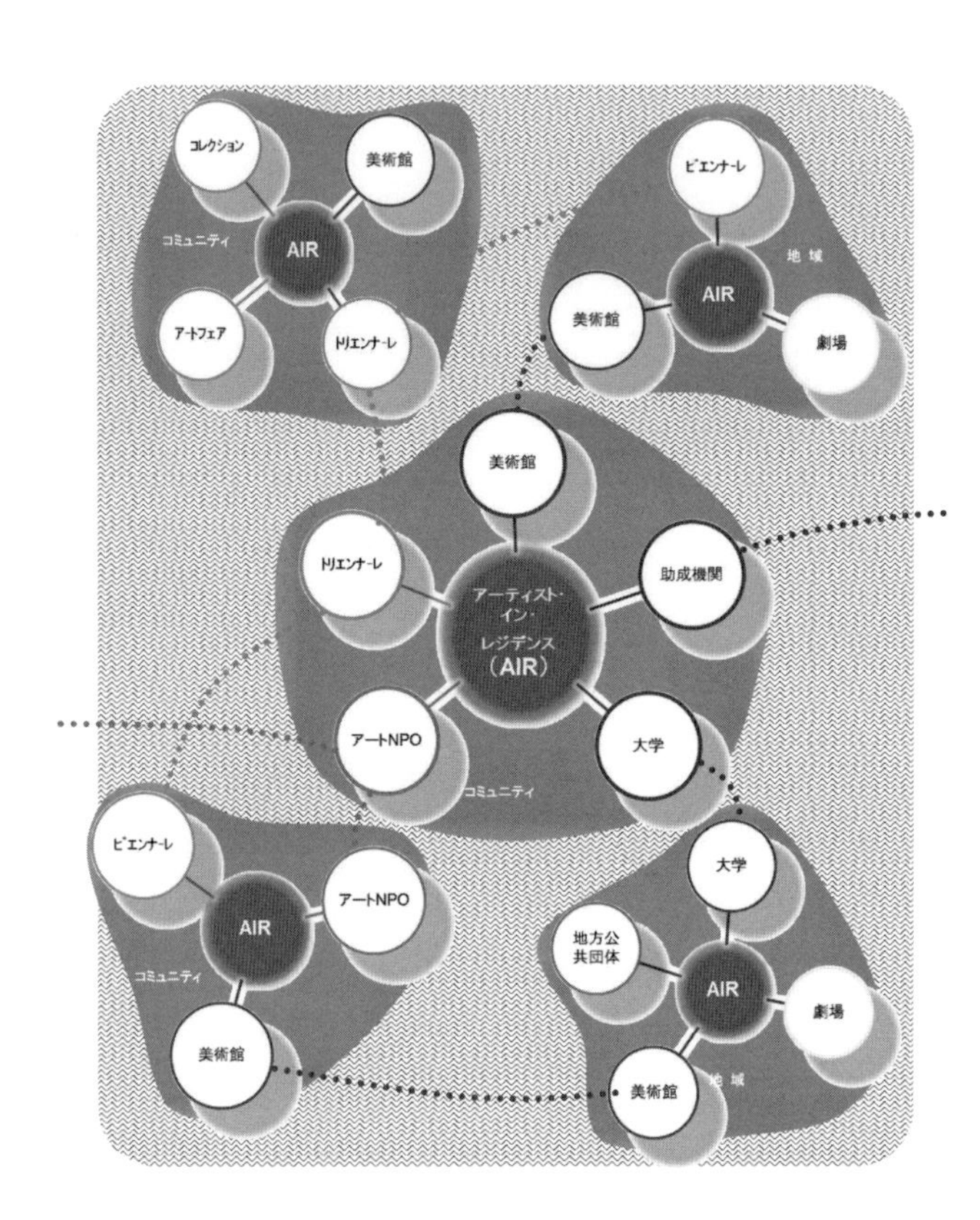

図3
出典：『H24年度文化庁委託事業「諸外国のアーティスト・イン・レジデンスについての調査研究事業」』ニッセイ基礎研究所（文化庁委託調査）、5頁

②多様なプログラム、支援によるＡＩＲへのアクセシビリティ向上の必要性

ＡＩＲの好循環を生み出すためには、年代、キャリア、分野にかかわらず、アーティスト、デザイナー、あるいはキュレーターや研究者も含めたより多くのクリエイターがＡＩＲにアクセスし、活発な活動、交流が生まれることが必要である。現在の日本では、アーティストや研究者個人が、ＡＩＲを活用して創作活動や研究、研修活動を行うための機会や助成等の支援は少なく、ある一定期間の限られた人数に対する招へい事業としてプログラムされている。そのため、期間やキャリア、分野に縛られずに個人レベルで活用ができる仕組みやプログラム[20]を各ＡＩＲの拠点がつくる、あるいはアーツカウンシルやアートＮＰＯ等がアーティスト、研究者の実態を把握する調査を行い、トラベルファンドや研究費など個人への支援を行う制度が必要である。

優れたアーティストや研究者へ贈られるアワードの副賞、スカラシップとして、ＡＩＲ参加への支援を行うことも、好循環を生み出す仕組みとして期待される。「日産アートアワード」[21]では、国際アートシーンへの日本のアートの顕在化を目的としており、第２回目となる２０１５年からはグランプリ受賞者には副賞として海外ＡＩＲへの派遣を行っている。歴代の受賞者である毛利悠子（カムデンアーツセンター[22]）、藤井光（インターナショナル・スタジオ&キュラトリアルプログラム[ISCP][23]）、潘逸舟（KII Art Foundation Artist Residency Programme[24]）などは、その後も国内外で活躍の場を広げている。海外の事例として、スペイン・バスク自治政府による〈ERTIBIL BIZKAIA〉では、Y-ＡＩＲのネットワークを通じた日本のＡＩＲとの連携により、若手アーティスト派遣が実施されている。

他にも、美術大学による在学生・卒業生のキャリア支援として海外でのＡＩＲおよび研究員としての派遣制度があり、武蔵野美術大学では１９６５年にパリ賞を創設し、パリのシテ・アンテルナショナル・デ・ザール（以下「シテ・デ・ザール」）へ毎年２名、１年間の派遣を実施しており、近年活躍するアーティストで

は、2018年のヴェネチア・ビエンナーレのアーティストとして参加した下道基行（2009年派遣）がいる。また、女子美術大学では在学生（大学院以上）・卒業生に対する奨励制度として、パリ賞、ミラノ賞、ベルリン賞の各賞を設けており、シテ・デ・ザール（1年間）、クンストラウム・クロイツベルク／ベタニアン（3か月）、ブレラ芸術学院（6か月）へ各1名の派遣を行っている。2000年に開始されたパリ賞の歴代受賞者は、過去20名のアーティストのうち、約半数の8名が現在も欧州に留まって活動を行っており、また、第2回（2018年度）のベルリン賞を受賞した宮本華子は期間終了後もベルリンを拠点として活動し、2020年3月開催の「VOCA展2020」において佳作賞を受賞するなど、その後の活躍の場を広げる機会となっている。若手育成のためのY-AIRについては、後章で詳しく紹介する。

③ AIRのエコシステムを支える担い手の育成

AIRのエコシステムを支えるためには、AIRの運営を支える担い手の存在が不可欠であり、その育成を行うことも重要である。〈H30（2018）年度 新たな文化芸術の創造を支える活動支援および人材育成のプラットフォーム形成研究〉[25]では、AIR事業を運営する上での課題として人材・人員不足が挙げられ、不足な人員について「コーディネーター」、次いで「プロデューサー」「キュレーター」とされた。また、不足している能力や資質についての問いについては「語学力」、「マネジメント能力」、コーディネート力」が挙げられた。この結果から、AIRに求められる人材とは、美術や舞台芸術等の専門性を持ち、語学を中心としたコミュニケーション能力、マネジメント能力のあるコーディネーターであり、求められるスキルの高さを読み取ることができる。さらに、人材育成のための有効な手段として「語学の学習」、「芸術学や美学の学習」、「座学によるアートマネジメント」、「座学によるAIR事業のノウハウに特化した講座」の順に挙げられているが、いずれの機関、組織の多くが、人材育成の取り組みを行う余力がないことも明らかになった。また、このような多様なスキルを持つ人材は、ＡＩＲの現場でこそ育つという分析もあり、ＡＩＲの運営に携わりながら、さらに必要とされる能力を身につけるための研修等の機会が創出されることが望ましい。有効性として挙げられた「外部団体が行うＡＩＲでの中長期での研修」では、相互の課題共有や事業連携などにもつながり、豊かなネットワークを築くことで、ＡＩＲ従事者全体でのスキルの底上げ、事業の発展へ寄与することも期待される。

④ ネットワークによる連携、情報共有の重要性

ＡＩＲ運営に必要不可欠な存在として、国際ネットワークの活動、ポータルサイトの運営がある[26]。各組織ともに、世界のＡＩＲデータベース、公募や助成情報の提供による支援といった情報提供、ＡＩＲ従事者に対する会員制による対面やオンラインによる会議や研究会等を運営しており、ＡＩＲに関わる国際ネットワークや情報共有を通じて業界全体のスキルアップやプログラムの顕在化に寄与する活動を行っている。これらの諸活動は、紛争や疫病によるパンデミックの際にも、アーティストや世界中の運営者と情報を共有する場として機能し、分断を乗り越え、越境することによる自らの経験、成長を求め続けているアーティスト、担い手の相互支援活動につながった。世界中のＡＩＲが国や地域を越えて連携し、アーティストたちが安心、安全に表現できる場を提供し、創造的活動を継続するための環境をつくる役割として、ネットワークの存在は今後ますます重要になるだろう。

(4) 未来のＡＩＲ

基盤整備、持続可能な運営においてさまざまな課題を抱えるＡＩＲであるが、一方で、流動性や柔軟

性をもって社会との相互作用をもたらす場であることを力に、未来への可能性を切り拓きはじめている。

例えば、企業や大学がアーティストのスタジオを設けたり、ソーシャリー・エンゲージド・アート、コミュニティ・アートとの関連から自治体とアーティストが連携し、公共空間や施設においてプログラムを実施するなど、アーティストが社会に介入することによって、多様性を生み出すＡＩＲの役割が注目されている〔27〕。

未来のＡＩＲをつくり、持続可能な運営を行うためには、海外から見える文化の特性、求められる資源とは何か、それらの価値を運営者自らが再評価・発見し、改めてＡＩＲの本質を捉え直すところから始める必要があるだろう。その場所に行かなければ出会うことができない、体験できない経験、インスピレーションをもたらすことが、アーティスト、クリエーターにとってのＡＩＲの最大の魅力、モチベーションであるという考えに立ち戻り、歴史、文化、その足元にある存在と価値を見直すことこそ、多様な未来を切り拓き、多様なＡＩＲのあり方を持続可能なものとするだろう。

注

1　オランダの文化機関DutchCultureにより運営される国際的なアーティスト・イン・レジデンスの情報をアーティストの視点から提供し、参加の機会を促す中間支援組織。

2　Ｈ24年度文化庁委託事業「諸外国のアーティスト・イン・レジデンスについての調査研究事業」ニッセイ基礎研究所（文化庁委託調査）、２０１３年。https://www.bunka.go.jp/tokei_hakusho_shuppan/tokeichosa/pdf/artist_houkoku.pdf

3　『文化庁と大学・研究機関等の共同研究事業』「Ｒ１（２０１９）年度 新たな文化芸術の創造を支える活動支援および人材育成のためのプラットフォーム形成研究」報告書（編集：女子美術大学　発行：文化庁）https://www.bunka.go.jp/tokei_hakusho_shuppan/tokeichosa/pdf/92879001_01.pdf

4 多摩地域の東京都移管百周年記念事業として、多摩地域全域で行われたイベント。日の出町、五日市町（現・あきるの市）、八王子市、町田市の4市町にスタジオと宿泊設備を整えた施設が建設され、石彫、版画、織物、陶芸を対象とする各レジデンスに、国内外のアーティストを招へいした。現在は「アートスタジオ五日市レジデンス事業」（あきるの市）として版画を対象にしたプログラムが継続されている。https://www.city.akiruno.tokyo.jp/category/14-3-12-0-0.html

5 本書第2章6項で詳細を記載。

6 『AIR CAMP 2015 記録集』（NPO法人S-AIR刊）より。

7 1999年にアーティスト・イン・レジデンス実行委員会として事業を開始し、2005年の特定非営利法人化に伴い「NPO S-AIR」に改称。

8 2017年にトーキョーアーツアンドスペースに名称変更。

9 現在の青森公立大学国際芸術センター青森。2010年より青森公立大学の附置施設として青森市より移管。

10 「陸前高田アーティストインレジデンスプログラム」が2013年の復興支援枠として採択され、2019年まで成を受けた。

11 助成事業によって期待される成果、効果が多様であることは多様プログラムの発展を促進する一方で、すべての要素をクリアしなければ採択されることが困難になる可能性も高く、かえって各施設やプログラムが平均化され、特性や独自性を保つことが困難になる可能性が課題としてある。

12 本書第2章7項に記載。

13 『「文化庁と大学・研究機関等の共同研究事業」「H30（2018）年度 新たな文化芸術の創造を支える活動支援および人材育成のためのプラットフォーム形成研究」報告書』（編集：女子美術大学 発行：文化庁）を参照。https://www.bunka.go.jp/tokei_hakusho_shuppan/tokeichosa/pdf/r1416056_04.pdf

14 本書第2章4項で詳細を記載。

15 運営はアーツイニシアティヴトウキョウ（AIT）。

16 運営はアーツ千代田 3331。

17　運営は一般社団法人PAIR。本書第2章2項に詳細を記載。

18　本書第2章10項で詳細を記載。

19　AIR_Jへの掲載希望や立ち上げへの問い合わせが引き続き寄せられているという（担当者談より）。

20　有料での貸館など。

21　2013年より実施されている日産自動車株式会社による現代美術のアワード。才能ある日本のアーティストをグローバルな視点で選抜し、海外のアートシーンでプレゼンスを高め、国際アートシーンにおける日本現代美術の参照点となることを目指すもの。https://www.nissan-global.com/JP/SUSTAINABILITY/SOCIAL/CITIZENSHIP/NAA/ABOUT/

22　https://www.camdenartcentre.org/

23　https://www.iscp-nyc.org/

24　https://www.k11artfoundation.org/en/

25　注13と同じ。

26　本書データ集を参照。また第2章にも記載がある。

27　本書第2章10項に記載。

Fringe
Performing Arts Me
2020.2.8 Sat — 2.16 Sun
Meeting in Yokohama
TPAM
Fringe
国際舞台芸術ミーティング in 横
Performing Arts Meeting in Yokoh
Performing
2020.2.8 Sat —

2

AIR ケーススタディ

本章では日本各地域で行われているAIRの取り組みを紹介する。日本のAIRの黎明期から見る歴史的背景、組織、海外文化機関の活動、表現ジャンル等のほか、未来への展望までを10項目に分類し、各運営に携わる担当者、AIR研究者が執筆した。多様であることがAIRの特性であるため、正確な分類や定義をすることは難しいが、AIRの動向を知るケーススタディとしていただきたい。

Image by 舞台芸術AIRミーティング in TPAM 2020
© 前澤秀登

AIR
ケース
スタディ

1 日本のAIR
AIRと行政、黎明期から現在

さっぽろ天神山アートスタジオ AIRディレクター
小田井真美

はじめに

私自身は、日本のAIRの始まりから少し遅れて2002年から2022年現在まで、AIR事業運営の現場に携わってきたに過ぎない。研究者として、歴史の若いこの分野を調査・分析して論じたことはなく、ひとりの現場運営者として、どのようにAIRがAIRとして継続していけるのか、自分がAIRを仕事にして生活していけるかどうか、という切実な現実の中にいる。そのような中、日本国内のAIRの取り組みやその環境や状況といった情報を自身の現場運営の助け、改善の糸口にするために収集し、実感や体験をベースに本項を執筆していると、冒頭で断りを入れておきたい。

なぜ、いちAIR現場の運営者である私が、日本にAIRが導入された経緯や政策に興味を持つことになったのか。それは、私が2008年から2010年にわたりアムステルダムにあるTransArtistsで研究する機会をもち、オランダ国内のアーティストが運営する「ゲストスタジオ」をはじめとしたAIR事業や運営をリサーチしたことが発端だ。オランダの文化芸術に対する資金面の仕組み、特にアーティスト個人の活動やTransArtistsのような中間支援組織、事業企画・運営団体の基盤運営への支援、そして、それらの制度や運用はアーティストや事業運営者の運動、意見によって構築され、常にブラッシュアップされている実態を知ったことによる。政権交代による大きなゆらぎは起こるものの、オランダ国内におけるアーティストの活動や多様な表現活動を、社会の中で「その人」が生きる当然の権利として堂々と存在を主張し、公的資金を獲得して活動基盤を整えている。日本の現場の報われなさに挫折していた当時の私は、「オランダは人間が造った」という、国と人の感覚や生き様に救われたように感じたのを覚えている。私は、自身のこれらの体験から、日本のＡＩＲの未来を考察するためには「活動の基盤」そのものから思考を組み立てて、運営者にとって幸せを実感できる労働環境と現場運営、よりよい事業継続のための課題を見つけ、ひとつひとつ解決するほかないと確信したのだ。

国経由の仕組み導入から地方公共団体への波及

欧米圏の文化芸術分野で「アーティストの制作活動と存在を尊重し励ますマインドを前提に、賞や奨学金のオプションとして、アーティストが自身の拠点を一時的に離れ、他の場所に一定期間滞在し創作活動の研鑽をする機会を提供する仕組み」と認識されるＡＩＲと総称される考えと仕組みが日本に紹介されて、その枠組みが設計、事業化されて新しい文化芸術事業の運営がスタートしたのは、１９９０年代のことである。国の機関（外務省、文化庁）主導で導入が進められたため、日本のＡＩＲ黎明期には複数の地方自治体が反応し、事業や施設を立ち上げ、文化庁が補助金で日本各地でのＡＩＲの始まりを支援した。また、文化庁の補助金は広く応募を受け付ける制度だったことで、件数は少ないが民間運営者（例えば、札幌アーティスト・イン・レジデンス実行委員会（現ＮＰＯ「Ｓ－ＡＩＲ」）等）によるＡＩＲの萌芽を後押しした。

当時、民間主導の運営者の多くは、アーティストのためにボランティアに近い待遇で、ＡＩＲ事業を運営していたと記憶している。この点は、２０２２年の現在とは事情が大きく変わっている。

ＡＩＲは、「文化外交」の手法のひとつとして、同時にアーティストの創造的活動を支援する欧米の理念、仕組みの主旨に準じて、アーティストに対する奨学金に近い感触で収益型文化芸術事業と異なるポジショニングとして、公的資金を投入しながら日本に根付いてきている。

なぜ地方公共団体がＡＩＲを運営するのか？

次に、ではなぜ地方公共団体がＡＩＲ運営に着手したのか、という理由を挙げてみる。

筆者が２年間運営に関わったアーカスプロジェクトいばらきは、東京藝術大学の上野から茨城県への移転計画に伴い、隣市の守谷市と茨城県により計画された。守谷市には「美術館を建設したい」民意があり、それに応じて芸術家村構想があった。そこに東京藝術大学の移転や国からの助言が加わり、茨城県と守谷市が運営予算を負担金として実行委員会に供出する形で１９９４年にパイロット事業を開始し、現在に至る。アーカスプロジェクトいばらきのみならず、同時期に事業開始したＡＩＲのいくつかは、もともと自治体にあったニーズ（課題や地域芸術家からの要望、類似の計画）と抱き合わせる形で、その事情に合わせて運営母体が構成されていったと考えられよう。中には、地方自治体首長（知事、市長、町長等）の政策やアイデアが元になったという話を聞くこともある。

ＡＩＲの目的や位置付けに地域振興を掲げて始動したアーカスプロジェクトいばらきは、黎明期においてはレアなケースであり、ほかの多くは「若手アーティスト育成」と「文化を通じた国際交流」を目的としたため自治体が主催を担うことになった。

地方自治体とAIR運営現場の相関関係

AIRが地方自治体主導で運営される場合、運営母体にはいくつかのパターンがある。それらは、「文化・芸術財団系」、「実行委員会形式」、「地方自治体直轄」等であり、AIR運営の現場と地方自治体の距離感（主催と運営）は様々である。

日本の文化芸術に対する予算は年度単位で計画され執行されるという前提があるため、AIR事業運営の長軸の計画策定、継続性や運営内容を裏付ける「資金面」、「運営体制面（現場担当者の資格やバックグラウンド、雇用期間など諸条件）」が、パターンにより異なる。そのため、AIR運営現場を比較調査する場合には、運営母体の性質は必要な要素と言えるだろう。このように、いくつかのパターンに分かれるが、黎明期の日本のAIRの大部分は地方自治体が母体ないしは主催していたのである。

アーカスプロジェクトいばらきは、当時、茨城県と守谷市を含む実行委員会が事業を主催しており、事務局を茨城県地域振興課、運営現場は同実行委員会に雇用されたスタッフが担う構造だった。アーカスプロジェクトの「行政との距離」は非常に近く、いわゆる執行は事務局に決定権があったため、現場スタッフは事務局に決裁をとりながら全ての活動を行っていたのが実態である。また、2014年より現在まで、筆者が事業運営に携わっているさっぽろ天神山アートスタジオ（札幌市主催）では、開設時、アーカスプロジェクトでの経験を踏まえて、かなり慎重に事業設計、執行に関す

廃校を活用したアーカスプロジェクトいばらき

るシミュレーションを行い、行政担当者と議論を重ねた。準備期間が短く、札幌市ではこれまで前例のないタイプの拠点を事業設計することになったため、既存文化施設の運営方針や規則を下敷きにした点も多く、AIR拠点としては辻褄の合わなさは残ったものの、現場運営者の自由度をできる限り確保できるよう設計できたのではないだろうか。つまり、アーカスプロジェクトと比較すると、札幌市直営の施設であるため、構造上は「行政との距離は近い、またはほぼない」。しかしながら、企画プロポーザルで承認された団体が札幌市からの業務委託契約で現場運営を行うため、活動の一部は札幌市の承認をとりながら進めるが、業務委託契約の受託者である現場運営者にある程度委ねられている。ただし、アーティストの選定、滞在するアーティストの活動を市民生活と接続させるためのイベントやプログラムの企画内容等「委ねられる領域」やアーティストの支援や育成、地域との交流の手法といった「主旨の解釈」は、定期的に変わる行政担当者によって微妙に異なるため、担当者着任の度に仕切り直しが起こり、双方のコミュニケーションが落ち着くまでに時間を要することになる。行政組織のリズムに運営現場が合わせていくしかない現状がある。

行政担当者との連携が不可欠な運営現場

AIRはだれのため？

日本がAIRを導入する際に参考にした欧米では、AIRはアーティストのための仕組みであることが第一義であり、文化芸術振興、文化芸術分野の若手芸術家の育成、活動支援する仕組みとして、国と地域の文化政策に取り入れられ、執行されている。日本国内では、初期設計で文化外交を念頭においた海外アーティストを日本に招聘して滞在制作をする「国際文化プログラム」としてのたてつけが散見される。しかし、フランス政府による「ヴィラ九条山」、ドイツ政府による「ヴィラ鴨川」等の文化外交としての自国のアーティストを日本に派遣するAIRは、アーティストの選考やステイタス、事業内容やアーティストの滞在拠点環境や資金のレベルは日本国内のAIRと比較すると遥かに高い。一方で、導入から30年近い日本の場合は、国内の地方自治体でAIRを文化政策に取り入れたものの、継続的なAIR運営をしている事例は多くない。「文化政策」としての必要性が論じられるようになったのも最近のことだ。AIRを導入しようとした1990年代にはまだ実態のない政策であったと考える。その実態とは裏腹に、現在の状況に照らしてみると「AIR」の周知拡大に伴う地方自治体の関心が、官民問わず高まっていると実感する。過去10年足らずの間に、新潟市、札幌市、鳥取県、京都府、奈良県、福岡県等の自治体がAIR事業を開始しているのが散見されるし、当方への照会や助言を求める連絡はほかにも複数件ある。それらの拠点及び事業開始の目的の代表的なものは「地域振興・活性化」「空き家対策」「地域芸術家の育成」「Iターン、Uターンを含む移住者の地域と接続するための活動」である。加えて、地方自治体が任期付きで雇用する地域おこし協力隊による小規模のAIR、マイクロレジデンシーの日本各地での立ち上げも多く聞こえてくるようになった。

1990年代の国際文化プログラムとしてのAIRの印象は薄くなり、成果指標や事業運営の視点は、活動拠点のある地域内のみにとどまっているように見受けられ、この点は特に日本のAIRがかつて手本にした欧米のAIRから離れ、独自に展開されてきたことを現しているのではないだろうか。

札幌市が保有していた中期滞在宿泊施設を修繕しAIR拠点として再出発した、さっぽろ天神山アートスタジオ

AIR運営現場と行政

筆者自身の経歴で、3つの異なるAIR事業・拠点の運営に携わってきた。1つ目は、民間が運営する札幌アーティスト・イン・レジデンス（現NPO「S-AIR」）、2つ目は、アーカスプロジェクトいばらき、3つ目は札幌市のAIR拠点さっぽろ天神山アートスタジオである。これら3か所のAIR拠点ごとに、行政との距離感は異なる。その距離と行政のAIR事業の運営現場及び事業内容への関わり方は、反比例する。行政の事業内容への責任の大きさと現場への関わりの大きさ、干渉の度合いが高ければ高いほど現場の業務は煩雑になり、労働環境として過酷さを増す。このケースでは、アーティストの選定、作品・プロジェクトの内容に至るまで行政の「承認」を必要とするため、業務量が倍増する。反面、AIR事業の運営は圧倒的な感情労働環境であることから十分とは言えないが、雇用期間内は安定した報酬を得ることができる。

さっぽろ天神山アートスタジオでのAIR

ＡＩＲ運営の現場は、アーティストの創造的活動全体の中でもプロダクション期までを主に対象とするため、発表以前、評価前の活動及び作品やプロジェクトを取り扱うことになり、その対象となる活動とは「失敗を含む、より実験的な活動」であることが多い。そのため、行政の単年度の成果に置き換えることは簡単ではない上に、行政スタンダードの「数字で表現できる成果」「常に一般に理解されるような説明」「住民への還元」を要請される。さらに近年は、文化芸術活動の表現の自由に対する主催者・ホスト（＝行政）のマナーが保たれないケースも散見されるようになってきている。ここには、文化担当者として育成された専門スタッフが不在で、一般職員が「承認」をする日本の地方自治体の基本的な体制が根深く影響していて、ＡＩＲ運営現場と行政の双方を疲労させる。その結果、双方を感情的に排除する要因になっており、「現場と管理」の対立構造がうまれる傾向は否めない。また、ＡＩＲ事業運営の専門性や独自性は美術館や博物館における学芸員資格を有する専門職と社会的に（＝行政的にも）同等には扱われない現状が、労働環境やキャリア構築の上で大きな業界課題としてある。これは決して見通しが明るいとは言えない現場の実態であるが、今後はひとつひとつより良い方向に改善させていかなければならないと考えている。解決策のひとつとして、日本各地で行政から独立した形で、なおかつ固定的な専門人材で構成されるアーツカウンシルを設ける方向への議論が高まっているのではないだろうか。

おわりに

現在は、運営現場の課題は根深く実態としてあるものの、これらを凌駕する勢いでＡＩＲは各地で試みられている。なぜここまでＡＩＲが求められるのか、そこには携わる運営者ひとりひとりの「その場所で生きていく意味」や「アーティストとの共同作業」への渇望が途切れることなくあるからだろうと、自分自身のモチベーションを確認しながら想像している。文化や芸術活動は人の営みそのものであり、個人の、また社会や時代の価値観やニーズの中でサバイバルし、柔軟に変化していくことと切り離すことができない。2022年の現在から振り返ると、たかだか30年の歴史ではあるが、ＡＩＲもまた、基本の「アーティストの創造的活動を場と時間の提供で支援する枠組み」をキープしながら、日本社会の中で独特な仕組みとして「日本のＡＩＲ」を創り上げてきており、その内容はこれからも変化をしていくだろう。

これからの日本、特に都市圏におけるＡＩＲの意味は、アーティストの創造的活動の支援でありながら、高度経済成長から積み上げてきた「消費中心」の社会意識を、「生産」や「育成」、「心の充足・幸福感」へとマインドセットをしていくために、行政態度を示す手段となるのではないだろうか。いずれにしても、ＡＩＲ事業、拠点は公的な資金源が不可欠である。その理由は支援や育成が主たる目的であることと、他の文化芸術事業とは異なり収益性が余り望めないためである。ＡＩＲ事業の目的が、地域活性化の手段であろうと、文化芸術分野の基盤であっても、ＡＩＲを包括する文化芸術活動は人が人として生きるための営みそのものである。継続的、長期的な運営ができてこそ、その本来の目的に近づくのであるから、ＡＩＲ運営者の戦略のひとつに、行政、特に活動拠点となる地方自治体とのさまざまな関係の構築は一考の余地があるのではないだろうか。

AIR
ケース
スタディ

2 地域づくりとAIR
アーティスト・イン・レジデンスと地域活性化

勝冶真美

近年アーティスト・イン・レジデンス（ＡＩＲ）が地域づくりに有効な取り組みとして注目されている。「地域活性化」とは、各地域の経済や社会、文化を活発化させることにより、そこに住む人々の活力を向上させ、持続可能な社会をつくっていこうとする取り組みである。地方で過疎化や高齢化が進む中、地方の豊かなリソースを掘り起こすことで各地域それぞれの個性を発揮し、住みたくなる街づくりを目指す、というもので、日本の多くの市町村が施策に取り入れている。また、ＮＰＯなど市民団体等による自主的な活動例も多くある。

もともと、ＡＩＲといえば、アーティストが普段の生活の地とは異なる場所に滞在することで、新たな刺激をうけながら研鑽を積むためのシステムである。当然このフィロソフィーは現在に至るまで継承されているのだが、現在、特に日本においては、ＡＩＲの枠組みは前述の「地域づくり」や「地域活性化」の手法としても認知されるようになってきている。

ＡＩＲという仕組みが日本で広まってきたのは１９９０年代であるが、それは美術館や劇場がアウトリーチに目を向け始めた頃と時期を同じくしている。ハコの中にとどまるのではなく、社会の中でアートができることを積極的に見出していこうというその動きに並走するように、ＡＩＲもまた、社会の中でアーティストが生活と創作活動を行うことで地域と交わり、相互に影響を与えていくことのできる手法として注目されるようになった。特にＡＩＲは、時間と場、人という3つを大きな柱とするプログラムとして、持続可能な人と人の交流の機会を生み出すという地域活性化の本質を体現しているとも言える。現代美術の実践においてもソーシャリー・エンゲージド・アート（社会関与型アート）やプロジェクト型のアートが志向される流れもあり、アーティストの作品制作の支援というだけではない、いわば「交流のシステムとしてのＡＩＲ」というもうひとつのベクトルがそこに加わっていった。

現在では、ＡＩＲを行う施設・団体は日本各地に広がり、その数は100を超えるとも言われている。そのすべてが「地域づくり」や「地域活性化」を主目的としている訳ではないが、地域やコミュニティを巻き込みながら、アーティストを迎え入れることで魅力的な街づくりに成功している事例も多くある。

その中でもたびたび参照される例として、ＮＰＯ法人黄金町エリアマネジメントセンター（横浜市）や神山アーティスト・イン・レジデンス実行委員会が実施する神山ＡＩＲ（徳島県）がある。

ＮＰＯ法人黄金町エリアマネジメントセンターは、横浜市内の初黄・日ノ出町地区を拠点に活動するＮＰＯである。戦後から違法風俗店舗が立ち並んでいた初黄・日ノ出町地区だが、安心して暮らせる地区にしたいと願う地域の人々により、環境浄化活動が立ち上がったことがきっかけで、2005（平成17）年の警察による一斉摘発後の高架下や高架沿いを舞台に、「アートによるまちづくり」の活動が進められた。

短期から長期までさまざまな国内外のアーティストを対象に、街の各所に点在するスタジオで滞在制作を行うアーティスト・イン・レジデンスプログラムが実施され、街にアーティストが溶け込むように滞在している。ＡＩＲの成果発表展や黄金町バザールなどのフェスティバルといったイベントだけではなく、アーティストが街の活動に協力するなど、地道な活動によって、アートの街・黄金町として、多くの若者が訪

黄金町エリアマネジメントセンターのスタジオ。空き店舗を活用したスタジオが並び、アーティストが行き交う。
Photo by Yasuyuki Kasagi

れる街となっている。

神山アーティスト・イン・レジデンス実行委員会が実施する神山アーティスト・イン・レジデンス（KAIR）は、徳島県神山町で1999年から続くAIRで、毎年国内外から3～5人のアーティストが徳島県中部の人口5000人程の街に滞在する。。1992年に始まった「神山町国際交流協会」がその前身であり、まさに地域住民の有志による「国際交流」への思いが源流となっている。事業の立ち上げにあたって、田舎の子どもたちと都会の子どもとの経験格差をなくしたいとの思いもあったそうだ。

AIR事業の蓄積に加えて、2012年に開始した「サテライトオフィス誘致事業」や人材育成事業「神山塾」との相乗効果もあり、今では短期滞在のアーティストだけではなく移住者が集まる町、面白いことが起こる町として注目を集めている。

また、AIRが地方へ広がっていった背景として、国際芸術祭の存在も無視できない。「大地

の芸術祭 越後妻有アートトリエンナーレ」（新潟県、2000年〜）[1]や「瀬戸内国際芸術祭」（香川県ほか、2010年〜）[2]をはじめとした芸術祭は、アートを通して新たな地域の魅力を発見するという体験を私たちにもたらした。また、アーティスト・イン・レジデンスに関連して考えると、各地の芸術祭の誕生によって、アートマネージャーやアートコーディネーターなどの専門人材が地方で活躍する機会を得るようになったこと、ボランティアスタッフが組織され活発に活動することにより、アーティストを地域に迎え入れる土壌が耕されていったことは、AIRが日本各地に発展していく中で重要なポイントである。AIRが「アーティスト」を対象にするプログラムである限り、彼らの仕事内容を理解し、それを地域社会に橋渡しするという役割を担うことのできる人材がAIRにおいては必要不可欠なのである。

ヒューマン・リソースだけではなく、芸術祭をきっかけに建物がAIRに活用されるという例もある。さっぽろ天神山アートスタジオは「第1回札幌国際芸術祭」[3]をきっかけにして遊休施設の活用がされ、芸術祭終了後も民間団体（一般社団法人AISプランニング）が引き続き運営するAIR施設となった。国際公募プログラムの他にも滞在者が自身で経費を負担しながら滞在時期や期間を自由に設定できるセルフファンディングのプログラムもあり、その間口の広い制度設計によって、コロナ禍以前には毎年400人ほどのアーティストが滞在するなど、アーティストが札幌に訪れるきっかけとなっている。また、緑地公園内に位置するさっぽろ天神山アートスタジオは1階が公園利用者の無料休憩所でもあり、アーティストと市民とが出会うことのできる場所ともなっている。地方での芸術祭をきっかけに、AIRプログラムを実施する施設が誕生し、その後も継続的にその地へアーティストを呼び込んでいる、という一つのモデルケースと言えるだろう。

筆者は京都芸術センターという京都市が設置するアートセンターでAIR事業に取り組んでいた。京都芸術センターは京都市内の中心部に位置しており、いわゆる都市型のAIRであると言える。都市部

京都芸術センター外観。1993年に閉校した元・明倫小学校を再活用して2000年に開館。Photo by Nobutada Omote

の場合、様々なコミュニティが重なりあって存在しており、日々生活をしているだけでは、なかなか「地域」が見えてこない部分も多い。京都芸術センターのアーティスト・イン・レジデンスプログラムでは、参加の条件として「滞在中に市民との交流事業を企画し実施すること」という項目があるのだが、担当し始めた当初は、この「市民」という抽象的な言葉がうまく掴めず、難しいと感じていた。がむしゃらにワークショップや展覧会、トークをアーティストの提案を基に企画し実施していくものの、まるで手ごたえがなく、「市民」「人々」という言葉だけが一人歩きし、まるで実体のないものに向けて発信しているような気持ちになっていた。

この悩みから抜け出したのがいつの頃だったかは覚えていないが、今は「市民」という言葉に向き合う時は、必ずもう少し具体的なコミュニティに置き換えて考えるようにしている。例えば、「京都市内の芸術系大学に通う留学生」とか「京都芸術センター近隣の地区で地域のお祭りの継承に積極的に取り組む○○さん」などである。ＡＩＲは実践の場であり、結局は顔の見える付き合いからしか物事は始まらない。ＡＩＲに限らずあらゆる街づくりの活動でも同様だが、小さなお付き合いや出会い、協働の積み重ねが「地域づくり」につながっていく。ＡＩＲでは、そこにアーティストの視点が加わることで、予期せぬ事が起こって、不思議な縁に繋がったり、新たな発見があったりと、ＡＩＲならではの面白さが生成されていくのだ。

これまでに挙げた事例がそれぞれ全く異なるように、ＡＩＲを活用して地域を活性化していく試みの背景には、地域ごとにそれぞれの事情と社会課題が存在する。ＡＩＲによる地域づくりには正解はないし、前例を踏襲すればうまくいく、というものでもない。結局のところは、自分たちでオリジナルな手法を編み出していくしかない。最適なＡＩＲプログラムを、トライアンドエラーを繰り返しながら組み立てていくその過程は、アーティストの活動を通して地域を学び、発見し、それらを発信しながら何を地域に還元できるか考える、という豊かな循環のプロセスそのものなのかもしれない。

注

1 大地の芸術祭 https://www.echigo-tsumari.jp/

2 ART SETOUCHI https://setouchi-artfest.jp/

3 札幌国際芸術祭 ——SAPPORO INTERNATIONAL ART FESTIVAL https://siaf.jp/

AIRケーススタディ

3 オルタナティブAIR
近さのための遠さ、遠さのための近さ

PARADISE AIR　森 純平

2022年7月

国外からのアーティストに向けてのドアが開き、通常運営が再開した。当初3名のアーティストを受け入れるはずが、それぞれのパートナー、さらには滞在期間中に1歳になるという子供もついてきて、トータル8名の滞在からスタートすることになった。その後も調子にのって多くのアーティストを受け入れていった結果、楽しくも疲労困憊の2022年末を迎えることになった。はじまっては、いつのまにか終わってしまうハレのようなフェスティバル型のイベントに寂しさを覚えて、どうやれば持続的に、日常的に、アーティストと街とが共に活動をつづけることができるだろうかと、千葉県松戸市にて2013年からPARADISE AIRを始めた。その運営のエンジンとしてアーティスト・イン・レジデンスというプログラムがあった。そんな運営を続けるなかで大切にしていることを振り返ってみようと思う。

チームであること／一人でいること

2016年にレジデンスの運営の為に法人をつくった。その際PARADISE AIRを略してPAIRという名前が自然と決まった。

活動を続けるうえで、一人では絶対に続けられないし、また当然お金にはならなそうである、と考えた。というわけで、本業をもちつつも、このプロジェクトを協働していくことができ、それぞれ自身で価値判断もできるような仲間たちと一緒に運営体制を組み立てていった。2022年現在、チームはいつのまにか広がっている。通訳、映像、広報、舞台、アーティスト、会計、写真、建築、不動産、法律、キュレーター。アートに関わるけれど違った専門性を持ったメンバーが年間を通じて運営に関わっている。専門性だけでなく、それぞれが別の現場でもっている問題意識や、情報を共有すること。それぞれのキャリアの中で意識的に自分のやることを決めることができるチーム。チームだからこそ、ふと海外のプロジェクトに飛び出しても誰かにまかせることができたりする。

ペアであること／一人でやらないこと

運営当初、レジデンスを始めてみたものの、街の人への責任と、その他の止められないイベントの運営など、つい会議と報告に追われる日々が繰り返されていた。

アーティストの制作ではなく「レジデンス（生活）」の方にこそ着目するAIRで、どうやってアーティストをサポートするのかは悩ましい。仮に展覧会など美術館のように何かしらのアウトプットを最終目標とする場合は、本番にむかって全力でサポートをすれば良いけれど、それがレジデンスの場合、制作以外の彼らの日常を様々な側面から応援したい思いの中で、どんなコーディネートが最善なのか、毎度試行錯誤は続く。

そんな時、先の見えない日々の中で、一つ大きな支えになるのが一人でやらないこと、ペアでやることだ。例えば、コーディネーターの立場からみると受け入れ側の機関として24時間サポートを続けるのは、なかなか、つらい。だからこそメンバー全員でアーティストとのチャットをつくっておいて、何か相談があった時は、その時返事ができる誰かが対応をするということにしている。そんな仕組みを仕込んでみたら、急に受け入れるという責任を持った態度から、友人のように気楽にコミュニケーションができるようになったりする。

出会うこと

レジデンスにはやめられない素敵な出会いがある。一つはもちろん、世界中からやってくるアーティストとの出会いだ。滞在をする前から彼らのＷｅｂなどでみえる作品や活動は想像することができるが、もっと面白いのはその制作の裏にある彼らの視点、経験を踏まえた態度に出合う瞬間と、松戸の街や滞在中に彼らが新しい出会いについて楽しそうに話してくれる、週一回のミーティングが終わった後の居酒屋での一時である。

もう一つおもしろいのは先に書いたように、アーティストがさらにつれてくる、パートナーや、日本に滞在中の友人等との出会いであったりする。映画俳優、環境問題の専門家、研究者。アーティストよりもさらに予想外の専門性をもった友人、家族との安心してできる会話の中に、本当の家にいるような、日常に近い発見が潜んでいる。

そして最後に、そうやって毎回全然違うバックグラウンドのアーティストを迎え入れつづけているおかげで、イベントごとにやってくる、毎度違った視点を持った街の人との出会いである。スペインに長らく住んでいた一家や、あまりに可愛い一歳児に惚れ込んでしまった地元のお母さん。全然違った興味をきっかけに遊びにくる街の人の目は、普段路上ですれ違う時とは違って誰もが開かれていて、いつのまにかアーティストと話し込んでいる様子を横耳で聞くのが運営の醍醐味だと思っている。

再会すること

最近は何人かのアーティストが松戸に帰ってくるようになってきた。帰ってきた彼らはまるで久しぶりに実家を訪れたかのように、ずっと馴染みの店を楽しみ、街の人々と挨拶を交わして再会を喜び、さらりと制作を再開をする。まるでずっとここにいたかのようだ。もちろん彼らは自分の国で制作し、世界各地で活動しているわけだが、それもまるで松戸で制作をしていたかのように経験値が集まってくるように感じる。

とある地元のスポーツ洋品店の店主が先日スペインへ買い付けに行ったときに、松戸で馴染みになったアーティストに声をかけたそうだ。すると、偶然にも過去にPARADISEに滞在していた、バルセロナを拠点とした過去の滞在アーティストたちとバタバタと再会を果たし、まるで松戸にいるようだったという話を聞いた。こんな街がほかにあるだろうか。こうやって無理なく世界中とリンクしていることが嬉しく、彼らの気軽な拠点のひとつであることが感慨深く、長く続けていることの意味を感じる。

街中で開催したトークイベントの様子　Photo by 加藤甫

共有すること

「初めての海外旅行が、松戸です。」というアーティストも少なからずいる。光栄なことだ。初めての旅先はとりわけ印象深いものではないだろうか。彼らにとっては特別な松戸での滞在が、街の日常風景になって数年が経つ。年間50〜60組ほどのアーティストが街に滞在し、クリエイションや、街の人との交流、日本での生活を楽しんでいる。とはいえ、そこで重ねられている特別な日常は今のところ一過性のものであり、どうやって次の滞在者に共有するか、まだ見ぬ未来の松戸の住民に届けるのか、工夫を続けている。街とアーティストの間に日々生まれるこだまのような時間は本当に魅力的で、いかに記録し共有し続けていくか、思索は尽きない。

上で述べた工夫のひとつがPARADISEのウェブサイトだ。正直なところ、いつまでも満足をすることはないのだけど、ひとまずどんな人が滞在し、街で何をしていったかを蓄積し、滞在したすべてのアーティストのアーカイブとして機能している。また、滞在中にふと立ち上がる彼らの活動をしっかり記録するのはなかなか難しく、例えば、記録写真もイベントの写真はタイミングがあえば撮るという程度。写真家が松戸の近くを通るタイミングにあわせて、松戸に住んでいる彼らのポートレートをアナログカメラで撮影している。

距離をとること／複数の視点からみること

活動をしていく中で、街とどういう距離で関わるのか、が一番難しい。

飲み屋で隣に座るような近い距離で語らうこともよいが、都市の数百年の歴史、国家のこと、宗教のこと、世界のこと、遠さのある思考も大切だ。

PARADISE AIRはビルの4、5Fにある。1Fから3Fまでを建物のオーナーが使用しており、店の横にある階段を登って上がらなくてはならない。これは初めてPARAIDISEにやってきた人やイベントをやる時には、長い階段を登らないといけないことで簡単には人が入りづらいという難しさがあるのだけれど。街をフィールドにするアーティストにとって、少しだけ街と距離をとって、冷静になれること、一人で考える時間を持てること。そんな距離感を選べることが大切だと思う。

PARADISEという組織は運営のためのPAIRというチームのほか、建物を貸してくれているビルオーナーの浜友商事、地元松戸市、助成元の文化庁4つのプレイヤーで運営していることが特徴であり、強さであると思っている。アートという少し広い世界に向けての視点、地域への視点、建物としての視点、そして運営をするアート業界としての視点。それぞれの視点からプログラムを組み立てているからこそ、良い意味でそれぞれの強みを生かし、ユニークにプロジェクトができている。

PARADISEAIR外観　Photo by 加藤甫

ストレッチしている

レジデンスの活動が何の為にあるのか、いつも言葉を探しているのだけれど、「ストレッチ」という表現がいいのかなと思っている。これまでさまざまな工夫を書いてきたが、それはつまり、全てのアーティストが全く違った活動を、なるべく様々な場所で、初めての人たちと何かをつくっていくということであって、それはとてもタフな日々であったりする。

そんな時に、毎度全力で動くのではなくて、その前後に行うストレッチのように、アーティストの活動に応じて毎度新しい筋肉や、感覚を痛気持ちいいくらいでストレッチしてみる。重ねるうちにいつの間にか、身体がやわらかくなって、使えなかった場所が使える様になっていたり、アーティストをきっかけに新たな眼差しで身の回りを見まわせるようになっていく。アーティストにとっての試行だけでなく、街にとっても新しい可能性を、ストレッチしていく。

いつでもはじめられる場所

Comfort isolates.Solitude limits solidarity.Solidarity corrupts solitude（スーザン・ソンタグ）

そもそも、アーティストという人間は、こちらから、何も言わずとも勝手に何かを考え、何かをせずにはいられず、必ず自ら動き何かを生み出してくれる。そういう生き物だと信頼している。

PARADISE AIRという日常を開始して来年で10年を超える。結果として継続してきた大きな理由は、つねに「やめる」という選択肢を持ち続けたことが大きい。つまりは、いつでもそれが本当に必要なのかを冷静に一歩ひきつつ思考しながら活動をしてきた。街にとっていつのまにか日常的な仕組みとなってきた現在、ふと100年先を想像するようになっていたりする。

いつでも、ゲストの様に、はじめることができる場所より。

AIRケーススタディ

4 マイクロレジデンス
そのフィロソフィーとネットワーク活動

遊工房アートスペース共同代表
村田達彦

マイクロレジデンスとは

遊工房発足の契機となった活動の母体「ヒロ美術の会」創設は1984年。海外からのアーティスト・研究者、研修生の受入スタートは、1988年である。遊工房のミッションは、当初から38年経過した今も変わらない。この名付け親は2005年に遊工房で滞在制作した作家ユニット「Gibson + Recoder」だ。曰く「小さな運営管理としての『マイクロ』。簡素でありながらも、心に触れる、社会における大きさとしての『マクロ』、これがマイクロレジデンスである」。[1]

アーティストにとってのレジデンス活動の重要性は、現地の作家やコミュニティとの交流の価値、その場所と機会、キャリア形成などの価値が一般的な理由として取り挙げられるが、その上に「アーティストの次への活動を繋いでいく」という点にあると考える。

レジデンスは、場所とアーティストをつなげるのみではなく、人（地域）とアーティストをつなげ、発見を促がす機会を創出し、交流によるコミュニケーションを作り出す。

Youkobo Art Space, Tokyo, since 1988　©Youkobo Art Space

交流が価値あるものとなるためには、アーティストが担う役割や、その活動を批評する力が社会に必要であろう。その呼応を可能にするためには、アート界に社会とアートの接点を作っていくことが必要だ。

マイクロなＡＩＲは、正に社会（地域）とアートの至近距離（接点）で働いている

この重要な役割を担うマイクロなレジデンスが、交流の困難になったＣＯＶＩＤ-19によるパンデミック下で、如何に活動しているかを、「マイクロレジデンス・ネットワーク」の一研究会「ＡＩＲとパンデミック研究会２０２０」の調査[2]から垣間見る事ができる。

マイクロなレジデンスは、パンデミック下、多くが閉鎖を余儀なくされた。運営の柔軟性という点で、冬眠期間として自身のアイデンティティを守り、「移動が制限されているからこそ、積極的に有意義に『内を向く』期間としよう」という前

向きな意見があった。一方、現実に運営は厳しく、「今までは宿泊業だったのか……」というため息混じりの呟きも理解できた。滞在費を受ける事で活動を維持するマイクロなレジデンスにとって、無収入の辛い状況である。しかし、レジデンスに携わる運営者もアーティストも、活動の社会的意義や価値を認めており、単なる宿泊業であるとは思っていない。正に、数値では測ることのできない価値を、レジデンスが「社会装置」として認知させることこそが重要な課題なのである。

「社会装置」の一部として存在するためには、その活動が理解され、必要とされ、継続されなければならない。その為に長年、遊工房が熱意を持って取り組んできた活動の一例、「AIRと大学の協働」の活動についてお話したい。大学とAIR、大学間、AIR間のネットワークで機会をつくることの可能性を模索して来た。実は、この実践は半世紀以上も前から、工科系の大学と実業界や研究機関が協働して実施される研修、実習体験の機会[3]、商科系大学とビジネス界の協働による選考学生の実習体験の機会[4]として、積極的に運営されている。教育機関と経済社会が交流機関の仕組みをベースに世界規模のネットワークとして形成されている。

芸術・美術の分野でもこの実践は可能ではないだろうか？

アーティストは、レジデンスを有効に利用するため、多数の中から自身の活動に適したものを選び、実際の創作・研究活動と並行して創作環境の準備や、その成果の発表機会を考える。同時に生活者として自身の生活設計を整えていく必要もある。美術大学から巣立つ前に専門分野のスキルと共に、これらの諸々を身に着け自立しなければならない。AIR体験は最適な機会だと思われる。なぜなら、百戦錬磨のプロフェッショナルなアーティストたちが滞在制作している場であり、キャリアの浅い若手がAIRを体験することで、彼らから自身の将来のアーティストとしての現実を自然に学ぶ機会となる意義は大きい。只、学生や卒業間もないキャリアの浅いアーティストにとってＡＩＲに滞在できる機会は多くはない。この実践を学生や特に卒業直後のキャリアの浅いアーティストたちが享受できるような仕組みを強く期待している。

この国では、アーティストという職業が確立しているのだろうか?

多くの大学は卒業後を視点に就職先の支援や就職率などの指標があるが、「芸術家、美術家という存在は一匹狼であり、アートを通して社会にその存在を提示する者で、就職など論外」という話を、某美大教授から聴いた。とするなら、アーティストの活動が将来も順調に可能となるように、アーティスト自身の自律の道を支援することも、レジデンスのミッションになるべきだろう。アーティストという利用者の視点を前提として自由に制作や思索の出来る環境と支援が必要であり、加えて、特にキャリアの浅いアーティストを育てて行くためのプログラムも大切ではないか。

「若い者には旅をさせろ!」という言葉がある。若い内の異文化体験は視野を広げる機会であり、体験を通した交流がもたらす人間形成への影響を考えると、AIR for Young = 「Y-ＡＩＲ」の重要性は明らかだ[5]。

Y-ＡＩＲは、「マイクロとマクロの協働」で成り立つ大事な活動テーマである。未だ、レジデンスの社会的存在が曖昧であるという現実と、確固たる社会的な存在の大学、高等教育機関は、両者、マイクロとマクロの協働として、アートとアーティストという職業を、また、レジデンスの存在を視座に置き、周知することが求められる。

マイクロレジデンスの発見

以下に、マイクロレジデンスの発見の経緯からネットワークの今についてまでを、マイクロレジデンスを自認する遊工房の活動の流れを述べることで、マイクロレジデンスへの理解を深めて頂ければ望外の喜びである。

遊工房が海外からのアーティストを受け入れ始めたのは、1988年。「アーティスト・イン・レジデンス」なる言葉を知ったのは滞在のアーティストからであった。その時からレジデンスの存在と実態の調査・研究が始まり、海外訪問は、1988年の米国ニューヨーク州にある「PS-1」がスタートだ。

2001年より「遊工房アートスペース」と新たな看板を掲げ、レジデンス運営を本格化したと同時に、国際AIRネットワーク「Res Artis」（本部アムステルダム、現在はメルボルン）の正会員として加入し、レジデンス同士の相互訪問など交流を通した調査・研究が加速した。隔年開催のRes Artisの世界総会には、2004年のオーストラリア（シドニーとメルボルンの2都市での開催）会議に初参加した。新会員の自己紹介に際し、「世界の大都市・東京にある、世界で一番小さなレジデンスを運営している遊工房！」と語ったことを思い出す。当時の会員数は200件強、欧州生まれの機関として欧米の会員が主で、ようやくアジア・オセアニアの参加が増えてきた頃であったろう。その後、2007年にRes Artisの理事に就任（2014年まで）、会員管理担当理事として会員増加の任を担い、現実の会員構成の全貌と共に、世界の多様なAIRの存在を知ることになった。その経験が自ら運営する小規模なアーティスト主導のレジデンスの存在、マイクロレジデンスの発見につながることになった。[6]

レジデンス事業に関する国内の主幹部署は、昔は国際交流基金であったと思う。いつの頃からか文化庁が所管するようになり、国内レジデンス運営に関わる補助金の制度が2011年より始まり10年を経過した[7]。当方もこの間、受入一辺倒だった活動は、並行した自主活動として、国内作家の海外レジデンスへの派遣、レジデンス間との相互交換の活動が活発になり、国内外のレジデンスのネットワーク活動への広がりは誠に有難い事であった。但し、補助金漬けは、いずれ本来の活動の停滞を招くような気がしている。猫も杓子もの均質的な活動が広がり、無意味な競争にはまり込みかねない懸念がある。

レジデンスとは、アーティスト自身の活動の視点を育むプログラムが原点だろう。

レジデンス運営者の会員制世界ネットワーク「Res Artis」のサブタイトル、「Worldwide Network of Arts Residencies」の通り、アーティストがレジデンスしている、すなわち滞在（制作）している「場」、「機会」、「状況」であるのだから……。日本には「旅先作り」という言葉があるようだ。その昔、雪舟が大陸へ渡り、学び、水墨画の確立をしたと言う。また、円空、木喰和尚の全国行脚や、浮世絵師・広重の東海道五十三次の旅の背景に、その先々の地域の資産家などの援助があった。日本版レジデンス活動の原点として、紐解くことも興味のあるテーマである。そこには、アーティストの「隠れ家」として、ゆとりのある、集中できる時間を得られるという、大切なテーマも挙げられる。

マイクロレジデンスのネットワーク活動

遊工房では、アーティストのネットワークを駆使して、滞在経験の実態を語ってもらう公開の場「ＡＩＲs?・ほんとうの話」を２００５年に開始。その第２弾としての「ＡＩＲsほんとうの話vol.2」を機会に、「アーティスト・ランのＡＩＲ――マイクロ・レジデンシー」に発展し、２０１１年に「マイクロレジデンス・ネットワーク」が始まる。

そして、２０１２年、「Rea Artis 2012」総会の東京開催に際し、マイクロレジデンスの存在をアピール

Microresidence Network Meeting 2018, Kyoto, Japan ©Anewal Gallery

するセッションが設けられ、世界に発信する機会を得た。この総会に続き、AIR運営者のネットワークの可能性を語る、膝を突き合わせて行うFace to Face原則の地道な対話会「マイクロレジデンス寺子屋」[8]が始まった。2日間にわたり国内外のレジデンス運営者やアーティスト仲間が遊工房に集い、熱い議論が続き。その後もこのワークショップで培った仲間たちが、ネットワークの核となっている。

これまでに、マイクロレジデンス・ネットワークは各レジデンスが主体となり国内外での関連イベントの機会をうまく生かしながら、アーティストの視点をベースに、レジデンスの利用、運用の両視点から議論するフォーラムを継続している。また関連する国際会合の開催都市にあるマイクロレジデンスを幹事として、同時期にマイクロレジデンス・ネットワークの集いを主体的に開催している。

国内・東京首都圏では、東京・遊工房、女子美・日沼研、co-iki、山梨・AIRY、関西のAIR尾道、京都Anewal Gallery、福岡糸島Studio

Kuraなどが参加している。

海外では、アジア圏、INSTINC（シンガポール）、Public AIR（韓国）、ComPeung（タイ）、旧ソ連圏ではACOSS（アルメニア）、北欧のArt Break（フィンランド）、英国のStudio Name（レスター）などがある。

国際機関との連携としては、Res Artistほか、米州ボストンベースのTrans Cultural Exchange、東アジアでのIntra Asia Network（台北）などと活動している。直近では、「Res Artis 2018ロバニエミ」フィンランド）ではArt Breakが、マイクロレジデンスのセッションを開催[9]、「Res Atis 2019京都大会」では、マイクロレジデンスの可能性について、アーティストとレジデンス運営者によるセッションを開催。継続して、Anewal Gallery主催の京都西陣・興聖寺に於いて2日間のワークショップを実施した[10]。「Res Artis 2020バンコック」は、パンデミック禍で完全オンラインの国際会議ではあったが、セッション「ネットワークの重要性」が議論された[11]。

また、ＡＩＲの社会装置としての地位確立のために若手作家のＡＩＲ体験機会の創出を意図してきた、「Y-ＡＩＲ活動」は、国際間での、「マイクロとマクロの協働」の動きとなり、「ＡＩＲと大学の協働」へと発展してきている。国内では、２０１３年頃より、遊工房と、女子美・日沼研、及び東京藝大Ｏ・ＪＵＮ研ほか美大系の教官・研究室単位での実践活動で実績を造り、国内外の事例の調査・研究なども実施した[12]。

国際間の活動の機会を作り、普及への動きとして、２０２０「Y-ＡＩＲ国際Network Forum・東京」は女子美術大学が幹事校となり開催された[13]。継続しての２０２１年ロンドン芸術大学セントラル・セントマーチンズ（ＣＳＭ）校での計画はパンデミックで中止となったが、２０２２年には、２０２０年東京に集ったメンバーがオンライン上に集う場が設けられ、パンデミック下での活動情報の共有、今後の継続を確認している[14]。

注

1 「マイクロレジデンス」の名前の由来 https://www.youkobo.co.jp/micro/sandra.html
https://microresidence.net/discourses/luisandsandra/

2 「AIRとパンデミック研究会 2020」の調査報告書
https://www.youkobo.co.jp/news/2021/03/air2020.html

3 IAESTE, International Association for the Exchange of Students for Technical Experience
イアエステ・ジャパン(イアエステ・国内法人) https://iaeste.or.jp/
https://iaeste.org/

4 AIESEC, Association Internationale des Etudiants en Sciences Economiques et Commerciales
アイエセック・ジャパン(アイエセック国内法人) https://www.aiesec.jp/
https://aiesec.org/

5 「Y-AIR」AIR for Youngの実践 https://www.youkobo.co.jp/related_activities/page2.html

6 マイクロレジデンスの発見
「小さなアートの複合施設から大きな可能性を!—マイクロレジデンスの調査研究(中間報告)—」
https://www.youkobo.co.jp/news/201206_MicroInterimReport_jp.pdf
「アーティスト・イン・レジデンス、マイクロレジデンスからの視点」
https://www.youkobo.co.jp/microresidence/

7 文化庁アーティスト・イン・レジデンス活動支援を通じた国際文化交流促進事業
「文化芸術の海外発信拠点形成事業」
https://www.bunka.go.jp/seisaku/kokusaibunka/air/pdf/bunkageijutsu_saitaku_110808.pdf

8 マイクロレジデンス寺子屋
「マイクロアーカイブ——31軒のマイクロレジデンスの紹介」
https://www.youkobo.co.jp/microresidence/supplement1_jp.pdf

「マイクロ・ディレクターズ・トーク 2012年10月30日の記録」
https://www.youkobo.co.jp/microresidence/supplement2_jp.pdf
「AIRsほんとうの話　2012年マイクロレジデンス編」
https://www.youkobo.co.jp/microresidence/supplement3_jp.pdf

9 Res Artis Meeting 2018 Rovaniemi
Micro Forum in Rovaniemi 2018 Lapland, Finland
https://microresidence.net/micro-forum-in-rovaniemi-2018-lapland-finland-2018-by-kaisa-keratar-waria-co-director-art-break-air-ii-finland/

10 Res Artis Meeting 2019 Kyoto
Microresidence Meeting 2019 Kyoto Nishijin
https://microresidence.net/microresidence-meeting-2019-report-1/

11 Res Artis Meeting 2021 Bangkok
The Importance of Networking
https://resartis.org/resources-2/external-resources/

12 Y-AIR事例集
国内編「Y-AIR事例集Vol.1 2015 若手作家の機会としてのアーティスト・イン・レジデンス（AIR）」
https://www.youkobo.co.jp/news/2016/07/microresidence2015-case-examples-of-y-air-in-japan.html
海外編「Y-AIR事例集Vo2. 2016 若手作家の機会としてのアーティスト・イン・レジデンス（AIR）」
https://www.youkobo.co.jp/news/2017/03/microresidence-2016.html

13 Y-AIR Network Forum 2020 Tokyo
Y-AIR構想「AIR×美術大学」によるアーティストの国際的キャリアの形成
https://www.youkobo.co.jp/news/2021/03/y-air-air.html

14

マイクロレジデンスネットワーク｜オンラインミーティング2022

Y-AIR構想「AIR×美術大学」によるアーティストの国際的キャリア形成の場づくり

https://microresidence.net/wp-content/uploads/2022/12/2022_Y-AIR-meeting_0320_E.pdf

AIRケーススタディ

5 パフォーミングアーツのAIR
クリエーションを支えるAIRとネットワーク

（公財）セゾン文化財団プログラム・ディレクター　稲村太郎

近年、ＡＩＲをどのように始めたら良いのかわからないという相談をよく受ける。私自身は社会人一年目の仕事がＡＩＲの現場で、それ以来、様々なＡＩＲの現場に立ち会う機会に恵まれていたので、それがアーティストのクリエーションの場であり、そのクリエーションを豊かにさせる機会だとおおまかに理解している。

その一方で、舞台芸術のＡＩＲとは何かといざ説明を求められると言葉につまってしまう。その理由は舞台芸術のＡＩＲでは、劇場やフェスティバル、稽古場、さらにアーティストやプロデューサー、ドラマトゥルクなど、多様なアクターが多岐にわたるクリエーションを支えているからだ。

そこで、本稿では、舞台芸術のＡＩＲを紐解くため、舞台芸術ＡＩＲ研究会でまとめた報告書『舞台芸術におけるアーティスト・イン・レジデンスの現在』[1]をもとに、現在、舞台芸術ではどのようなＡＩＲが実践されていて、いかにクリエーションを支えているのか。また、ＡＩＲのネットワークの可能性や課題を概説したい。

舞台芸術AIRの情報共有ネットワーク

舞台芸術ＡＩＲ研究会は新型コロナウィルス感染症拡大の影響で、海外からアーティストを招へいできない、また国内のアーティストの都道府県をまたぐ移動の自粛要請があったときに、それぞれの現場の対応状況に関する情報共有の場として始まったインフォーマルな集まりだ。コロナ禍でＡＩＲをいかに運営できるのかという問いをもとに、その現状や対応、悩みや不安を話し合い、共有したことが始まりである。コロナ禍で世界的にビデオ会議システムが急速に普及したことが後押しとなり、全国各地で舞台芸術のＡＩＲを実践する担当者が集まるネットワークとなっている。

いくつかのミーティングを重ねる中で、ＡＩＲの運営に関する共通の課題や問題意識が浮き彫りになった。また、舞台芸術のＡＩＲの意義や役割とは何かという共通の関心があることが分かった。一方で、それらの意義や役割を議論するためには個々の事業や活動の理念や目的を振り返る必要があるという意見があった。そこで、まずはお互いのことを知るために「ピアレビューをするのはどうか」というメンバーの提案のもと、ＡＩＲの運営者が運営者の事業や活動をヒアリングし、その一連の活動をまとめたものが「舞台芸術におけるアーティスト・イン・レジデンスの現在」である。

各事業の理念や目的が多様であるのと同様に、ＡＩＲの意義や役割は一様ではなく、また、舞台芸術を取り巻く環境や時代とともに変化するものだとその報告書をまとめる中で改めて思った。そこで、次の節ではどのような時代を背景にＡＩＲが始まり、また、どのようなアクターが何を目的に事業を実施しているのかを解説したい。

エリン・キルマレイ滞在制作 下町芸術祭オープニング・パーティー出演　六間道商店街 r3前 2019年度 Photo by 岩本順平

舞台芸術AIRを支える多様なアクター

本調査で、最も早く「アーティスト・イン・レジデンス」として事業を開始したのは京都芸術センターで、2000年の開館と共に若手アーティストと市民の交流というミッションに即した国際交流プログラムが開始された。海外の先行事例として、ローマのヴィラ・メディチやパリのシテ・アンテルナショナル・デ・ザールを参照し、舞台芸術だけでなく、美術も対象とする事業が展開されている。

その後、2004年に特定非営利活動法人ダンスボックスが当時、拠点を置いていた大阪で国際交流事業としてAIRをスタートする。当初は振付家同士の経験やスキル等を交換することを目的としていたが、2009年に神戸市の新長田に拠点を移し、地域との関わりを強く持つプログラムに発展している。

一方で、AIRという名称や用語が必ずしも使用されていないが、劇場では、それ以前から上演

森下スタジオ外観

を目的とする滞在制作が行われている。例えば、静岡県舞台芸術センターは劇場の開館から滞在制作を事業の軸としているのが特徴だ。その他にも、数多くの公共劇場や民間小劇場で滞在制作は従来から行われている。一般的に滞在制作は本番直前のリハーサルではなく、その滞在先でのクリエーションを意味するが、上演を目的とするかどうかという点において、AIRと滞在制作は異なるという意見もある。

2011年以降、文化庁の国際文化交流を促すAIRに対する補助金事業[2]の再開を背景に、舞台芸術でもAIRが増加する。例えば、セゾン文化財団は1990年代から森下スタジオを拠点に国際交流を推進しているが、2011年にAIRを事業化。同年から文化庁の補助金を受けて海外の劇作家や演出家、振付家、そしてフェスティバルや劇場のディレクターやプログラマーをヴィジティング・フェローとして招聘している[3]。また、高知県立美術館も2011年度から国際的なネットワークの構築を目的の一つと

市原佐都子／Q『バッコスの信女 – ホルスタインの雌』クリエーション（女声合唱ワークショップ）KIAC、2019年
Photo by igaki photo studio　写真提供：城崎国際アートセンター

して舞台芸術を中心としたＡＩＲ事業をスタートし、文化庁の補助金を受けたことで、その後も事業を継続している［4］。

２０１４年、舞台芸術においてＡＩＲの大きな転機を迎える。それは城崎国際アートセンター（ＫＩＡＣ）の開館で、舞台芸術のＡＩＲを専門とする施設が誕生した。同センターは豊岡市のまちづくり戦略の拠点として地域振興の一翼を担い、年間を通して数多くの国内外のアーティストの創作を支援している。同センターでＡＩＲを初めて経験するアーティストも少なくなく、国内の舞台芸術においてＡＩＲが広く普及するきっかけとなっている。

また、上演ではなく、創作支援を目的とする公共劇場の事業として、２０１７年から穂の国とよはし芸術劇場ＰＬＡＴが「ダンス・レジデンス」をスタートした。ダンス・レジデンスでは劇場での上演をゴールとせず、広く地域住民との交流を重視しながら、創作のプロセスを支援している。そして、２０１７年以降、インディペンデントな立場で活動するアーティストやプロデューサーが主導するＡＩＲが広がっている。アーティストの創作支援、人材育成を目的とするダンスハウス黄金４４２２、アジアとのネットワークに特化した若葉町ウォーフ「波止場のワークショップ」、フェスティバルの一環としてアーティストと地域との交流を促す犀の角の上田街中演劇祭「アーティスト・イン・レジデンス in 海野町」などだ。

舞台芸術だけでなく、幅広いジャンルを対象とする事業だが、２０２１年から長野県は県内の様々な地域でＡＩＲを展開する「Nagano Organic AIR」を開始。自治体がＡＩＲを主体的に運営するのではなく、地域のパートナー機関がホストとなり、アーティストと協働している点が特徴的である。さらに、岩手県内の芸術文化活動を支援するＮＰＯ法人いわてアートサポートセンターが岩手県をフィールドに「IWATE AIR/AIR」を展開、また、(一社)ベンチが埼玉のデイサービス楽らくと協働し、介護とアートの交差を試みる「クロスプレイ東松山」を始めるなど、各地にＡＩＲが広がり、国内のアーティストが参加できる機会が増加している。

舞台芸術のクリエーションのプロセスとは

劇場やフェスティバルでは、上演を目的とする滞在制作が古くから行われてきた歴史があるが、舞台芸術のＡＩＲでは、そのプロセスに焦点を当てた支援が行われていることが特徴的だ。近年では、一つの作品の創作に時間を費やすアーティストも増え、そのニーズも高まっている。

舞台芸術の場合、クリエーションのプロセスと一口に言っても、そのプロセスは多岐にわたっている。創作の構想を膨らませるリサーチ、その構想をもとに試行錯誤を行うクリエーション、そして、上演に向けて、舞台美術や衣裳、照明や音響など、数多くのスタッフが関わる集団での共同作業がある。また、リサーチの段階から舞台美術家や衣裳デザイナーが関わることがあったり、照明家や音響家とのコラボレーションもあったりするので、そのプロセスの形態も多様で、そのニーズに応じた支援が行われている。

舞台芸術では上演に近づくほど、そのクリエーションに関わる人数が増えたり、規模が大きくなる傾向があるため、上演を目前としたクリエーションでは、照明や音響の設備やスタッフ体制が整った環境が望ましいが、創作のためのリサーチや実験的なクリエーションの段階では、そのような環境は不可欠ではない。

舞台芸術のクリエーションから上演までのプロセスは長期となることが多いが、各AIRでの滞在期間は他の分野に比べると短く、そのプロセスの一部を切り取り、2週間から1か月程度が一般的だ。長期にわたるクリエーションの中で、公演やツアー、また、他の作品に参加することがあるからである。そのため、1回限りの滞在ではなく、滞在期間を複数回に分ける通い型のレジデンスも考案されている。

クリエーションのプロセスの地域への還元

美術や音楽と同じく、舞台芸術においても、アーティストと地域住民の出会いや交流、地域での舞台芸術の鑑賞や参加の機会の提供をミッションとするプログラムが多い。例えば、犀の角では、人口減少を課題とする地域において、地域の創造豊かな人材の創出を目的に、人が集まる場、多様性が生まれる場づくりを実践する中で、クリエーションの支援が行われている。また、特定非営利活動法人ダンスボックスでは、劇場と地域のアーティストや観客をつなぐ役割を滞在アーティストが担い、地域との関係性を深める取り組みが多様なかたちで展開されている。

さらに、「地域」という視点から、劇場での上演という枠組みを超えた舞台芸術の新しい形式や観客との新たな関係を模索する試みが行われるなど、舞台芸術の可能性を探求する場としても注目を集めている。例えば、商店街の中で作品を発表するなど、劇場には普段、足を運ばない人々にアクセスする作品や、その場でしか生まれないサイトスペシフィック作品もつくられている。いずれも、劇場での上演とは異なるオルタナティブな集まり方が可能になることで地域に大きな影響力を持つ。

制度上のクリエーションのプロセスへの支援の課題

一方で、舞台芸術を取り巻く日本の文化政策や補助金、劇場の仕組みでは、クリエーションのプロセスへの支援が十分だとは言えない。国や自治体の補助金の仕組みは主に公演を対象としていて、その支援も単年度で赤字補填が前提条件だ。自主公演の場合、公演のチケット収入と補助金や助成金が主な収入となるが、公演でチケット収入が十分に確保されなかった場合、その赤字はアーティストが負担しなければならない。そのため、強度のある作品をつくる必要があるが、その創造のプロセスの支援は多くの補助金や助成金では対象外である。また、多くの劇場は公演や貸館を経営の軸としているため、上演を前提としないクリエーションのプロセスを積極的に支援することが容易ではないのが現状だ。

舞台芸術の上演までのプロセスには資金やスタッフが多く必要である。公的機関の補助金や助成金を獲得するためには、上演作品の具体的な内容や計画が求められるが、特に、若い世代のアーティストや制作者は、資金の不足、スタッフの不足、ネットワークの機会がないといった課題に直面している。これは他の分野でも共通していることだと思うが、新たな傾向として、公演のために補助金や助成金を獲得するのではなく、まずはクリエーションの場と機会を獲得するためにＡＩＲに応募したいと考えるアーティストも増えてきている。

単年度の補助金や助成金のために、常に新作をつくり、発表し続けなければいけないという消費型のサイクルの中で、ＡＩＲはそのサイクルを緩める効力があるかもしれない。

クリエーションを支えるネットワーク

欧米では、AIRという場や機会を活用しながら、作品の構想を膨らませ、クリエーションを進めていくアーティストが少なくない。

例えば、セゾン文化財団のヴィジティング・フェローとして来日した振付家のダヴィド・ヴォンパク[17]は、日本で寺山修司の芸術的な世界観や哲学を探求するリサーチを行い、それをきかっけに新作の構想を膨らませた。そして、自国のフランス、またスイスやスペインのAIRでクリエーションを継続し、来日から約1年後の2017年、モンペリエ・ダンス・フェスティバルで『ENDO』を発表。その後、AIRで滞在した国や地域でのネットワークで、その作品の発表を継続している。

上記で「AIR」と記述したが、舞台芸術では、AIRといったときに、その専用施設は少なく、劇場や稽古場、そして、フェスティバルがリサーチやクリエーションを支える役割を担っている。

前述のフランスでは、国内の舞台芸術の創造と普及を促すネットワークがあり、その中心的な役割を国立演劇センターや国立振付センターが担っている。それぞれのセンターには小規模な劇場や稽古場があり、滞在とクリエーションの機会を提供するとともに、その作品のプロセスを何らかの方法で公開する機会をつくり、地域住民に対して舞台芸術を広く普及している。滞在中にワークインプログレスを発表するアーティストは、大都市での初演の前に、試演する機会を持つことで、その劇場の観客や関係者からフィードバックやアドバイスをもらうことができる。大都市での初演はとてもプレッシャーが強いため、その前に実験的に作品を提示できることは、アーティストや出演者の自信や作品の向上にもつながる。

日本では、城崎国際アートセンターの設立以降、AIRを活用しながらクリエーションするアーティストが増えてきたと感じている。現代社会の事象や諸問題を作品で取り上げる際には、丁寧なリサーチが必要

舞台芸術AIRミーティング in TPAM 2020　© 前澤秀登

であり、また、実験的な創作を探求するためには試行錯誤の場と機会が必要だからだ。

日本でのネットワークの現状と期待

舞台芸術ＡＩＲ研究会でも欧米で実践されているようなクリエーションを支える仕組みやネットワークをつくれないかという議論が行われている。ＡＩＲが主導する連携事業をつくるのはどうかという意見がある一方で、アーティストが自らＡＩＲを探し、渡り歩けば良いのではないかという意見もある。しかし、舞台芸術のＡＩＲはまだまだ少なく、ＡＩＲの存在やそこで何ができるのかが十分に知られていないのが課題だ。

上記のような議論がある中で、私が注目しているのが、公共劇場でのＡＩＲの可能性である。これまでは地方の公共劇場は首都圏で上演された作品を買い取り、公演とするケースが多くあったが、現在、年に何本も買取公演を行えるほど、地方の財政状況は必ずしも潤沢ではないときく。また、公演で劇場を訪れるアーティストがその地域に滞在できる日数も限られており、公演以外での接点を持つ機会も限定的だろう。そこで、その公演予算の一部をＡＩＲとして活用する、そして、アーティストが滞在中にそのプロセスをその地域の劇場の観客や関係者に共有してもらうことで新たな関係性をつくるアイデアが発案されている。

２０２１年12月に横浜国際舞台芸術ミーティング（YPAM）[6]で、公共劇場でのＡＩＲの可能性をテーマにしたパネルディスカッションが開催されたが、その議論の中で、「アーティストがいるだけで劇場が変わる」という発言が印象的であった。首都圏だけでなく、作品をプロデュースする創造型の劇場が望まれているが、そのノウハウや人材がいないという声が、地方の公共劇場からよく聞かれる。アーティストが地域に滞在し、新たなリサーチやクリエーションを行うことで、劇場の企画を一緒に考えられる可能性があるという。また、そのリサーチは主に劇場の外で行われるので、普段は劇場に足を運ばない人との出会いや対話も生まれ、それをきっかけに演劇やダンスに興味を持つこともあるだろう。劇場にとって、ＡＩＲを実施することは、その場所との関係性を考える機会となり、２０１２年に施行された劇場、音楽堂等の活性化に関する法律の理念である「新しい広場」や「世界への窓」を実践する機会にもつながる。

公共劇場では、上演を目前としたクリエーションには、照明や音響の設備やスタッフ体制が整っている。公共劇場でのＡＩＲが増加し、それらが緩やかにつながるネットワークが可視化されることで、舞台芸術の創造環境は劇的に変わるのではないかと期待している。

まとめ

舞台芸術のＡＩＲの歴史は美術や音楽と比較すると短いかもしれない。しかし、古くから行われている劇場やフェスティバルの滞在制作を含めて考えるとその歴史はとても長く、ＡＩＲとの親和性が高い分野ではないかと考えている。

演劇批評家の内野儀が悲劇喜劇の論考[7]で「AIRが創作や作品発表そのものを目的化しないことが重要なのである」と言及した上で、「生活と世界を別の回路でつなぐ」可能性を持つオルタナティブな集まり方と指摘している。

これまで舞台芸術ではどのようなAIRが実践されていて、いかにクリエーションを支えているのかと、クリエーションに焦点を当てながら論じてきたが、内野が取り上げるようにオルタナティブの集まりという視点からは、クリエーション上のオルタナティブな集まりであると同時に、アーティスト同士、あるいはアーティストと観客や地域住民など、舞台芸術を取り巻くステークホルダーとのオルタナティブな集まりを可能にする場だとも言えるだろう。それはAIRがクリエーションに限らず、その土地の生活の場を提供し、創作作業や稽古場以外の余白もまた、オルタナティブな集まりを豊かにできるからである。

舞台芸術では、多様な文化や価値の共有、国際的なネットワークの発展など、国際文化交流の文脈で始まったAIRであるが、地域に根ざしたAIRが増加する中で、AIRがもたらす地域への成果や影響への期待だけでなく、今後は他の芸術ジャンルとの垣根を超え、インターナショナルのコミュニティとローカルのコミュニティの有機的な関係をつくる次世代のオルタナティブな集まりの場の可能性を議論していく必要があると考えている。

注

1　https://www.saison.or.jp/AIRreport2020.pdf

2　文化庁「アーティスト・イン・レジデンス活動支援を通じた国際文化交流促進事業」https://bunka.go.jp/seisaku/kokusaibunka/air/index.html

3 公益財団法人 セゾン文化財団 「セゾン・アーティスト・イン・レジデンス」 https://www.saison.or.jp/air

4 https://moak.jp/event/performing_arts/cat6/

5 http://www.davidwampach.eu/index.php?/creations/endo/
https://www.saison.or.jp/wordpress/wp-content/uploads/2021/03/viewpoint_81.pdf#page=1

6 https://ypam.jp/

7 「メディアとしての現代演劇——生活と世界を別の回路をつなぐ」『悲劇喜劇』2023年1月号、早川書房。

AIR
ケース
スタディ

6 伝統工芸とAIR
アーティスト・イン・レジデンスは工芸産地の衰退を救えるか？

（一社）シガラキ・シェア・スタジオ代表／（公財）滋賀県立陶芸の森参与　杉山道夫

私にとってのアーティスト・イン・レジデンス

私のアーティスト・イン・レジデンス経験は、1985年から3年ほど、アメリカ、モンタナ州にあるアーチー・ブレー・ファウンデーション（Archie Bray Foundation、以下「ABF」）に滞在制作していたことに始まる。

1985年にカリフォルニア州オークランドにある、カリフォルニア美術工芸大学（現カリフォルニア美術大学）の修士課程を修了した私は、制作できるスタジオを探していた。その時に画廊から紹介されたのがABFであった。

ABFは、今は定期的に公募があるしっかりしたシステムで運営されているようだが、当時は、今よりは緩いシステムであった

1952年にアーチー・ブレー・ファウンデーションで撮影。写真左から柳宗悦、バーナード・リーチ、ルディ・オーティオ、ピーター・ヴォーコス、濱田庄司の各氏。ピーター・ヴォーコスはその後アメリカの現代陶芸を牽引する陶芸家として認められるが、そのきっかけの一つは濱田と出会ったことにあり、その出会いの場がArchie Bray Foundationであったためこの施設の名前が陶芸史の中で認知されるようになった。

ように思う。ディレクターの陶芸家を中心に10人までの陶芸家が集まった共同工房に近い運営であったように記憶している。

さて、アーティスト・イン・レジデンスの定義であるが、これでなければいけないというような固定された定義はないと思うが、要は「アーティストが一定期間ある土地に滞在し、常時とは異なる文化環境で作品制作やリサーチ活動を行うこと」であることであろう。

また、その目的としては、①優れたアーティストの創作の場、④地域文化の振興、②異なる文化を持つ国や地域とアーティストとの交流、③情報発信や人的ネットワークの促進といったことが挙げられる。

私の場合は、ABFでの3年ほどの滞在で、「まず、制作する場所を得たことと、何人ものベテランの陶芸家に混じって制作させてもらったおかげで、情報や人的ネットワークを得ることができた。また、アメリカ中西部の文化に触れることができた」ということになる。

やきもの産地の特性は?

私はABFでの制作を終え帰国した後に滋賀県立陶芸の森(滋賀県甲賀市信楽町)の仕事にかかわることになり、現在に至るのだが、産地の特性、可能性について次のように考えるようになった。産地の衰退が言われて久しいが、以下に挙げる産地特性が、信楽にはまだ少しは残っているのではないかと思う。

・原材料が豊富にあり、ほしい材料がすぐに手に入ること。具体的には、材料や、原土などを見られる。分けてもらえる場所があればなお良い。

・いろいろな種類の機材、道具が周りにあり貸し借りができること。例えば、信楽の場合、メーカーによって使っている機材が異なる。自分のところにない機材が必要な場合、発注というかたちで自分のところにない機材による成型などが可能となる。
・工場には工場長というベテランがいて若手に教える。また、同じ方向性を持つ作家のグループもあり、互いに切磋琢磨できるなど、若手からベテランまで様々な方向性を持った同業の士が周りにいること。
・陶器の小売、卸売などの商店主、ギャラリーの販売員など、客観的評価ができる者が周りにいること。
・近くに陶器の小売、卸売などの商店、ギャラリーなど、販売網の拠点があること。

この特性がある陶芸産地はアーティスト・イン・レジデンスのハードウェア、ソフトウェアともに必要条件を満たしていると言えないだろうか。やきものの特性として、最近でこそマンションにでも置けるような、便利な電気窯ができたが、どうしても、「設備・機材」が必要になってくる。従って、やきものを始めようという場合、ある程度の資金、場所がないと始められないということがある。このマイナス要素を補えるのが産地ではないかと考える。

産地の状況は？

よく言われていることだが、日本の伝統的工芸品（産業も含めて）を取り巻く状況は、非常に厳しい。高度成長期の昭和の末期、工業製品に圧倒され、そのシェアを低下させてきた。この右肩下がりの現象は、生産者側の問題としては後継者不足や原材料の確保難など。また、併せて消費者の生活様式の変化、少子化などによるところが大きい。次世代に伝えられた生活様式、生活意識、生活慣習の伝承方式が崩れて、伝統的な技術、モノを繋げていくことがやりづらくなったわけだ。

窯業産地で言うならば、もともと登り窯があった場所の近くの宅地化が進み、煙害が生じることから窯元がまとまって別の場所に移らねばならなくなった。このような事例は多くの産地に共通するものである。

産地におけるアーティスト・イン・レジデンス

このような産地の状況を変えていくのにアーティスト・イン・レジデンスはなにかできるのだろうか。国内外の事例をみてみたい。

日本国内では

昭和の中頃まで、京都五条坂に共同の登り窯があったころの光景というのは、付近に工房を構える陶工が、窯が焚かれるたびに製品を持ち寄ってきて窯に詰める。それは、共同窯特有の光景であったが、製品を詰めるだけではなく交流もあったであろうし、そのことが当時の活気につながっていたことは間違いないのではないか。

信楽について言えば、このころ結構、京都の作家が焼き屋（メーカー）に出入りしていたという。焼き屋で花器の原型をつくるかわりに、自分の仕事をさせてもらったりということが多くあったようで、焼き屋と陶芸家が非常にゆるやかに結びついていたわけだ。今風に言うと「産地間交流」ということになるのだろう。

さて、現在産地でのアーティスト・イン・レジデンスはどうなっているのか。滋賀県信楽町にある滋賀県立陶芸の森は国内の陶芸のレジデンスとしては、最も古く1992年のオープンである。ただ、当初は「アー

イギリス現代陶芸を代表する作家であるジェニファー・リーによるワークショップ（滋賀県立陶芸の森で2014年に撮影）

ティスト・イン・レジデンス」という呼称は一般的ではなかったことから、「滞在型共同工房」と称していた。

その後、愛知県瀬戸市に瀬戸新世紀工芸館が1999年にオープンし、陶芸とガラスのレジデンスを開始した。

また、2014年には栃木県益子町にある益子陶芸美術館／陶芸メッセ・益子が「益子国際工芸交流事業」としてレジデンスを始め、主としてイギリスから陶芸家を受け入れている。

これらは、地方自治体が運営主体（指定管理者制度も含めて）となっている。このような行政の動きの原動力になったのは、産地にいる陶芸家の活動ではなかったかと思う。

例えば信楽では、1986年から91年までセラミック・アネックス・シガラキと題した展覧会を地元の陶芸家が中心となり継続して開催していたし、常滑でも陶芸家の主導で1985年ごろから「とこなめ国際やきものホームステイ」がはじまり2011年まで続いている[1]。地方にある窯業産地として、1980年代の半ばはバブル期ではあったこともあり、「なにかしないといけない」という機運が高まったということなのだろう。

その動きをバックに公営のレジデンス事業がはじまったというのも一つの事実ではないかと考える。

海外では

私が知っている限りではあるが、陶芸を専門とするレジデンス事業は海外でも産地あるいは製造会社と密接に関連していることが多い。地域ごとにその一部を紹介する。

・ヨーロッパでは

フランスのセーブルは、セーブル焼の生産で知られている歴史ある製陶工場である。1796年に真正の硬質磁器が作られたが、開窯の経緯からフランス革命時にセーブル窯は破壊されて閉窯した。その後、ナポレオン1世によって再興され、1824年には国立セーブル陶磁器製作所が作られて現在に至る。

1980年代の中ごろこの陶磁器製作所に多くのアメリカの現代陶芸家がレジデンスに招かれていた。私がカリフォルニア美術工芸大学の学生だったころ、陶芸科の学科長であったバイオラ・フライ（Viola Frey）もそのひとりである。

同じフランスでは、リモージュなどが磁器の産地として知られているが、ここもアーティストが滞在制作できるシステムを持っているようである。さらに、プロヴァンス地域圏のヴァロリスでは、アーティスト・イン・レジデンス・ヴァロリス（A.I.R. Vallauris）が活動し、海外からのアーティストを積極的に受け入れている。ヴァロリスでは古くから陶器を製作していたが、一時は衰退し存亡の危機にあった。転機は1947年、この地でマドゥーラ窯を主宰していた陶芸家とピカソが出会ったことであった。ピカソはマドゥーラ窯で陶器を制作し、1948年から翌年にかけてパリで展覧会を開いた。これが好評を得、ヴァロリスを訪れる観光客が一気に増えたとのことである。このマドゥーラ窯ではその後もピカソ作品のレプリカを製作・販売している。

1873年に設立されたフィンランドのアラビア製陶所は、世界的に有名な製陶会社であるが1932年製陶所内に設立された「アート・デパートメント」に所属するアーティストたちによるデザイン、表面装飾などは、アラビア製陶所の製品を特徴づけるひとつの魅力となっている。プロダクト・デザイナーがつくるうつわにアーティスティックな装飾を施す手法は、その後多くの産地、製陶会社で試されているが、その原点はこのアラビアにあると考える。

アラビア製陶所内につくられた「アート・デパートメント」は、その後会社が合併などで変わっていく中でも続けられ、2003年に「アラビア・アート・デパートメント協会」として独立した組織に変わっていった。所属するアーティストは現在、アラビア芸術部の文化遺産を大切にし、継続しているフリーランサーとして働いている。

・中華人民共和国

私が近年よく訪れている、江西省景徳鎮のレジデンスの現状について述べることとしたい。

景徳鎮市は中華人民共和国江西省東北部に位置する地級市（地方行政単位）であり陶芸関係者の間では「磁器の都」という呼び方をされる陶磁器の生産地である。長い歴史があり、すでに漢の時代から陶磁器がつくられていたとされる。元、明、清の時代には染付磁器の優品を生産したことで知られ、海外にも輸出されていた。chinaの語源になったとされる。歴史のある景徳鎮であるが、文化大革命の折には「旧文化」とされ迫害を受けた。現在、大型の磁器の壺やタイルの生産は盛んに行われているが、中国国内の他の産地と比べてもそれほど、生産額が多いわけではないとされる。

現在この「磁器の都—景徳鎮」には、いわゆるレジデンスが4か所ある。また、先に述べたように大型の磁器製品をつくる工房が多数あり、この工房に制作を依頼する欧米の現代陶芸家が数多くいる。

本稿のテーマである「レジデンスと産地の関係性」ということでは、景徳鎮には多くの参考事例があると言えるだろう。

まず、最初に紹介するのは「Pottery Workshop Jingdezhen」である。2015年に初めて訪れたが、ここは、楽天陶社という会社が運営しているレジデンスがあり、古くから陶器の製造工場が集まっているエリアにある。滞在しているのは主として欧米の作家が多いように思った。定期的に開催されるワークショップやトークショーには、景徳鎮陶瓷大学の学生たちも参加し、なかなか賑やかしい。また、欧米の大学と提携して「景徳鎮でのスタディ・ツアー」を行っており、かなり人気があると聞いた。この「スタディ・ツアー」については、「磁器の都・景徳鎮」のネームバリューを活かしたビジネスとして成立しているように感じた。

2つ目が「三宝国際陶芸インスティテュート（Sanbao International Ceramic Art Institute）」である。景徳鎮市内から10キロほど離れた山間の自然豊かな地域にある。ここは2000年からジャクソン・リーという陶芸家が運営をしているレジデンスであり海外からも陶芸家、芸術家を受け入れている。リーはアメリカへの留学経験があり、その繋がりによるのか欧米のアーティストの滞在者が多いと聞く。

中華人民共和国、景徳鎮の陶芸のレジデンス・テーマパーク、陶渓川セラミック・アベニューでのシンポジウムに関連する展覧会のオープニングで語り合う人々

3つ目は、景徳鎮国際工作室(Taoxichuan International Studio)である。この施設には2018年以降、ほぼ毎年訪れているが、主として海外からのアーティストを受け入れているレジデンス施設である。陶渓川セラミック・アベニュー(Taoxichuan Ceramic Art Avenue)と名付けられた公園の中の一施設であり、現代陶芸の展覧会や陶磁器産業の歴史的な展示、学生向けの授業やイベント、子供向けのイベントなどを開催するとともに、陶器を販売する小売店、ギャラリー。国内外のアーティストの作品を販売するマーケットなど、全体が陶芸のテーマパークとなっている。

最後が景徳鎮陶瓷大学(Jingdezhen Ceramic Institute)である。陶磁工業学科を主体として文学、芸術、経済、管理学などを有する。中国で唯一の陶磁器技術に特化した大学であり、芸術分野の一つとしてレジデンスにも対応し主として海外の作家を受け入れている。

これら、景徳鎮にある4つの陶芸のレジデンスは景徳鎮陶瓷大学を除くと、基本民営である。また、どのレジデンスも中国人作家は主な対象とせず、外国人を主な対象としており、「磁器の都─景徳鎮」のイメージを十分に活かし海外に発信しながら運営している。

景徳鎮以外の産地でのレジデンスとしては、富平陶芸村(陝西省渭南市)や上虞(シャンギュ)青磁陶芸芸術国際センター(Shangyu Celadon Modern International Ceramic Center)(浙江省紹興市)、長春国際陶芸シンポジウム(China Changchun International Ceramics Symposium)(吉林省长春市)などが知られている[2]。

このように中国では、多くのレジデンスが運営されている。景徳鎮のように古くからある陶産地が十数か所あると言われている上に、各地の美術大学で陶芸学科の増設が続いている。IAC(国際陶芸アカデミー)[3]でも中国の会員が急増していることなどを考慮すると、今後もレジデンスの数は増えると考える。

現状では情報が伝わってこないなどの課題も時折見受けられるが、海外経験豊富な中堅層やIAC会員などが各地でリーダーになってきていることを考えると、今後急速に改善すると思われる。結果として、国際的な現代陶芸の分野での中国の影響力が増していくであろうと考える。

・大韓民国

韓国ではソウルから東南へ60キロ、高速バスで1時間半ほどのところにある利川（イチョン）市が、陶芸の街、伝統陶磁器の産地として知られている。利川で見逃せないのは毎年開かれる世界的なイベント「利川陶磁器祭」であり、「韓国・京畿世界陶磁ビエンナーレ」を開催している。その会場である「利川セラピア」でレジデンスが運営されている。

また、プサン近郊の慶尚南道金海（キメ）市は、現在も陶芸が盛んな街であり、多くの窯元がある。この金海市あるのがクレーアーチ金海美術館であり、その中の陶芸創作センターがレジデンスを運営している「。

・アメリカ合衆国

アメリカには日本や中国のような陶芸産地と言えるところはない。ただ、陶器が盛んにつくられている地域はあり、そこに陶磁器の製造会社があるというケースがいくつかある。

最初に述べたアーチー・ブレー陶芸研究所は19世紀末からレンガや土管を生産していた会社が閉じられた後の工場を利用して設立されており、産業関連であることは間違いない。

陶磁器製造会社ということでは、ウィスコンシン州にあるバスタブやトイレ、洗面台などを製造販売しているコーラー社（Kohlar）は、30年ほど前は自社製造しているバスタブやトイレ、洗面台などにアーティストが加飾をするということをベースにレジデンスを行っていた。

私がアメリカにいた当時、多くの作家がコーラー社での制作について話をしていたことを思い出す。現在は、John Michael Kohler Arts Center の活動と自社製造品への加飾による付加価値づけに特化した

The Artist Edition[4]の2本立てで活動をしているようである。
ノースカロライナ州にあるペンランド・スクール・オブ・クラフト(Penland School of Crafts)は、陶磁器だけではなく工芸一般を対象にしたクラフト・スクールであるが、各地からペンランドに学びに来た作家がそのまま近辺で暮らし始めるということがあるようである[5]。いわゆる、工芸村がそこで形成されるわけだ。そうすると、そこが観光資源となり訪れる人が増えるという良い循環ができるようになる。[6]
また、ペンランドの近くにあるスターという街にはSTARWORKS CERAMICSという陶磁器の材料製造会社があり、独自のレジデンス・プログラムを運営していることで知られる。また、この地域は多くの陶芸家が工房を構えていることでも知られている。ノース・カロライナでは、クラフト・スクールが、核となった地域づくりができているということであろう。

結論

古くから、産地は、その専門性のある人たちの交流の「場」になってきていた。アーティスト・イン・レジデンスの基本は、アーティスト同士、あるいは地域の人たちと交流することで、その交流から、新しいアイデア、デザイン、技術などが生まれることを期待することであろうから、当時の産地の光景は広義の意味でのレジデンスであると言っても良いのではないかと考える。

現在は、各国ほぼ共通で、その交流をベースにして次に掲げるようなことが期待され、また、結果として行われていると考える。
①いわゆるクリエイティブな人材の地域への導入の窓口として活用する。
②産地がそのイメージアップ、観光客の受け入れ強化に活用する。

③そこで製陶会社が、新商品の開発につなげる。

これらの事例を見ても、手法としての「アーティスト・イン・レジデンス」がやきもの産地の課題解決、振興策の一つになりえるのではないかと思うのだが、いかがだろうか。

注

1 海外からやってきた陶芸家、陶芸を志す人が夏の間、常滑にホームステイしながら陶芸のワークショップに参加するというプログラム。

2 中国にあるA－R情報については、https://www.chinaresidencies.com/residencies/から入手可能。

3 https://www.aic-iac.org/en/

4 https://www.studiokohler.com/en-us/featured/artist-edition

5 https://penland.org/

6 「ノースカロライ州　想像の文化が育んだ工芸をめぐる旅」〔ナショナル・ジオグラフィック日本語版〕https://natgeo.nikkeibp.co.jp/atcl/news/22/060300251/

AIRケーススタディ

7 国際文化政策とAIR
海外文化機関のAIR

オランダ王国大使館
バス・ヴァルクス

本稿では、アーティスト・イン・レジデンス(以下、AIR)の分野における在日オランダ王国大使館(以下、大使館)の取り組みを事例に、日本に設置された海外文化機関によるAIRについて取り上げる。

2022年11月、「LLOVE HOUSE Onomichi」という名の新たなAIRが広島県尾道市にオープンした。このAIRは、建築家の長坂常がオランダのアートディレクターであるスザンヌ・オクセナールの協力を得て創立したものだ。公式オープンの前日に送付されたプレスリリースにも記載されていた通り、オランダ大使館は6人のアーティストをオランダから招聘してLLOVE HOUSEに滞在させるべく運営組織と提携し、資金援助も行なった。偶然にも同月に、アムステルダムのリートフェルトアカデミーを卒業した日本人アーティストのあべさやかが、オランダのAIR事業である「フィフス・シーズン」と袋田(精神科)病院による協働プロジェクトへの参加アーティストとして、同病院でイベントを行っていた。また同時期に、オランダの現代アーティストであるアフラ・エイスマが、有田焼産地での陶磁器制作を中心としたAIR事業である「Creative Residency Arita(クリエイティブレジデンシーアリタ)」での3か月間にわたる滞在を終えようとしていた。さらに11月末には、島根県の奥出雲町横田で自らAIRプログラムを立ち上げたオランダ人アーティストのイェッケ・ファン・ローンが、アムステルダムを拠点とするアーティストの宮地幸と共に横田での3か月間の滞在を終えた。

これら4つの事例は、すべてAIR事業である（あるいはAIR事業であると定義できる）ということ以外は一見すると無関係に思えるが、それぞれ同じ方法ではないものの、オランダ大使館が関わっているという点で共通している。また、大使館が多様な形で日本のAIR業界に関わっていることがうかがえる。

在京のオランダ大使館は、オランダ政府が打ち立てた国際文化政策（International Cultural Policy）を日本国内で直接実施している。一部のEU加盟国とは異なり、オランダは文化交流の推進を担う文化機関を日本に設けていない。そのため、オランダ大使館による日本のAIR業界への関わりを理解するためには、この国際文化政策について詳しく知る必要がある。

オランダの国際文化政策の概要

オランダの国際文化政策（International Cultural Policy）には50年以上もの歴史がある[1]。その根底にある基本的価値観は、簡単に言えば、文化と芸術は一人ひとりを豊かにするとともに社会の結束を促し、また文化セクターおよびクリエイティブセクターは経済的に重要な役割を担っており、さらに文化は外交政策において、いわゆる「ソフトパワー」と呼ばれる大きな価値をもっている、というものである。この政策はオランダ外務省（BZ）、オランダ外国貿易・開発協力省（BHOS）、教育・文化・科学省（OCW）が合同で施行している。

オランダ国内に向けた文化政策と国際文化政策はいずれも4年周期で更新され、現在は2021～2024年度の政策が実施されている[2]。現在の国際文化政策は、以下の3点を目標に掲げている。

- 広報活動や交流、長期的協力を通じ、オランダの文化セクターが国際舞台で確固たる地位を築くこと
- オランダの文化的表現を通じ、他国との相互関係を支援すること
- 文化セクターおよびクリエイティブ産業がもつ力をSDGs（持続可能な開発目標）の実現に利用すること

新たな4年間の政策の枠組みは通常1年前に発表され、その中で政策の主な対象となる「フォーカス・カントリー」と呼ばれる国々が定められている。現在それらの23か国には、日本も含まれる。フォーカス・カントリーに駐在する各国の大使館は、国際文化政策の枠組みに沿ってそれぞれの複数年計画を草案し、オランダ外務省の「国際文化政策ユニット（International Cultural Policy Unit）」と呼ばれる部署に提出する。これらの複数年計画は、オランダの文化表現に対する各国の要望に基づいて作成される。政策の枠組みはあくまで土台として使用され、それを現地の状況に応じて実用的に「翻訳」したものが複数年計画となる。複数年計画が外務省から承認されると国ごとの予算が決まり、そこから先の実施は大使館の責任となる。大使館はその活動を毎年報告しなければならず（年次報告書が議会に提出される）、また周期の終わりには4年間の結果をまとめた最終報告書を作成して議会に提出するものの、政策の実施においては大きな自由裁量権が与えられており、各国の要求や状況変化に合わせて多方面で柔軟に活動することができる。

在日オランダ大使館においては、この「翻訳」の結果として「Tokyo and Beyond（東京を超えた機会）」と名付けられた2021〜2024年度の複数年計画が生まれた[3]。このテーマには、最終的には東京こそが芸術と文化の中心であり、それらが消費される場所であることを十分に認識しながらも、東京の枠を越えて政策を実施したいという野望が込められている。

国際文化政策と日本

すべての複数年計画の基盤となるのは、オランダのアーティスト[4][5]が日本に対して何を望んでいるか、また逆に、オランダの文化表現に対し、日本国内のどこに、どんな需要があるか、という問いである。新たな政策周期に入る前に、必ずこれらの問いを検討し、日本とオランダでステークホルダーに対し、調査と確認のためのインタビューを行う。そしてチームはその後、計画の主眼および手段の再評価に進む。日本における予算が定まれば、大使館は日蘭の文化交流のための新たな4年間の支援提供を開始でき、両国の組織や専門家たちは、補助金・助成金を申請することができる。その流れや条件についてはインターネット上でも公開されており、また本文においては要点でないので割愛する。[6]

オランダのアーティスト（と日本のＡＩＲ）のための機会促進

この複数年にわたる文化交流の取り組みにおいてまず重要なのは、「特に日本にまだ馴染みのない、オランダを拠点とするクリエイターのための（市場）機会を促進すること。必須条件として、できれば将来性のある、新興のプラットフォームをもつ日本の組織（ＡＩＲ、展示会場など）との協力がなければならない」という点である。

複数年計画における手段の一つとして、ＡＩＲは必ず盛り込まれる。その理由は、オランダから来たアーティストが日本で第一歩を踏み出すためには、やはりＡＩＲが最適な方法だということにある。オランダにとって遠国の日本へは渡航費が高く、頻繁に訪れることは困難であるものの、ＡＩＲを利用すれば、アーティストはより長期的な日本滞在の機会を得られ、仕事だけでなく、現場でのネットワークづくりに専念できる。これに関連した二つ目の理由というのが、日本で軌道に乗るまでに、かなりの時間を要するということである。まだ日本で名が知られていない場合はなおさら、アーティストやキュレーター、ギャラリーオーナーなどとのネットワークづくりに多くの労力を注がなければならない。AIR団体は、滞在と制作のための場を提供するだけでなく、願わくはアーティストの日本での将来的な活動やキャリアに良い影響をもたらすような、コミュニティやネットワークへの足掛かりを提供する。

ここ数年の間に、AIRにおいては環境問題という、もう一つ考慮すべき点が新たに加わった。国際文化交流によるカーボンフットプリントからはもう目を背けることができない状況となり、そのため大使館もまた、複数回にわたるアーティストの日本訪問よりも、現在は長期的な滞在をより重視している。

日本のAIRに対しては、大使館は基本的に直接的な支援を行う。その支援とは、オランダからアーティストを受け入れている日本のAIR団体に対する補助金や、日本のAIRに参加するオランダのアーティストへの支援を意味する。資金援助は最も分かりやすい支援形態だが、大使館はそれ以外にも、ソーシャルメディア（SNS）の独自アカウントを使ってAIR事業に関する情報発信に協力することで、招聘アーティストをカルチャーシーン（または必要に応じてそれ以外の業界）のネットワークにつなぎ、彼らのリサーチおよび制作の支援や、AIRの成果に貢献するような（文化や社会学などに関する）情報提供、そして時には、アーティストと受け入れ団体の間で生じる言語的・文化的な壁を取り除くための仲介も行う。また大使館は、滞在先の空間の都合で場所が確保できない場合、または遠隔のAIRに滞在する参加者が東京の業界人との交流を望む場合、AIRや滞在中のアーティストの要望に応じて、発表やパフォーマンス、（一日限定の）展示のために館内の「出島ラウンジ」と呼ばれる多目的スペースや大使公邸を提供することもある。これらの活動は、大使館のネットワーク拡大や、文化交流における大使館の取り組みを既存のネットワークに向けて見せることにもつながる（ソフトパワーとしての文化の利用）。

日本の多くのＡＩＲ団体とつながっている大使館は、日本のＡＩＲ同士の仲介役も担っている。特に新しく設立されたＡＩＲのコーディネーターにとっては、経験豊富な外部のＡＩＲスタッフとつながり、体験談を共有し、情報を提供してもらうことが有益となる。また大使館は、ＡＩＲ同士の協力により、ＡＩＲの影響力を強めるための相乗効果を生み出すことを図っており、東京とのつながりを求めていたCreative Residency Aritaと、東京以外の工芸関連のプログラムを探していたＡＩＴの間のつなぎ役も果たしている。

一時的な支援からサステナブルな支援へ

ここで在京オランダ大使館の複数年計画に話を戻すが、そこで2つ目に重要な点が、「複数のクリエイターが、１回限りではなく長期的に関わることを可能にする、既存のプラットフォームや協力関係の（さらなる）発展」で、やはり日本のＡＩＲ団体に関わる点である。大使館は多くの場合、日本国内の組織からの申請がなければＡＩＲやアーティストの支援を行わないが、その一方で、複数のアーティストの受け入れや、彼らの定期的な受け入れを実現するべく、長期的な関係構築のためにＡＩＲ団体との連携にも積極的に取り組んでいる。LLOVE HOUSE Onomichiと協力関係を結んだのにも、そのことが理由の一つとしてである。とは言うものの、このように初期の段階で大使館が関わることは非常に珍しい。このＡＩＲ事業の場合は、その土台に明確なオランダとのつながりがあるため、ある意味では実験として、あるいはシードマネーとして、大使館は初期の段階で協力に踏み切った。長期的連携に重きを置いた事例の中で最も知られているのは、２０１３年11月に佐賀県と大使館の間で締結された「クリエイティブ連携・交流協定」の枠組みの中で生まれたCreative Residency Aritaである。Creative Residency Aritaの設立は、この協定の一環として２０１６年に実現した。

AIRにおけるSDGs

２０１９年10月に発表された２０２１～２０２４年度の国際文化政策の枠組みには、以下の目標が追加されていた。

「私たちはSDGsを達成するために、文化セクターとクリエイティブ産業の力を活用する。」

この目標は、文化セクターおよびクリエイティブセクターが国際協力を通じてSDGsの達成に貢献することを可能にし、同時に、オランダのクリエイティブセクターが海外で現代社会の課題に対する解決策を見出すことに貢献する機会を得られるように追加された。大使館はこの政策目標を念頭に、袋田病院でオランダのアーティストを受け入れるためのAIR事業の開発に向けて、オランダの組織であるフィフス・シーズンと袋田病院による共同プロジェクト[7]への関わりを深めた。フィフス・シーズンは、AIR団体としてオランダの精神科医療施設で20年以上も創作活動の場を提供している。その目的は、現代アーティストを施設の居住者と交流させることと、制作を通して、オランダでも未だにタブーとされている、現代社会における精神医学や精神疾患を取り巻く問題を取り上げることにある。袋田病院での事業でも同じように、日本社会における精神疾患に対する意見や偏見に変化をもたらすことが期待される。大使館の関与は、２０１６年に同AIRの発起人たちから「日

フィフス・シーズン×袋田病院“Actionⁿ=Building Temporary Architecture” Nina Glockner & Sachi Miyachi (2019)

本で同じことができないだろうか。協力してくれそうな団体を紹介してほしい」と相談を受けたことから始まり、そこから大使館が袋田病院を紹介するに至った。忘れてはならないのが、実際にはこのＡＩＲ事業が、国際文化政策と広報文化外交（パブリック・ディプロマシー）政策という、大使館の2つの政策の実現に寄与しているということである。オランダ政府は人権啓発と包摂性の推進を後者の政策の中核としており、大使館も利用しながらこれらの価値観を奨励している。

大使館は２０２１〜２０２４年度の政策周期の中で、日本の文化的インフラストラクチャーへの貢献に一層専念することを約束した。具体例として挙げられるのが、DutchCultureおよびTransArtists[8]の協力による、日本におけるＡＩＲのインフラストラクチャー構築の推進だ。このテーマは、フランスのＡＩＲであるヴィラ九条山（２０１８年始動）、およびドイツのＡＩＲであるヴィラ鴨川（２０２０年始動）との連携に着想を得ている。２０２０年の夏が終わろうとしていた頃、新たな脅威として押し寄せた新型コロナウイルス感染の波により、ヨーロッパでも日本でもＡＩＲ団体が全体的に存続をかけた状態に陥っていたが、そんな状況下で大使館は、ヨーロッパのカウンターパートと連携し、体験談やベストプラクティスを共有したいという要望が日本側にあることを知った。これがヴィラ九条山、ゲーテ・インスティトゥート・ヴィラ鴨川、京都芸術センター、オランダ大使館による、２０２０年12月11・12日のオンラインシンポジウム「AIR on AIR」の共催へとつながった[9]。同シンポジウムでは、ヨーロッパおよび日本の専門家、ＡＩＲ主催者、ＡＩＲ滞在アーティストが「コロナ禍におけるＡＩＲ戦略」や「パンデミック中のアーティストの創作活動とレジデンス」を題材に、さらに社会のさまざまな領域で人々や社会問題と直接関わることができ、予期せぬところで変革をもたらす、仕掛け人としてのＡＩＲの役割について議論が行われた。ＡＩＲ同士が知識や体験を共有するためのプラットフォームを提供することの必要性が、このシンポジウムで明らかになった。

連携のもう一つの成果が、ＡＩＲの振興をコアバリューとする、新たなＥＵＮＩＣ（欧州連合文化機関）

の「クラスター」と呼ばれる拠点〔10〕が関西地域に誕生したことである。ヴィラ鴨川などとの合同シンポジウムの開催後、ヨーロッパと日本の間のAIRによる交流の促進を目的とした、より大きなプラットフォームを築くための補助金を得るべく、ヴィラ鴨川と大使館は協力して企画書を草案し、European Spaces of Culture〔11〕に提出したが、申請には「EUNICチャプター」と呼ばれる支部が必要であるいう問題に直面した。東京にすでに設立されていたEUNIC JAPANには他の優先プロジェクトがあったため、2022年6月に「EUNIC関西」と名付けられた新たなクラスターが設立された〔12〕。

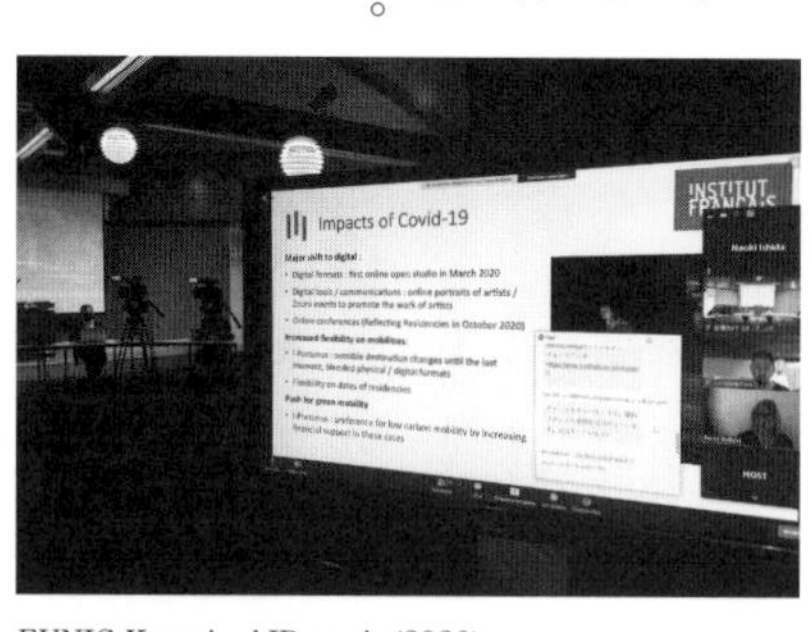

EUNIC Kansai - AIR-on-air (2020)

オランダとつながりのあるAIR事業

AIT（Arts Initiative Tokyo）でのモンドリアン財団によるレジデンシー〔13〕

このレジデンシー事業は、AITとオランダのFonds BKVB（ビジュアルアート・デザイン・建築財団）の連携により2003年に始まり、2012年にFonds BKVBがモンドリアン財団と合併した後に、モンドリアン財団がアーティストに提供する17のレジデンシー（国内に6か所、海外に11か所）の一つとなった。AITが運営する居住施設には、毎年アーティストが3か月間滞在することができる。このAIRではリサーチに焦点が当てられ、AITはアーティストを東京のカルチャーシーンに引き合わせ、滞在中の取り組みの実現を支援する。

この事業が開始した2003年当時、日本の多くのレジデンシーがアーティストの創作に主眼を置くなか、オランダの基金による支援を受けたＡＩＴのレジデンシーはリサーチを中心としていた。

大使館のもつネットワークをアーティストの希望を叶えるために活用できるかを確認するために、大使館ではここ数年、顔合わせのミーティングを催し、参加アーティストを招待している。またＡＩＴで使用できる空間は限られているため、特にアーティストが作品の展示も望む場合は、大使館が提供する空間で最終成果発表を行うこともある。また大使館はＡＩＴとCreative Residency Aritaを引き合わせ、連携のきっかけを作ることにも貢献している。

Creative Residency Arita (CRA)［14］

CRAは、佐賀県と大使館の間で結ばれたクリエイティブ連携・交流協定の枠組みの中で、オランダ・クリエイティブ産業財団とモンドリアン財団との協力のもと、２０１６年に佐賀県により設立された。現在は有田町が２人のプログラムコーディネーターの協力を得て、佐賀県と共にＡＩＲ事業の運営を行なっている。

レジデンシーの目的は、分野の垣根を越えた作品づくりや実験的な試みを促進し、オランダのデザイナーおよびアーティスト、地元の磁器メーカーおよび職人の間で新たな連携を生み出すことだ。このレジデンシーでは、日本の陶磁器産業の特殊な技術を学び、これを参加者の作品に応

AIT ARTIST TALK #78「建築の感情的経験」ペトラ・ノードカンプ　Photo by 新井孝明

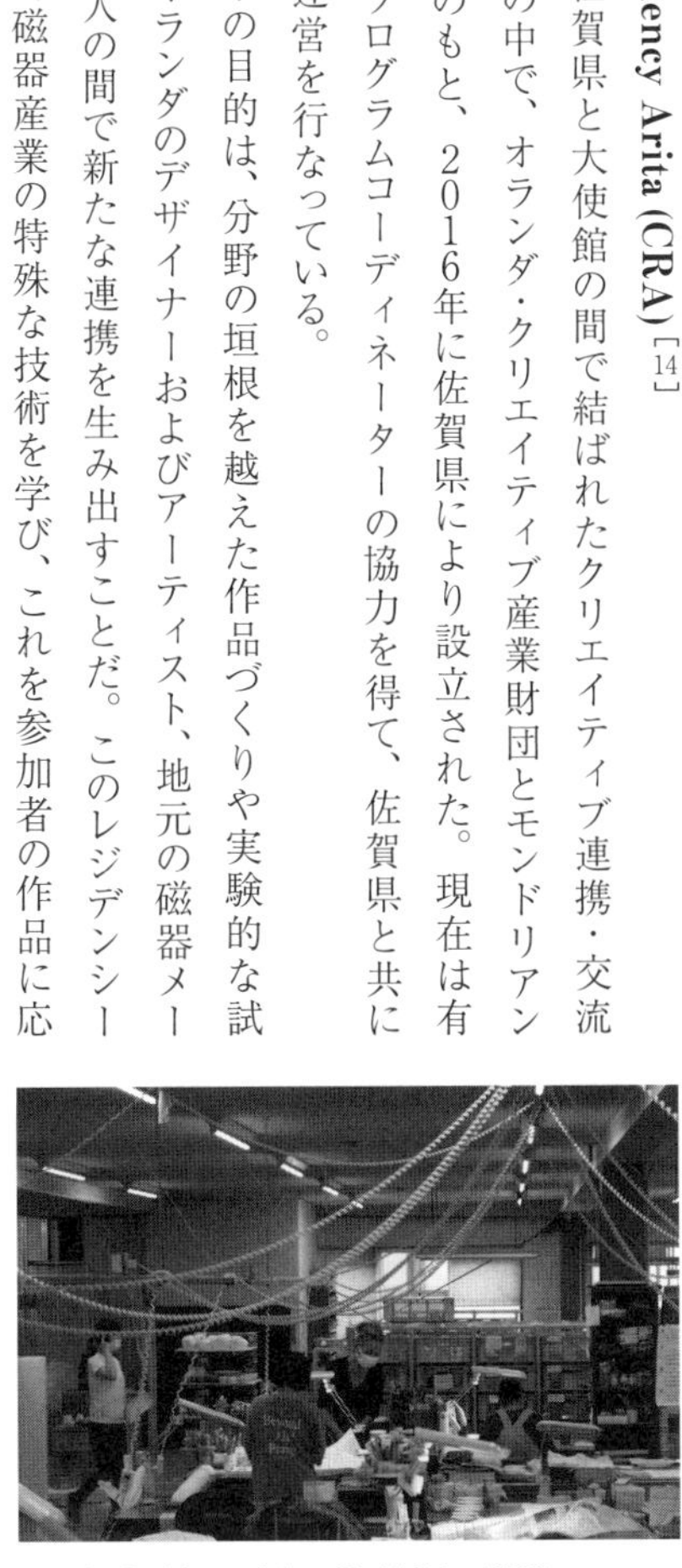

Creative Residency Arita - Sigrid Calon (2022)

用することが軸となっている。

大使館は、参加アーティストが遠く離れた有田にいながら東京のカルチャーシーンとつながる機会をもてるよう、コロナ前には滞在期間の終わりに彼ら自身を紹介するためのプラットフォームを提供する、という形で関与してきた。また、このレジデンスは日蘭協力の試みとして始まったが、最終的にスイス大使館およびイスラエル大使館との提携、さらにヴィラ鴨川とヴィラ九条山との提携につながり、国際的なレベルにまで拡大したことも特筆に値する。

CAVE-AYUMIGALLERY[15]

CAVE-AYUMIGALLERYは、オランダのヘリット・リートフェルトアカデミー卒業生の鈴木歩が東京の神楽坂で営む商業ギャラリーである。CAVEは公式なAIRではないものの、CAVEと大使館は2018年より提携して一連のAIRプログラムを実施し、鈴木が選出したアーティストに3か月間の滞在と、ギャラリースペースをスタジオとして使い、最後の3〜4週間で展覧会を開催してきた。このAIRは、新たな作品の制作と、新規のアーティストを東京のアートシーンで宣伝することに焦点を置いている。東京都心にある広々とした空間での発表は、参加アーティストにとって貴重な機会である。大使館は、鈴木がアーティストと出会えるよう、オランダでビジターズプログラムを企画し、またAIRプログラムの実現のための部分的な資金援助を行う形で関わっている。

LLOVE HOUSE Onomichi[16]

LLOVE HOUSE Onomichiは、建築家の長坂常がクラウドファンディングにより2千万円の資金を集めた後に、広島県尾道市にある110年の歴史をもつ日本家屋を改築し、2022年にオープンした。

LLOVE HOUSEは、世界中のアーティストが長期的に滞在できるクリエイティブ・プラットフォームとしての役割をもつ。この建物は伝統的な（しかし消えつつある）街の雰囲気を守るために改築されており、そのため尾道の街とコミュニティが本事業の中核となっている。そして長坂同様、現場のコーディネーターとして建物を管理するstudio basketもまた建築に携わっていることから、このAIRは、周囲のコミュニティを活性化・感化し、街並みを保存するための建築的介入であると考えられている。クリエイターたちは、街、工芸、住人、歴史、コミュニティの美しさに刺激を受けるべく招聘される。オランダのアートディレクターであるスザンヌ・オクセナールはAIRの運営とそのためのアーティストの選出において豊富な経験を積んでおり、キュレーターとしてアーティストの選定と本プラットフォームのさらなる発展を請け負っている。大使館は2023〜2024年にオランダから送り込まれる6人のアーティストのために同意書を作成し、助成金を付与した。

Omnicent[17]

創立者である馬場亮子は、福岡県うきは市とその周辺に豊かな伝統産業と多くの職人が存在することから、工芸に焦点を当てたAIRを同市に設立した。工芸に体現されるような日本的ものづくりとその文化的土壌が個々のアーティストに創造的刺激を与えるようなプロジェクト

LLOVE HOUSE Onomichi

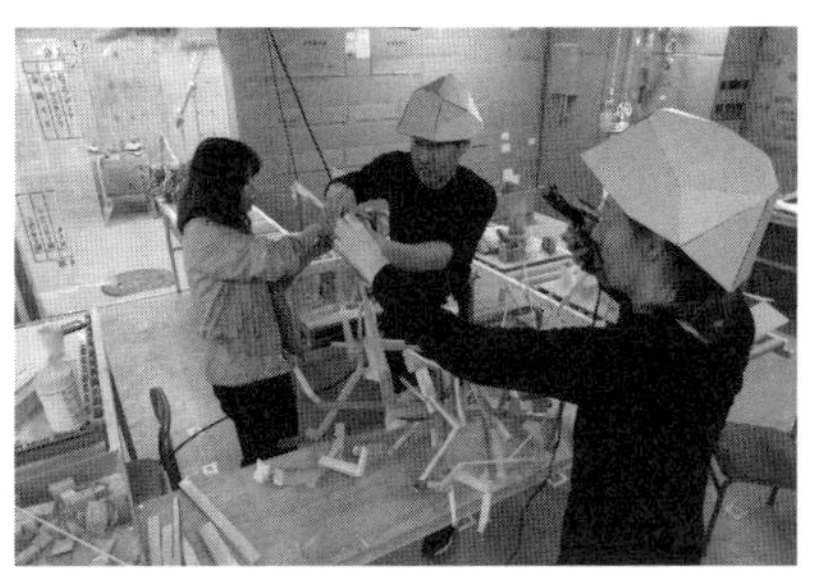

CAVE-AYUMIGALLERY “Shift Operation”
Maarten Schuurman and Esther Brakenhoff (2020)

を、地域住民の協力のもと行っている。馬場は「オランダ&九州」と名付けられた、九州をテーマに2016・2017年に大使館とDutchCultureが共催した文化プログラムにも協力者として参加し、その中で2016年にモンドリアン財団からアーティストの「仮の海外拠点（temporary foreign atelier）」に与えられる助成金を受け取っているほか、2022年にはオランダ大使館との連携によって3都市・拠点（東京都港区、神戸市、うきは市）の活動をつなぐ「nl local」に参画するなど、オランダとの交流を軸とする活動を継続している。

終わりに

本文では、オランダの国際文化政策施行の一環としての、アーティスト・イン・レジデンスに関する在京オランダ王国大使館の取り組みの概要を紹介した。筆者が大使館に勤務してきた15年の中で、大使館のAIRとの関係性は、日本の団体やアーティストの要望に応じる形での一時的な資金援助から、長期的な連携や一定のテーマに沿ったプログラム、構造的な取り組みという形での入念なアプローチへと変化を遂げていった。

オランダ政府の国際文化政策は、AIRに関する大使館のあらゆる活動に関して明確な政策基盤を示すために中心に据えられているが、政策の実施とその行方は、個人同士のつながりに完全に依存した、予測不可能かつ有機的なプロセスであると言わざるを得ない。ここで述べたすべてのプロジェクトやプラットフォームの裏には、熱心で意欲的な人々の巨大なネットワークがある。

Omnicent（福岡県うきは市）。きもの田中屋のギャラリーを訪問するKlara van DuijkerenとKoen Tossijn（2019）

本論では在日オランダ王国大使館の活動を取り上げているが、特にヴィラ鴨川およびヴィラ九条山、ならびにオーストリア文化フォーラムのAIRプログラムのような、より大きな取り組みが他にもあることを忘れてはならない。日本にある海外文化機関によるAIRプログラムの全貌をまとめることは、きっと有意義なことであろう。

注

1　国際文化政策の歴史　https://dutchculture.nl/en/news/boekman-125-50-years-dutch-international-cultural-policy

2　国際文化政策の枠組み（2021～2024年度）https://www.government.nl/documents/parliamentary-documents/2020/02/20/international-cultural-policy-2021-2024

3　国際文化政策のための日本における複数年計画　https://dutchculture.nl/en/cultural-cooperation-japan-netherlands-2021-2024

4　アーティスト：本文においては広義の「アーティスト」を意味し、デザイナー、建築家、作曲家、ミュージシャン、イラストレーターなどを含む。

5　「オランダ出身のアーティスト」：大使館への（補助金）申請にはアーティストがオランダ国籍を有している必要はないが、オランダでの住民登録が必要となる。大使館は、モンドリアン財団やオランダ・クリエイティブ産業財団など、オランダの大きな文化財団が設ける条件を考慮している。
モンドリアン財団：モンドリアン財団からの助成金を受けるには、芸術分野で実質的に活動し、オランダのビジュアルアートまたは文化遺産の専門的実践に関わっている組織、ビジュアルアーティスト、キュレーター、またはオブザーバーである必要がある。

6　日蘭文化交流に関する情報　https://www.netherlandsandyou.nl/your-country-and-the-netherlands/japan/cultuur--cultural-exchange/cultural-exchange-in-japan

7 フィフス・シーズン×袋田病院　https://www.vijfde-seizoen.nl/en/
https://artscape.jp/focus/10181292_1635.html?fbclid=IwAR36gSxWHSmasvfmWTffjlxD0MVlpiC1nOtblaXtcumWpoU0d7oYgAxYNk

8 DutchCulture I TransArtists　https://www.transartists.org/en

9 AIR on AIR　https://www.goethe.de/ins/jp/ja/ver.cfm?event_id=22051977
レポート　https://air-j.info/article/reports-interviews/AIR-on-AIR-onlinesymposium/

10 EUNIC　https://www.eunicglobal.eu/about

11 European Spaces of Culture　https://europeanspacesofculture.eu/

12 EUNIC関西：EUNIC（欧州連合文化機関）は、文化関係に携わるヨーロッパの組織のネットワークである。そのクラスター（拠点）の一つであるEUNIC関西は、ゲーテ・インスティトゥート・ヴィラ鴨川、ヴィラ九条山、アンスティチュ・フランセ関西、在日オランダ王国大使館の主導により、2022年6月に正式に設立された。EUNIC関西は、欧州連合と日本の関西地域を文化でつなぐことを目指し、ヨーロッパおよび関西の文化セクターのつながりと、ヨーロッパと日本のアーティストのモビリティに貢献している。

13 AIT　https://www.mondriaanfonds.nl/subsidie-aanvragen/regelingen/residency/

14 Creative Residency Arita
https://cri-arita.com/
https://www.mondriaanfonds.nl/en/apply-for-a-grant/grants/residency/creative-residency-arita-japan/
https://www.stimuleringsfonds.nl/en/grants/open-call-residency-arita-2023-2024

15 CAVE-AYUMIGALLERY　https://caveayumigallery.tokyo/

16 LLOVE HOUSE Onomichi　https://readyfor.jp/projects/llovehouse_onomichi

17 Omnicent　https://omnicent.org/about

AIRケーススタディ

8 美術館のAIR
多角的に求められる役割の方策のひとつとして

大原美術館
柳沢秀行

博物館法の定める博物館の役割は、作品・資料の収集、保存、展示、研究、そしてそれらを核とした教育活動である。博物館の一形態である美術館も、それゆえに、絵画や彫刻という物質として存在する作品を文化財として扱うことに活動が注力しがちなのは当然だろう。しかしながら、近年、社会における美術館の役割が多角的に求められ、地域社会の活性化（まちづくり）のコア、所在地域の歴史や文化などを顕在させる装置、そして新たな創造の拠点といった性格を明確に打ち出す施設も増え、その方策の一つとしてAIRに取り組む事例も増えている。それを網羅的に紹介する余裕はないが、AIRに特化する施設ではなく、いわゆる博物館施設として活動する美術館が取り組むAIRのいくつかをご紹介したい。

福岡アジア美術館

日本の美術館においていち早くAIRに取り組んだ施設として、まず思い浮かぶのが、福岡市の福岡アジア美術館である。

同館は、基本理念に掲げる「アジアとの交流拠点」「創造・発信する交流の場」「まちの中のライブな美術館」を具現化する事業として、1999年の開館当初から、毎年アジアの美術作家や研究者を招き、すでに招へい者数は100人を超えている。彼らは、福岡に滞在しながら多くの市民との共同制作やワークショップ、トークなどの交流を果たしている。その規模や招聘者の多様性は、同館Webサイトをご覧いただきたいが、まさにアジアとの交流拠点の名にふさわしいものである。

同館の場合、アジア全域を対象として作品や制作者の調査を行い、その作品収蔵にも尽力している。まさに地道な美術館活動を進めているのだが、一方で、美術館を拠点会場としつつ周辺の市街地をも取り込んだ大規模な事業である「福岡アジア美術トリエンナーレ」も、すでに5回実施している[1]。そうした活動の広がりのなかで、AIRがちょうど結節点のように、手堅くも、ライブな厚みを作り出していると言えるだろう。

つなぎ美術館

この福岡の事例とは規模感がかなり異なるが、同じ九州にある、つなぎ美術館（熊本県津奈木町）は、公立美術館がまさに町のハブとなり、多数の町民が参画してのアーティストとの活動を実践して高い注目を集めている。

同館では、「アーティスト・イン・レジデンスつなぎ」事業として、2014年度からこれまで6人の作家が滞在制作を行っている[2]。その際、制作場所も生活拠点も固定せず、作家の意向と、受け入れる地域の特性を巧みにマッチングさせる。その制作場所は、海辺であったり、廃校であったり、あるいは美術館のアトリエであったりする。海と山に満たされた、それゆえ漁業などの一次産業従事者が多い一方、隣接するのが水俣市であるという地域の特性を、そうした柔軟な受け入れにより、毎回、見事に顕在化させる作品が生み出され、講演会などのイベントには関わりをもった住民が多数参加することとなる。

アーティスト・イン・レジデンスつなぎ2015　武内明子　三ツ島海水浴場での制作風景

もう一つこのAIRが興味深いのが、毎回、外部の有識者を伴走役に招き、滞在中途での訪問、そして作品公開時の対談、図録へのテキスト執筆を依頼していることだ。こうした外の眼を取り入れる工夫が、作家の制作への支援、さらには、本事業の意味づけを明確にすることに寄与しているだろう。

このAIRのみならず、これまで西野たちと柳幸典を招いて実施した「つなぎプロジェクト」[3]も見逃せない。それぞれの作家とも、長期間のリサーチと設営に関わり、大規模な敷設工事も含めた、町をあげての事業となっている。アーティストの知名度、在住民のポテンシャルの可視化、そして事業規模の大きさから、広域からの集客も果たす事業でもあり、ある意味で、町の観光資源と言ってもよい出来事となっている。

その他、つなぎの名を一躍全国的なものとした「赤崎水曜日郵便局」[4]や、事業枠としては、あえてAIRのような形態をうたってはいないが、実質的には継続的な町への参与によって成立するアーティストによるプロジェクトも興味深いものがある。

このように、福岡アジア美術館、つなぎ美術館の事例は、それぞれ設置主体となる基礎自治体の規模や、地域の特性に対応して、担当者たちの求める最適解の在り方が異なるが、そのプロセスと成果は、いずれもダイナミックで熱量の高いものであろう。

これらのみならず、日本各地の美術館において、アトリエや創作室を使い、アーティストが長期間にわたりリサーチと制作を実施している事例も多い。

府中市美術館

例えば、東京都府中市の府中市美術館の「公開制作」[5]は、2022年12月時点で「公開制作85 spoken words project」が開催されているように、長年にわたる実績を積み上げてきた。

近隣に在住しているアーティストが、断続的に通っての制作ゆえ、厳密に言えばAIRから外れるような事例もあるだろうが、周辺人口が極めて多い都市部において、自然豊かな府中の森公園の一角に位置する優れたロケーションにある同館で、こうした事業が継続実施されていることは、来訪者に、ライブなアーティストの姿を示し、相互の交流を育むという点でも高く評価できるだろう。

これまでの招へい者を見ると、キャリアや表現手段は多様であるが、特定の対象に焦点を絞るのではない、そのような対応は、居住地も年齢も、アートに対する経験値も広がりを持つ多様な来館者を想定するならば、ある種の戦略としては有効であろう。

大原美術館

さて、私が勤務する公益財団法人大原美術館(岡山県倉敷市)においても、現在活躍中のアーティストを迎えての3事業を実施し、そのうちのひとつは、AIRに特化した活動となっている。

大原美術館が取り組むAIRは、ARKO（Artist in Residence Kurashiki, Ohara、略称「アルコ」）と言う。「若手作家の支援」「大原美術館の礎を築いた洋画家児島虎次郎が暮らした無為村荘内のアトリエ活用」「倉敷からの発信」の3点を目指し、2005年度より継続実施している。初年度だけは、美術館より依頼した津上みゆきを迎え、翌年より招へい作家は公募とし、これまで同一年に2名を受け入れたこともあり合計17名が倉敷での滞在制作を実施している。制作の場となるのは、児島虎次郎が使用していた倉敷市酒津の無為村荘の敷地内に1927年に建てられた延べ床面積約150平方メートルのアトリエ。ただし、古い施設ゆえ生活には不便なこともあり、別途にウィークリーマンションを借り上げている。こうした形で生活（衣食住）と制作（材料費含）の環境を提供するが、その設定に際しては、先行する福岡アジア美術館、また国際芸術センター青森などAIRに特化した施設の事例を参照させていただいた。

制作期間は最大3か月とし、完成した作品は大原美術館にて公開する。さらに作品の出来栄えによっては、事後的に収蔵も検討されるが、これまでいずれの作家も良質な作品を制作したこともあり、全ての招へい作家の作品が収蔵されている。

公開、収蔵という流れがあることが、美術館でのAIRのひとつの特徴とも言えようが、こうした目につきやすい点以外にも、継続する中で見えてきたことは、招へい作家にとっては、所蔵品やスタッフとの関りも重要であることだ。大原美術館の場合、いわゆる泰西名画も、重要文化財2点を含む日本近代の作品も、さらには現代に至る作品を収蔵、公開しており、ARKOでの制作品が、そうした作品の並ぶ展示場の一画に完成作が展示される。さらに、滞在中の作家は、様々な形で、高階秀爾館長をはじめ学芸スタッフ、あるいは訪問した研究者やアーティストと交流し、そして所蔵作品との応答の機会を得る。例えば、2017年に滞在した水野里奈[6]は、児島虎次郎作品の筆致のありようや、使用した道具に着目し、

ARKO2018 久松知子　アトリエ風景

幾度となく、担当者である私と児島作品を前にして意見交換をし、その成果を自作にも取り込んでいる。また2018年の久松知子[7]は、滞在中に、倉敷市真備町に甚大な被害をもたらした西日本豪雨を体験することとなった。救急車とヘリコプターの音だけが続く豪雨直後の数日間をアトリエで淡々と制作にあたった彼女は、しばらくして、画中に、この豪雨被害を伝える地元新聞のフロント紙面を描き込んだ。

このように、倉敷地域の資源、あるいは滞在時の出来事が、どれほど作品に反映するかは、それぞれ異なるが、いずれも、まさに倉敷で深々と吸い込んだ息を、静かに吐き出すように、倉敷ならではの作品を実現させてくれている。

さて、AIRながらも、これまでのARKO招へい者は、全員が日本人の画家である。毎年30〜50名の応募者を数え、「自力で生活できること」とだけ条件づけているゆえ、その中には海外からの応募もあるが、アトリエの立地や古さ、また応募者の大半が国内からの画家であることから、こうした結果となっている。

　こうした状況もふまえ、異なる表現メディアを扱う作家、また3か月という短期スパートでの制作よりは、長期間のリサーチの方が力を発揮する作家を想定して、２００７年より「ＡＭ倉敷（Artist Meets Kurashiki）[13]と題して、アーティストが倉敷との出会いを通じた作品を制作し、その公開を行う事業枠も設けている。これまで16回の実施を数えるが、その中には、ＡＲＫＯへの応募からこちらでの実施に至ったケースも多々ある。またログスギャラリー[9]、off-Nibroll[10]、ワタリドリ計画[11]など、複数名によるユニット、あるいは、平井優子（ダンス）、藤本隆行（照明）、辺見康孝（ヴァイオリン）による、この事業に向けて作られたユニットでの受入事例もある。

　その形態により、リサーチや制作の在り方は異なるが、身体表現の場合、1週間ほどを倉敷で過ごし、作品発表を行う美術館の展示室での作品のクリエーションが行われることもあるし、一方、5年間ほど断続的に倉敷を訪問しては、制作と展示のプランを磨き上げた場合もある。

　いわば、美術館としては、各事業の特性を整理して、相互補完的に実施しているわけだ。そしてもう一つ、美術館を創設した大原孫三郎が１９２８年に建設した別邸有隣荘[12]で、年1回、アーティストを招いての展覧会を実施している。こちらは建築空間の難しさもあり、経験値の高い作家を招くことが多くなる。この有隣荘での特別公開に、２０１８年に招いたのが三瀬夏之介だが、三瀬は、２００７年のＡＲＫＯ招へい者でもある。いわば、同じ美術館の異なる事業枠の中での、ステップアップでもあるが、こうした重層的な事業構造も、美術館ならではの特徴と言う事もできるだろう。

注

1　第5回福岡アジア美術トリエンナーレ2014 | The 5th Fukuoka Asian Art Triennale (ajibi.jp)

2　アーティスト・イン・レジデンスつなぎの軌跡 2014-2019　つなぎだョ！全員集合　展覧会等。つなぎ美術館 (tsunagi-art.jp)
3　柳幸典つなぎプロジェクト2019-2021 展覧会等 つなぎ美術館 (tsunagi-art.jp)
4　アートプロジェクト「赤崎水曜日郵便局」(p3.org)
5　https://www.city.fuchu.tokyo.jp/art/koukaiseisaku/kokai/index.html
6　画家・水野里奈さん、倉敷で滞在制作　大原美術館で今秋お披露目 - 倉敷経済新聞 (keizai.biz)
7　倉敷・大原美術館で久松知子さん作品展　館の歴史と物語、作品に織り込む - 倉敷経済新聞 (keizai.biz)
8　倉敷・大原美術館で井上涼さん企画展　創設者らの友情描く「ヘタウマ」アニメ - 倉敷経済新聞 (keizai.biz)
9　浜地靖彦と中瀬由央によるサウンド・アート・ユニット。GALLERY (roguesgallery.jp)
10　ニブロールの映像作家・高橋啓祐と振付家・矢内原美邦によるユニット。主に映像と身体のインスタレーション作品を発表し、横浜を拠点に国内外で活動中。劇場はもちろん美術館やギャラリーなど場所を問わずダンスパフォーマンスも展開し、映像インスタレーションとともに身体と映像の関係性をさぐっている。SNOW Contemporary
11　麻生知子と武内明子によるアート・ユニットが、渡り鳥のように展示場所と作品の題材を求めて日本全国を飛んでいくアートプロジェクトを展開している。
12　フロアガイド | 大原美術館 (ohara.or.jp)

AIRケーススタディ

9 大学とAIR❶

「産」「学」緩衝地帯としてのAIR

ICA京都・レジデンシーズ コーディネーター 石井潤一郎

京都芸術大学では2018年より、大学院「グローバル・ゼミ」領域が開設された。多様化する現代社会におけるアーティストの価値を踏まえ「世界のアート・シーンに高く跳躍できる人材を育成する」という、初代ディレクター片岡真実の意志のもと、クラスは一学年5名という少人数で編成され、授業はすべて英語で行われている。

ゼミには、年間を通して6名のゲスト・プロフェッサーが招かれる。ニューヨーク、アムステルダム、シンガポール、上海……学生たちは文化背景の異なる現代アートの専門家と、短期間だが濃密な時間を共有し、自身の創作を国際的なアートの文脈に乗せることができるように訓練してゆく。プレゼンテーションからディベート、「学生」であることに変わりはないけれど、限りなく実戦に近いカリキュラムである。

「英語で作品を説明できるようになることが、あなたの作品そのものを変えることはないかもしれません。しかし、それはあなたの作品が『どこへ行くのか』を変えるかもしれません。」

第一回目のゲスト・プロフェッサーであったオランダの美術史家、インディペンデント・キュレーター、批評家のサスキア・ボスは学生たちにそう語った。作品を制作することがアーティストの本懐であるとはいえ、コミュニケーションやプレゼンテーション、リサーチ・スキルなど、アーティストに求められる能力は多い。京都芸術大学大学院グローバル・ゼミでは、創作における技術的な錬磨よりも、まずは国際的なセンスを身につけることが重要視されている。

グローバルに展開されるアーティストの活動を、国内外の同様の機関と提携しながら、具体的に促進してゆくために2020年に設立されたのが「Institute of Contemporary Arts Kyoto（略称：ICA京都）」である。「ICA」という名称は、1946年に創設されたICAロンドンがよく知られている。前衛的、実験的な表現や理論を実践する「ICA」のコンセプトは、美術館ともコマーシャル・ギャラリーとも異なり、現代アートを中心に多様なジャンルが交わるクリエイティブな空間として機能する。初代所長に就任した浅田彰は、大学院グローバル・ゼミと並走しながら、ICA京都を世界と繋ぐ「開かれたプラットフォーム」にすることを宣言した。

ICA京都は三つのセクションによって構成されている。一つ目は、国内外のアーティスト、キュレーター、研究者などを京都に招き、国際シンポジウム、トーク・セッションなどを企画・運営する「ICA Program」。二つ目は京都を中心とした、関西圏の現代アート、パフォーミング・アーツなど、幅広いジャンルのイベントの批評、インタビューやトークなどを日英のバイリンガルで配信する「Realkyoto Forum」。そして三つ目が、京都を中心とした関西地方から、世界各地のアーティスト・イン・レジデンス（AIR）への参加を希

Saskia Bos　写真提供：京都芸術大学

京都芸術大学大学院グローバル・ゼミ　写真提供：京都芸術大学

望する作家を支援する「ICA Residencies（レジデンシーズ）」である。

ICA京都の提供する「支援」とは、資金的な援助や、レジデンス機関への受け入れを約束するものではないが、ICA・レジデンシーズでは、世界のAIRのデータベースとオンラインのコンサルテーション・デスクを設け、海外で経験を積みたいという人々の相談に乗っている。この取り組みは、京都芸術大学やグローバル・ゼミの卒業生に限らず、美術の高等教育を終えて、これから作家活動をやっていこうという若い人々や、作家としてあたらしい領域に取り組みたいと考えている中堅のアーティスト、いくつになっても創作活動を通して、人生を切り開いてゆきたいという意思を持った人々を応援するものである。

大きな期待をもってここに書き記しておくとするならば、アートを志すものが美術大学の四年間で獲得するべき能力とは「ものごとを俯瞰して視る眼」である。2019年のグローバル・ゼミのゲスト・プロフェッサーで、ニューヨーク在住のキュレーター神谷幸江は次のように語った。

「アメリカの大学は入学者が増えているにもかかわらず、歴史的な学部、つまり人文系の学部への志願者は下降傾向にあります。特に2008年のリーマン・ブラザーズ・ショック以降、人文学系の学部よりも、もっと直接的に技術を獲得することができる、理工学系の学部に人気が集まっています。そのような状況の中でアート関連学部の強みとはなんでしょう。そのひとつは、歴史を見据える『遠視』能力の獲得ではないでしょうか。」

美術の文脈において通常、わたしたちは目の前にある物質や造形のみを指して「アート」であるとは呼称しない。物質の向こうにあるもの、そこに宿る精神や思想・哲学、あるいはそこから引き出される効果や機能を期待して、美術的な価値を審査する。大学の教育においては、制作技術の基礎を学ぶことはもちろん、事物を客観的にみつめる力、批評する力、主観的な表現を超えて、もうひとつ高みに立った「メタ」の視点を獲得することが求められている。それはまた、もの云わぬ物質から過去・現在・未来に渡る歴史的文脈を読み取る(紡ぎ出す)力であるとも言える。

確かに神谷の言葉が示唆する通り、そうした「読解」の能力は社会で実際に機能するまでに多くの時間と更なる経験を必要とする。特にグローバル化した今日の社会において、美術大学の学生たちには地球規模で事象を俯瞰する力さえ求められている。しかしそうした能力が卒業後、すぐに社会で華開くケースは少ない。4年間をかけて高みに到達した「眼」の前に立ちはだかるのは、「現実」という名のある種厳しい社会の壁なのである。

どれほど論理的に、現代社会が抱える矛盾を描き出してみせたとしても、現実において自分はそこに所属している。どれほど明瞭に、肥大化する人間の消費活動に疑問を呈してみせたとしても、現実において自分はそこに加担している。そして卒業したこれからは、積極的にその社会に参加してゆかなければならない。大学での学業において、あるいは地球の表層さえも自由に駆け巡ることとなった全能の想像力は、そうして社会の地表に叩きつけられることとなる。

そうした大学と実社会との差異を埋めるように、学内でしばしば耳にするようになったのが「産学連携」という言葉である。もともとは「新技術の研究開発や、新事業の創出を図ることを目的として、大学などの教育機関・研究機関と民間企業が連携すること」を指した言葉であるが、実際問題として在学中から現実の社会に適応するための活動を指している場合も多い。

この「産学連携」という言葉の響きは便利が良く、つまり「博学連携」のような、相乗効果的な印象を作り出すことには成功しているが、個人的な意見を書いておくならば、少なくとも美術大学での教育において「産」と「学」とが積極的に連携することにはあまり賛成ではない。理由は単純で「産」と「学」では、「産」の方が圧倒的に強いからである。

芸術が経済活動に結びつくことを否定するわけではない。しかしながら大学が、率先してそれを牽引するようになってはならないと思うわけである。特に卒業後、自身の作品で生計を立ててゆきたいと考えている学生にとっては、学生生活がそのまま産業界への「傾向と対策」、つまり市場調査と販売戦略の場ともなりかねない。それでは「作品」のもうひとつ向こうにある、「奥行き」のようなものが失われてしまうかもしれない。芸術を産業に集約させてしまうことは、必然的に文化を「ソフトパワー」のような、経済の文脈に取り込んでしまうことを意味している。芸術とは交渉の道具であり、その意味ではむしろ政治的なものではないだろうか。グローバル・ゼミのゲスト・プロフェッサーであり、自身でもムンバイでアート・インスティテューションを運営している、シュレアス・カルレの言葉にも耳を傾けたい。

「美術の高等教育の場とは、批評能力を育成する場所であって、マーケットで売れるコツを学ぶところではありません。大学は批評能力を育成するための機関です。特にヴィジュアル・アートは、教養として最も重要な『視覚言語』を学ぶ場です。学究機関が打ち出した概念が社会に還元されるべきであって、社会に適応するために教育がなされるのではない。右派のコレクターが力を持てば、世の中は右傾化した作品ばかりになりますか？ 社会が実利主義に走り、経済が暴力的な利己主義に陥らないようにするための批評能力です。大学とはそうした『眼』を養う場所ではありませんか？」

つまり「産」と「学」との連携には、大学ではない別の緩衝地帯が必要なのではないだろうか。

本書ではすでに繰り返し述べられていることでもあると思うが、2013年に遊工房アートスペース代表の村田達彦が、AIRの役割のひとつを「生活者・社会人・国際人として積極的に活動を切り開くための体験・修練の場」として位置付け、若いアーティストを対象とした「Artist in Residence for Young（略称：Y-AIR）」という構想を打ち立てたという功績は大きい。以降今日に至るまで、大学卒業後間もない若手を支援するAIRプログラムが少しずつ整備され、アーティストとしての国際的キャリアやネットワークの構築に大きな貢献を果たしている。

教育機関として大きな理念を掲げる大学とは異なり、世界中に点在するAIRプログラムは、その背景も理念も、興味も目的もそれぞれに異なっている。応募条件だけを見ても、スタジオ・フィーのような形でアーティストが滞在費を支払わなければならないところもあれば、参加することで報酬が約束されているところもある。あるいは報酬は支払われるが、オルガナイズ側の意向を強く反映しなければならないようなところもあるし、そうなるとこれは「受注仕事」に近くなるかもしれない。一方で、参加費は支払わなければならないけれども、定期的にアート関係者が作品を観に来るようなところであれば、これは「登竜門」のような機能を果たしているとも言える。アートを志す者は誰でも、自身に合ったプログラムを探すことができる。つまりAIRプログラムには、大学での教育と実社会とに橋を渡す、柔らかな「産学連携」の機能も期待できるのである。

ICA京都・レジデンシーズでは、グローバル・ゼミで国際感覚を育んだ学生にも、海外のAIRに参加することを推奨している。言語もままならない異文化の環境の中に身を置くことは、全神経を研ぎ澄ませて、他者の意図を汲み取る努力を強いるかもしれない。それはまた、大学で培ってきた「読解の能力」を実際に活用させることになるかもしれない。カリキュラムを通して他言語での活動に親しんだとはいえ、未だ社会を「眺める」だけであった学生たちは、身体感覚を持って世界に潜入してゆくことが期待されている。

人生のうちに「他者」の存在を知ることによって、はじめて自分自身に開眼してゆくように、周囲に「異文化」を認めることによって、あらためて自身の文化に思いが巡る。そうしてグローバルな時代を迎えたわたしたちには、あるいはわたしたちの「グローブ」を、相対的に別のグローブから眺めるような、遠い視力さえ要求されているのかもしれない。はたしてわたしたちは、遠く離れた地域の問題を、自分自身の問題として考えてゆくことができるのだろうか。21世紀も半ばへと向かうわたしたちは、改めて、わたしたちのグローブの、地表のあらゆるところに華ひらいた文化と、その成り立ちと有り様とさらにその奥地から、地球市民としての意識を獲得するために、さらに多くのことを学んでゆかなければならないのではないだろうか。

AIRケーススタディ

大学とAIR❷
Y-AIR ― Artist in Residence for Young

トーキョーアーツアンドスペース　辻 真木子

私がAIRという存在を認識したのは大学2年生の時。マイクロレジデンスである遊工房アートスペース(以下、遊工房)の共同代表と滞在アーティスト等がゲスト講師の授業だった。これを機に、私は遊工房での学生インターン、アルバイトを経て社員となり、6年ほど関わったのだが、そもそものAIRとの出会い、そしてその後の活動の全てが私にとっての「Y-AIR」だったとも言えるだろう。Y-AIRの体験者であり、運営に携わった者としてその取り組みを紹介したい。

Y-AIRの取り組み

「Y-AIR」(AIR for Young)とは、2013年より遊工房が国内外の美術大学及びAIRと協働実施しているプログラムである。AIRの役割のひとつを、若手アーティストやアーツマネージャーたちが自身の活動を切り開くための体験、修練の場として位置付け、美大生及びキャリアの浅い若手アーティストがAIRにアクセスしやすい環境作り、仕組みを構築している。マイクロな存在であるAIRとマクロな存在である美術大学が連携することで、アーティストの活動支援という共通課題に向き合い、卒業後のキャリア形成の場としての可能性を開くと共に、AIRの社会的有用性と顕在化を促し、美術大学教育の一環となるプログラムへの発展を目指すものだ。

Y-AIRの対象者は、プログラムによってフレキシブルではあるものの、学生から卒業後間もない、キャリアの浅い若手アーティストが適正と考える。こうした層は、まだアーティストとしてだけでなく、生活者としても不安定な状況にあり、国際プログラムの機会を得ることは経験実績、経済的問題からも容易ではない。しかし、若いうちに異文化での滞在創作を経験することで、その後の活動への影響や可能性は広がる。若手アーティストが大学や同級生とのコミュニティだけでなく、様々な背景を持つアーティストやキュレーター、研究者等が集うAIRを活用し、世界のネットワークやコミュニティに接続できるようになることは、活動や意識の領域を拡大させる。社会の一員として多層な関係を築き、それらをうまく活用しながら、自ら活動できるようになることで「自立したアーティスト」となるであろう。

AIRを運営する美術大学も増えてきているが、そうした動きの準備としても、既存のAIRと連携し、実践を重ねることは有効であるだろう。事例と共に遊工房の取り組みを3つのパターンで紹介する[1]。

①インターンシップ・プログラム

在学生が遊工房に通いながら、滞在アーティストの制作及び生活環境を知る体験を提供するもの。アーティスト志望の学生は、プロのアーティストの思考や制作現場を知ることで、自身の活動にも応用できるような学びの場となる。マネジメントを学びたい学生は、事務作業やアーティストのサポートを通して、AIRの運営を捉える事ができる。大学によっては、インターン活動が履修単位になる場合もあり、大学連携によるカリキュラム化も検討の余地がある。

②大学授業連携プログラム

近年、関東圏の美術大学では、さまざまなAIRから滞在アーティストによる授業が行われている。Y-AIRでは、もう一歩踏み込み、美術大学と協働でカリキュラムを計画し、滞在アーティスト等による授業やワークショップを中長期的に準備、実施するもの。公募やアーティスト選定の段階から連携し、滞在アーティストの希望に沿って授業の可能性を検討するなど、さまざまである。

〈ERTIBIL BIZKAIA in Japan〉

「ERTIBIL BIZKAIA」は、1983年からスペイン・バスク自治州ビスカヤ県が主催するコンペティションで、バスクを拠点とする若手アーティストの発掘と展示機会の創出を目的とした支援プログラムである。2018年からは副賞として日本での滞在制作の機会が設けられ、遊工房とStudio Kura（福岡）で受け入れを開始。翌年は遊工房と黄金町アーティスト・イン・レジデンスプログラム（以下、黄金町AIR〔神奈川〕）で受け入れた。遊工房では、女子美術大学日沼研究室と協働し、学生主体で運営するアートスペース「co-ume lab.」を活用して、滞在アーティストと2か月間に渡る授業や共同制作、オープンスタジオなどを実施した。パンデミックで一時延期となったものの、2022年には2020-21年の受賞者も含めた計6名が、遊工房、黄金町AIR、Paradise AIR（千葉）に加え、女子美術大学が同年開始したAIR、女子美アーティスト・イン・レジデンスで滞在制作を行った。

ERTIBIL BIZKAIAと女子美術大学との連携プログラムの様子。学生進行によるアーティストトークをYoutubeライブストリーミングで配信した。Photo by 杉山剛

③AIR体験プログラム

国内での国際交流の取り組みから更に発展させ、国内外のAIR及び美術大学が連携し、在学生あるいは卒業後間もない若手アーティストに向け、海外での滞在制作機会を提供するもの。受け皿となる機関との調整や仕組みづくりなどの課題はあるが、AIRの活動をとおして出会った教育者等とのネットワークを活用することで実現している。

〈ArtCamp派遣プログラム〉

「ArtCamp」[2]は、チェコ・プルゼニ市にある西ボヘミア大学芸術学部が2005年から開催している国際サマースクールである。夏休み期間中の大学校舎を会場に、アートやデザイン、パフォーマンスなど様々なコースを3週間行っている。受講生は、国内外の美大生や美術大学に進学を考えている中高生、社会人など幅広く、コースのレベルも初心者から上級者向けのものなどさまざま用意し、国際的な環境でアートを介して自身の才能を見つけ伸ばす、あるいは美術大学への進学準備の機会を提供している。コース講師は、当学部教員の他、国内外からアーティストを招聘することを重要視し、受講生の2割が外国からの参加であることからも、〝滞在〟する参加者の存在を意識したプログラムづくりをしている。また、大学の個性創出、パブリック化、プルゼニ市への関心促進とプルゼニ市民のアートへの関心促進など、マーケティングツールとしての機能も大きな特徴である。開催をとおして育まれたネットワークは蓄積され、大学の国際化や年間の様々なプログラムにも有効活用されている。運営は有志の学生サポーターも大きな役割を持っており、英語で各国アーティストや参加者のフォローを通し、国際的なコミュニケーションの重要性と面白さを体感できるマネジメント実習の機会にもなっている。

EU・ジャパンフェスト日本委員会［3］より紹介を受けた遊工房は、2013年より日本各地の美術系大学教員（東京藝術大学、女子美術大学、武蔵野美術大学、東北芸術工科大学、福井大学、埼玉大学、東京造形大学、秋田公立美術大学）と協働し、ArtCampに学生および若手アーティストを派遣している。参加大学は、これまでのAIR活動や教員間のネットワークにより広がった。短期ではあるが、異文化での滞在創作をAIRの模擬体験と捉え、アートを介した英語によるコミュニケーションに挑戦する機会となっている。これまで30名を超える受講生、そして2015年からは日本文化を紹介する講師としてアーティスト5名を派遣している。また、日本の美術大学での開催の可能性を探るため、運営リサーチャーとしてAIRスタッフやギャラリー運営者の派遣や、ArtCamp運営者等を招聘したフォーラム開催をチェコセンター東京で開催している。

〈London × Tokyo Y-AIR Exchange Programme〉

ロンドン芸術大学セントラル・セント・マーチンズ（CSM）校は、英国の非営利アーティスト・スタジオ団体の一つ「Acme Studios」［4］と協働し、2013年より「Associate Studio Programme（ASP）」［5］というCSMを卒業後間もない若手アーティストがロンドンで継続活動するための支援プログラムを実施している。CSMの学部卒業後1年以内という条件のもと公募で選出されたアーティストは、市

ArtCamp、講師派遣プログラム 活動風景　Photo by ArtCamp

内のシェアスタジオを2年間安価で使用でき、年数回のアーティストやキュレーター等、専門家からの批評やフィードバックを受けられる機会がある。

遊工房は長年交流のあるCSMのマーク・ダンヒル教授より活動の紹介を受け、2015年より東京藝術大学のO JUN教授や藤原信幸教授等の協力を得て、ASPと遊工房のスタジオ交換プログラム「London / Tokyo Y-AIR Exchange Programme」を開始した。参加アーティストは、ASPのアーティストと東京藝術大学の卒業生を対象に公募を実施し、双方の大学教員との協議で選考される。ロンドンと東京より各2名が一緒に両都市で各6週間、合計3か月間活動する本プログラムは、参加アーティスト自身が相互にホストとゲストの役割を担い、協力しながらそれぞれの創作活動を進める。また、両都市での発表とプロのアーティストや研究者等から批評を受ける機会が設けられている。これまで日英19名のアーティストが参加している。体験者による継続した交流、ネットワークや情報の引き継ぎが行われるなど、フィードバックが次年度のプログラムに反映される仕組みができており、毎年プログラム内容の改善と共に、日英で同世代のアーティストネットワークが確実に構築、更新拡大されている。その成果として、2019年7月、本プログラムの5年目の節目に、日英参加アーティストが東京に再集結し、グループ展と体験を振り返るフォーラム「アイミタガイ—Ai mi Tagai」を開催した。2020年に予定していたロンドンでの同イベントはパンデミックにより中止となったが、アーティスト主導のもと、継続してオンラインでの交流や作品発表を経て、2022年に日本からアー

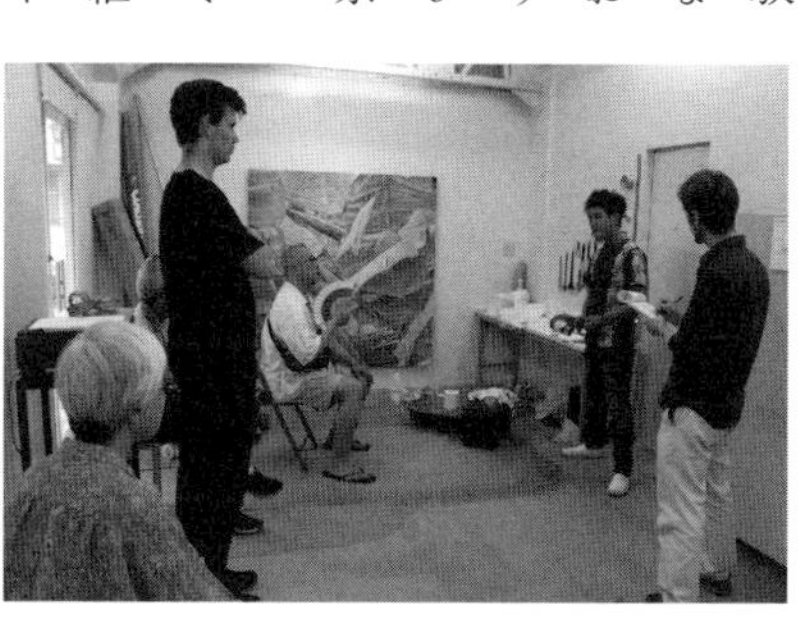
London/Tokyo Y-AIR Exchange Programme 活動風景
Photo by Youkobo Art Space

ティスト数名がロンドンに作品を持ち込み、対面交流とギャラリーでのグループ展が実現した。

Y-AIR国際ネットワーク

前記の他にも、フィンランドやオーストラリアなどでも活動を展開している。実践と並行して、2015年より国内外の事例調査研究も実施している。AIRと美術大学による協働プログラムや、大学生や卒業直後のまだキャリアの浅い若手アーティストの受け入れも積極的に行うAIR、美術大学が運営するAIRなどを調査し、運営者等に情報提供を依頼し協働編集のもと発行された報告書はオンラインでも閲覧できる。

2020年2月には女子美術大学が幹事校となり、同校を会場に「マイクロレジデンス・ネットワークフォーラム 2020 東京——Y-AIR構想〝AIR×美術大学〟によるアー

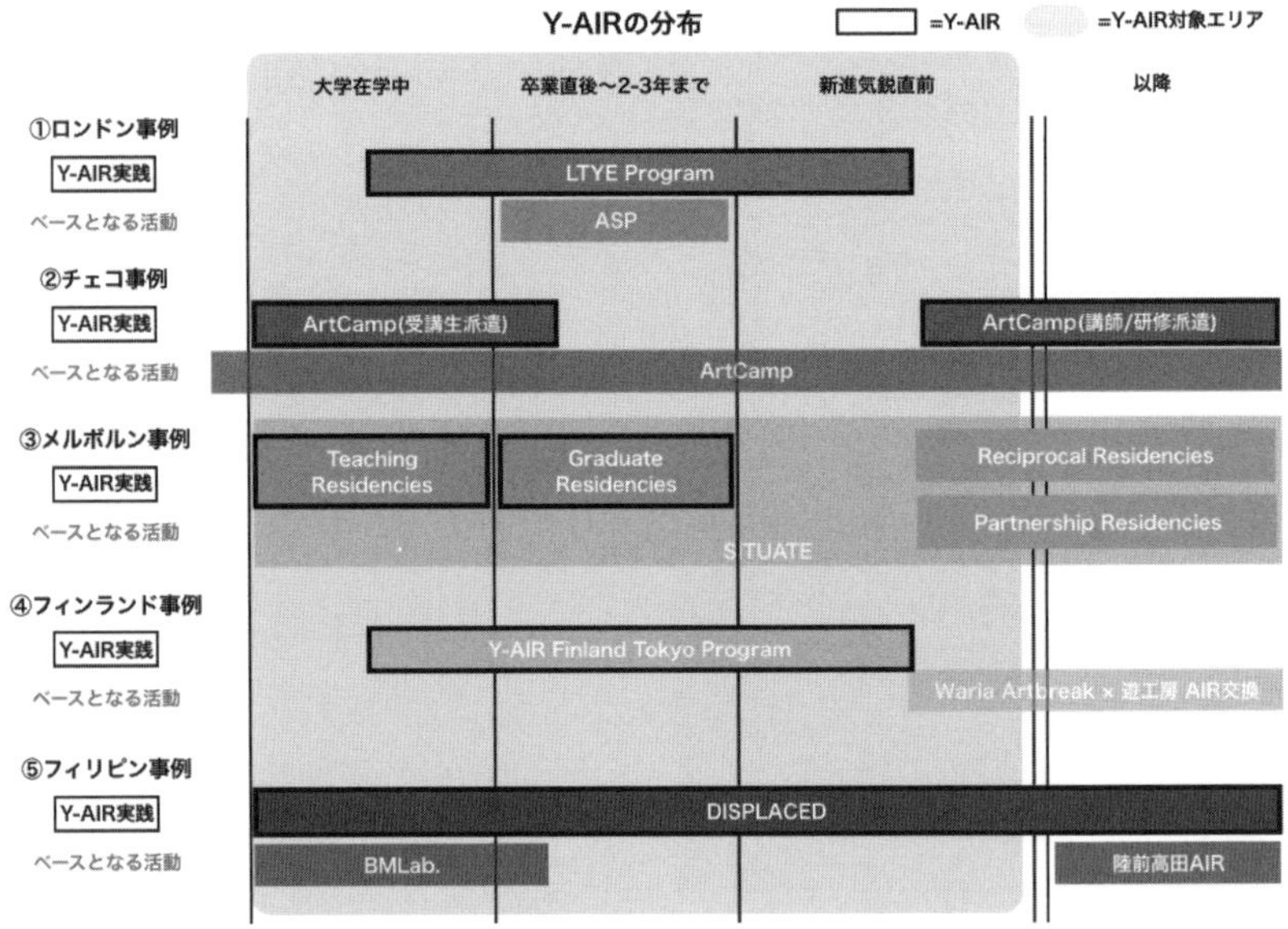

Y-AIRの分布
=Y-AIR
=Y-AIR対象エリア
大学在学中
卒業直後〜2-3年まで
新進気鋭直前
以降
①ロンドン事例
Y-AIR実践
ベースとなる活動
LTYE Program
ASP
②チェコ事例
Y-AIR実践
ベースとなる活動
ArtCamp(受講生派遣)
ArtCamp(講師/研修派遣)
ArtCamp
③メルボルン事例
Y-AIR実践
ベースとなる活動
Teaching Residencies
Graduate Residencies
Reciprocal Residencies
Partnership Residencies
SITUATE
④フィンランド事例
Y-AIR実践
ベースとなる活動
Y-AIR Finland Tokyo Program
Warla Artbreak × 遊工房 AIR交換
⑤フィリピン事例
Y-AIR実践
ベースとなる活動
DISPLACED
BMLab.
陸前高田AIR

「マイクロレジデンス・ネットワークフォーラム 2020 東京」参加パネリストのプログラム　Image from Youkobo Art Space

ティストの国際的キャリア形成」が開催された。海外から5名のY-AIR実践者たちがパネリストとして招聘され、これまでの活動を振り返り、Y-AIRの国際的なネットワークの有用性の検証と研究を深め、具体的な仕組み・組織づくりに向けた議論が行われた。

Y-AIRの取り組みの多くは、本来プロフェッショナルなアーティストのAIRプログラムとして運営してきたものに、各運営者が持つネットワーク（地元の美術大学やAIR、あるいは各人の所属する組織）を融合させて、学生及び若手アーティストの相互交換プログラムに発展させている。それぞれの継続した活動に、交流を通して築いてきた他の組織との関係性を接続することで、若手アーティストの異文化体験機会を創造し、AIRを介するアーティストネットワークの新しい循環が生まれている。また、それに伴い、本来の活動の充実にもつながっていると言える。世界各国のAIRと美術大学が、美大生や若手アーティストに国際交流や海外派遣・交換プログラムの機会を設けようと、様々な工夫をしながら、活動を実施する動きが垣間見れた。

これまでの事例や世界で展開されている協働事業を調査研究・顕在化させることで、豊かな国際Y-AIRネットワーク形成に期待が寄せられる最中、COVID-19によるパンデミックが起き、Y-AIRの活動の多くは止まってしまったが、オンラインでの会議を介し、活動再開について検討が続いているようだ。

「マイクロレジデンス・ネットワークフォーラム 2020 東京」グループワーク、パネルディスカッション　Photo by Youkobo Art Space

AIR×美術大学の可能性

ＡＩＲと美術大学が協働することで、在学中から世界のＡＩＲの存在やその多様なプログラムを認識し、将来の活動域を広げるきっかけになる。また、プロのアーティストの創作現場の見学や共同活動を通して、英語を介した国際交流の機会となる。海外からの滞在アーティストにとっても、学生や大学教員、専門家との交流、大学施設や設備の利用機会など、研究創作活動の充実につながる。ＡＩＲと美術大学がそれぞれ持つ役割を礎に、人材、施設、設備、資金など様々なリソース、ネットワークを共有し、互いのポテンシャルを最大限に活かすことで、単独の組織だけでは難しいことも実現の可能性が拡大する。また、継続した協働関係を構築し、定期的に互いの課題や共有可能な物事を開示する事で、活動展開が見込める。

アーティストとして芸術活動を継続したい者を育成する美術大学と、アーティストの実験的な試みを可能とする場と機会を提供するＡＩＲが協働し、社会全体でこれからのアーティストやアートマネージャーの活動環境を共に考え、支援することは、世界のアートシーンを構築していく上でも重要で、今後一層必要とされる動きであると考える。Ｙ-ＡＩＲの活動実践を、大学教育の履修項目に取り入れることも一考に値する。

プログラム参加者のフィードバックより、ＡＩＲの基本的知識を身につけ、母国と外国の地理、国民性、文化等の差異への気づきから、世界から見た母国を知り、アーティストとの交流からコミュニケーション能力の必要性を再認識し（語学、対話力、プレゼン力、度胸など）、移動し制作することの意味を体験を伴って実感していることが伺える。環境の変化がアーティストの創作活動において、いかに重要であるかに気づき、その後、他のＡＩＲプログラムや国際プログラムに参加するようになったアーティストも少なくない。若い時にこそ多様な社会の現実を理解し、表現活動をとおして広く社会に示すことができる力を培うための貴重な体験となっていると確信する。

私自身、授業やインターンの活動をとおして、プロのアーティストの活動姿勢や世界のＡＩＲを学び、チェコのArtCampでは受講生、そして運営事務局のインターンとして各1か月滞在した。また、遊工房のコーディネーターとして国内外アーティストの招聘や派遣、Ｙ-ＡＩＲプログラムの運営や海外視察を介して、世界のさまざまな運営者たちと出会い、同世代アーティストの活動環境を知り、互いの存在を意識しながら活動を続けていくことも、アートコミュニティー形成において意義深いことであった。留学とは異なる実社会での体験が、美大生や若手アーティストに与える刺激は大きく、その後の創作活動やキャリア形成に作用していること、そして組織間の関係性が継続すると共に強固になり、相互の活動充実に繋がっていることが確認できるが、その成果を測るには時間を要するため、継続した調査研究が一層重要となる。現在のところ、Ｙ-ＡＩＲはマクロなネットワークを有するマイクロな存在であるＡＩＲと、美術系大学というマクロの中にあるマイクロな研究室（教員）が協働することで実験的に実践されているが、研究室単位ではなく、ＡＩＲと大学との強固な組織として持続可能な運営や長期的な計画を確実に遂行するためには、国の文化政策として、国際ネットワーク構築に対する支援も必要であると考える。

注

1 遊工房アートスペース「Y-AIR」アーカイブ：https://www.youkobo.co.jp/related_activities/page2.html
https://microresidence.net/y-air-network/

2 ArtCamp：https://www.fdu.zcu.cz/en/ArtCamp/

3　EU・ジャパンフェスト日本委員会：欧州文化首都において日本文化に関連し、「地域社会への貢献」や「社会的責任」に関わる市民やアーティストのグローバルな活動を支援する組織。https://www.eu-japanfest.org/

4　Acme Studios：http://www.acme.org.uk/

5　Associate Studio Programme：http://www.doubleagents.org.uk/

6　オンラインレポート：https://www.youkobo.co.jp/microresidence/index.html

AIRケーススタディ

10 AIRの未来

未来社会のための試行錯誤と実験の場をつくる

AIR Lab 菅野幸子

拡張するAIR

アーティスト・イン・レジデンス(Artist-in-Residence、以下AIR)の定義は、それぞれの施設や運営団体により条件や内容が異なり、なかなか一言では言い表すことが難しいが、アーティストの滞在型創作活動を支援するシステムを指す。AIRは、芸術分野、規模、地理的位置など多様であり、個性豊かなAIRが世界各地で展開されているが、この多様性にこそ、AIRの特徴が最も反映されている。

そして、一つ確かなことは、国際的な移動が必須になってきているアーティストたちの創作活動を支える近代的なシステムとして制度化され、アーティストのキャリア形成にとっては不可欠な制度として確立されてきていることである。かつては、美術館やギャラリー、劇場がアーティストたちの創作の成果を提示する場であった。同様に、アーティストたちにとっての創造の過程となるAIRもまた、多様な刺激を受け、新たな表現を模索する場として発展し、現代におけるアートの発展を支える上では不可欠な仕組みとして定着している。日本国内でも、コロナ禍にも関わらず図1に見られるように、近年、増加傾向に

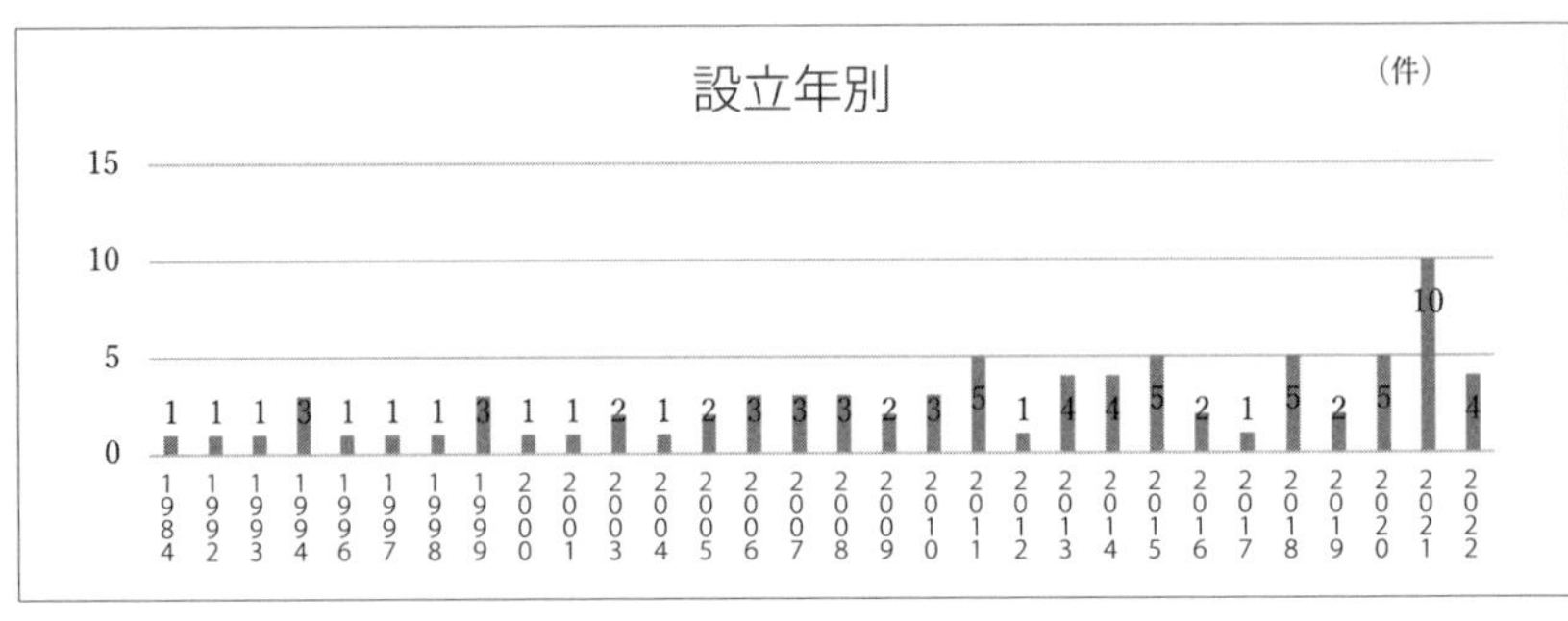

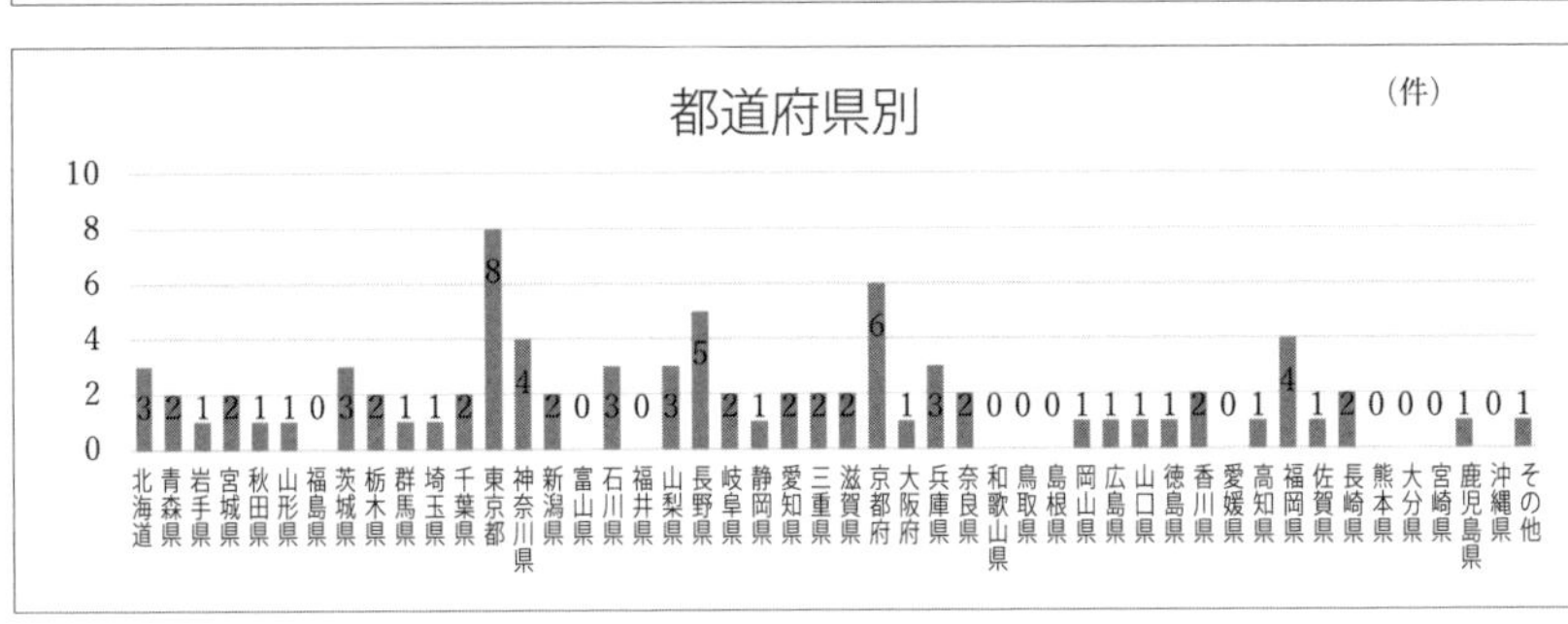

図1（上）日本のAIR 設立年代別件数・図2（下）日本のAIR 都道府県別件数
出典：日本全国のアーティスト・イン・レジデンス総合サイト「AIR_J」（air-j.info）をもとに筆者作成

あり、小規模ながらも個性豊かなＡＩＲが日本各地で立ち上げられており［1］、図２に見られるように、全国の都道府県をほぼ網羅するように広がりをみせている［2］。

1993年には、アーティストたちの創作活動を支える国際的なＡＩＲのネットワーク組織としてRes Artis（Worldwide Network of Arts Residencies）が立ち上げられ、2022年現在、75か国の550団体が加盟しており、日本からも、遊工房アートスペース、京都芸術センターなど20団体が加盟している。

それでは、なぜ、ＡＩＲは世界各地で広がりをみせているのか？　それは、異なる文化背景をもった創造者たちが世界を渡り歩き、めぐり逢い、互いの創造性を刺激し合い、切磋琢磨し合うことを可能とするＡＩＲというシステムには、対話、交流、共同作業が促進され、新たな表現や価値を生み出す可能性や力が潜在しているためだと考えられる。コロナ禍、ポスト・コロニアリズム、気候変動などに直面している現代においては、今後、ますます複雑かつ不確実な未来が予想されるのであり、異なる文化背景を持つ者同士が出会い価値観を共有し、試行錯誤を重ね、共同で作業する場がますます求められるためである。

1975年、当時の西ベルリンでクンストラーハウス・ベタニエン（Künstlerhaus Bethanien）〔3〕を立ち上げ、現代のAIRの基礎を築いたミヒャエル・ヘルター（Michael Haerdter）は、グローバリゼーションが進展した現代におけるAIRとは、「移動性（mobility）」、「グローバル性（globality）」、「一時性（temporality）」といった時代のキーワードを具現化したプログラムであり、いわば現代という時代の必然から生まれたシステムと述べている。そして、ヘルターは、AIRの役割を以下の6項目に整理している。

（1）ボーダーを超えたトランスナショナルな場であり、共同作業が生まれる場であること。すべてのアートは、国境や固有の文化に縛られるものではなく、国や文化の違い、枠を超え、アーティスト同士のコミュニケーションや交流を刺激するシステムであるということ。ゆえに、異なる文化背景を持つアーティストが集まるトランスナショナルな場でなければならない。同時に、時代をリードする先駆的なアーティストの実験の場でもある。

（2）アーティスト、観客、そして地域との間に、対話と出会い、そして相互作用（インタラクション）を絶えず生み出す場であること。

（3）美術、映像、写真、演劇、ダンス、文学、メディア・アート、デザイン、建築などあらゆる創造的な分野のアーティスト、研究者、キュレーターが集い、分野を超えた創造や刺激を生み出す場であること。

（4）あらゆる分野のアートに関する最新の研究や情報が集まるシンクタンク的機能が付加された場となっていること。

（5）アーティストたちにとっては、世間から隔絶されて、創作活動に集中できる、静謐な修道院のような聖なる場であること。同時に、常に、展覧会やパフォーマンスが行われ、一般の人々にも広く開放されている市場（マーケット）のような場でもあること。2つの相反する機能が混在している場でもある。

(6) AIRが存在する地域にとって、その地域に対する「文化的保証」ともなり、その地域が世界と文化的につながり、開かれた場となっていること。それゆえ、強力なグローバルなネットワークが生まれる磁場となる。[4]

AIRに内在する多様な運営方法や活動形態にも関わらず、このヘルターの指摘は、いずれのAIRにも共通してみられる役割であり、特徴でもある。とりわけ、(1)のAIRがトランスナショナルな場であり、実験や試行錯誤の場であるということ、(2)地域との間に対話と出会いを生み出し、相互作用をもたらすという指摘は、未来のAIRの展開を考える上で、重要である。

AIRの可能性

今後のAIRの可能性を考える上で、前述の(1)及び(2)の役割に関して、興味深い潮流が新たに生まれている。まず、(1)の事例として、大学といった人間の叡智や経験が集積している場、IT企業といった時代をリードする試行錯誤や実験の場でのAIRはこれまでもパイロット・プロジェクトとして散見されていたのだが、さらなる展開の場が広がっていることがあげられる。アート系の大学でのAIRはさることながら、ハーバード大学[5]、MIT[6]、オックスフォード大学[7]、ケンブリッジ大学[8]といった、必ずしもアートを専門としない高等教育機関で、多様な才能と知見を交換する場としてAIRプログラムが数多く運営されている。このような動向に加え、最新の事例では、学内に多様性と刺激をもたらすことを目的としてコロンビア大学法科大学院でも、2021年からAIRプログラムが開始されている。その最初のアーティストとして、ハーレムを拠点とする写真家のBayeté Ross Smithが400人の応募者のなかから選考され、約170万円の助成金と50万円の材料費が1年間支給されている。レジデント・アーティストは、学内にスタジオを構え、法学コミュニティと一緒になって「Art of Justice」プロジェクトも進め、アートが人権や法律とどのように関われるのか、模索している[9]。このように、従来、アートとは関わりのないと考えられていた分野とのマッチングによって、新しい価値や発想が生まれてくることが期待されているのである。

これは、ヘルターが指摘しているように、AIRの特徴である、人々が出会い、集い、対話しながら交流を深め、時には反発し合いながらも、新たな表現や価値を世界に提示する実験の場という機能によるものであり、この機能こそが、予想がつかない不確実な未来の扉を開いていく可能性を生み出す。このような機能により、マイクロソフト[10]、Facebook[11]、Google[12]といった時代を先駆けてきた世界的なIT企業もまた、AIRプログラムを取り入れ、次の時代に向けた新しい技術、製品、アイデアを生み出すヒントを得ようとしている。IT企業以外にも、ハイ・ブランドのエルメスは2010年から製品の質の高さを追求する工房にアーティストたちを招き入れ、職人たちとアーティストたちとの協働作業を奨励している。アーティストたちは、職人たちから優れた技術を学びながらも、職人たちが思いもつかなかった発想で、素材や手法に新しい価値観を提示し、職人魂を刺激している。アーティストたちもまた、日頃関わる機会のない職人たちの高度な技術を目の当たりにしながら、素材の新たな可能性と表現を追求している[13]。このように企業もまた次の時代に向けての模索の中から、異なる分野同士の専門家たちを結びつける場としてAIRを取り入れている。

もう一つの潮流として、前述の(2)にあるように、地域や社会的課題と向き合うAIRの役割が大きくなっているということである。AIRの目的は、アーティストの創作活動に対する支援が基本ではあるが、近年、参加型アート、ソーシャリー・エンゲージド・アート、地域に根差したコミュニティ・アートなどが日本でも盛んに展開されるようになってきていることもあり、地域の課題と向き合うAIRの役割が着目されるようになっている。他方、社会的課題と積極的に関わろうとするアーティストたちも増えており、英国では、地域の若者たちと警察との橋渡しとなるアーティスト・イン・レジデンスが実践された。2021年、英国中部にあるコベントリー市は英国文化都市[14]に指名され、多彩な文化イベントを1年にわたり繰り広げたのだが、その一つのプロジェクトとしてコベントリー市文化トラストとウェスト・ミッドランド・ポリスが協働して、若者たちと警察との橋渡しとなるアーティストを募集したのである。犯罪に巻き込まれそうになった若者たちは、警察に相談したいと思っていても警察本体は近寄りがたいし、犯罪者扱いされてしまうかもしれない。そこで、そうした課題に関心のあるアーティストが介在することによって、地域と警察をつなぐAIRが実践されたのだった。このAIRを通じ、アーティストは警官たちの日頃の活動をインタビューして映像作品を制作し、一般の人々や若者たちに理解しやすいようにしている。そして、若者たちとはヒップホップなどを通じてコミュニケーションを取り、若者たちが話しやすい雰囲気づくりを目指し、アーティストは仲介者あるいはカタリストとして両者の間に介在したのである[15]。

アーティストが仲介者となるAIRの試みは、アメリカの地方自治体本体でも取り入れ始められている。ボストン市やニューヨーク市といった地方自治体当局が、行政組織だけでは解決できない、それぞれの地域の社会的課題をアーティストたちと協働して、創造的に解決することを目指しAIRを実践し始めている。例えば、ボストン市は、コロナ禍にも関わらず、2020年、市長局芸術文化室（Mayor's Office of Arts and Culture）が窓口となって、地元のアーティスト5名を選考し、市庁舎に招へいした。ここで、1年間にわたり、アーティストは行政システムについて、行政の各部署も創造的な解決策について互いに学び合うという過程を経て、従来の市民へのアプローチとは異なる新しい手法を生み出そうと試行錯誤している。アーティストと市職員が一緒になって協働プロジェクトや展示を企画し、実行している。あるアーティストは、市の住宅問題に取り組み、住宅イノベーション・ラボの職員と一緒になってボストン市の住宅事情の歴史を調査し、その後、ボストンの歴史的景観の港湾地区にインスタレーションを制作し、両者で話し合いながら展示場所を決め展示した[16]。ニューヨーク市でも、2015年秋から「パブリック・アーティスト・イン・レジデンス（Public Artists in Residence、以下PAIR）」プログラムを開始。このPAIRも、ニューヨーク市が抱えている課題にたいしてアーティストたちが創造的な解決策を市に提示するプログラムとなっている[17]。このように、行政本体と創造者が一緒に社会的課題に取り組む事例が生まれてきているのは、やはり異なる分野を結びつけ、共に考え、実践できる過程を重視するAIRならではの特徴である。

ヘルターが指摘しているように、AIRは世界に開かれた場であり、日本でも興味深いプロジェクトが2022年に立ち上げられた。これまでは個々のAIR運営団体がアーティストをそれぞれに公募していたのだが、それぞれの団体の枠を超えたAIRマネジャーたちのコレクティブTOUCH JAPANによる「#ResidenciesWithoutBorders」が始められたのである。このプログラムは、戦争などの影響により生活・創作活動が困難となったアーティストたちや表現者たちに対して、日本での滞在制作を希望する場合、できる限りの助言や滞在に関するサポートを行うことを提示している。アーティストたちの思いを誰よりも理解しているAIRマネージャーたちは、国や地域、文化、宗教といったさまざまなボーダーにとらわれず、困難な状況に置かれたアーティストたちに対して創作の場を提供し、支援するシステムを立ち上げたのである。こうした取り組みもまた、今後の地球社会にとっても重要な考えであり、AIRのさらなる可能性を提示している[18]。

これまで見てきたように、アーティストの創作活動支援というAIRの基本を念頭におきつつ、世界の多様な事例を参照してみるならば、ＡＩＲは地球の未来社会に向けて、新しい価値や概念を提示できうる、対話と交流を生み出す試行錯誤の場、あるいは社会的課題に創造的に向き合う場など多様な可能性が潜在しているシステムであると考えられる。従って、ＡＩＲというシステムには、今後ますます豊かな展開が行われることが期待できるのである。

注

1　AIR_J：日本全国のアーティスト・イン・レジデンス総合サイト（air-j.info）（2022年8月16日閲覧）

2　AIR_Jに登録されていないＡＩＲは数多くあり、インターネットで検索すると、日本国内だけでも実際には100を超えるＡＩＲが展開されていると推察される。

3　クンストラーハウス・ベタニエン（以下、「ベタニエン」）は、ベルリン市民たちによる歴史的建造物の保存運動によって取り壊される運命を免れた旧医療施設で現代アートの拠点としてよみがえらせ、1975年に創設された。この運動に参加していた一人が、2000年までマネージング・ディレクターを務めた、創設者でもあるミヒャエル・ヘルターである。ベタニエンは、現在は移転しているが、ベルリンを代表する国際的なＡＩＲプログラムを運営しており、これまでに多様な分野にわたる約1000人ものアーティストが滞在した実績があり、ベルリンのアート・シーンにおいて重要な存在となっている

4　菅野幸子「第9章　現代アートとグローバリゼーション：アーティスト・イン・レジデンスをめぐって」佐々木雅幸・川崎賢一・河島伸子編著『グローバル化する文化政策』勁草書房、2009年、198頁。

5　https://artlab.harvard.edu/residencies（2022年8月16日閲覧）

6　https://arts.mit.edu/mcdermott/residency/（2022年8月16日閲覧）

7　https://www.sjc.ox.ac.uk/college-life/art/artists-in-residence/（2022年8月16日閲覧）
https://www.rsa.ox.ac.uk/research/research-opportunities/annual-artist-residency-at-st-johns-college-oxford（2022年8月16日閲覧）

8 https://www.girton.cam.ac.uk/life-girton/arts（2022年8月16日閲覧）

9 https://www.law.columbia.edu/community-life/strategic-initiatives/artist-residence-program（2022年8月16日閲覧）

10 https://www.microsoft.com/artist-in-residence/（2022年8月16日閲覧）

11 https://www.artbusiness.com/facebook-artist-in-residence-program.html（2022年8月16日閲覧）

12 https://artsandculture.google.com/entity/artists-in-residence-program/g11r2rr3bl（2022年8月16日閲覧）

13 https://www.fondationdentreprisehermes.org/en/program/artists-residencies（2022年8月16日閲覧）

14 英国文化都市とは、2013年から開始された文化イベント。英国が独自に、4年ごとに国内の一都市を文化都市と指名し、その都市において1年間にわたり多彩な文化イベントが開催されている。2013年は、北アイルランドのロンドンデリー市、2017年は英国北部のハル市、2021年は中部にあるコベントリー市が指名された。AIR in Police Boxは、文化都市の一イベントとしてベントリー市で実施された。

15 https://coventry2021.co.uk/media/4mloaj22/wmp-artist-in-residence-pdf.pdf（2022年8月16日閲覧）

16 https://www.boston.gov/departments/arts-and-culture/boston-artists-residence-air（2022年8月16日閲覧）

17 https://www1.nyc.gov/site/probation/community/artist-in-residence.page（2022年8月16日閲覧）

18 #ResidenciesWithoutBorders | AIR_J：日本全国のアーティスト・イン・レジデンス総合サイト（air-j.info）（2022年8月16日閲覧）

3

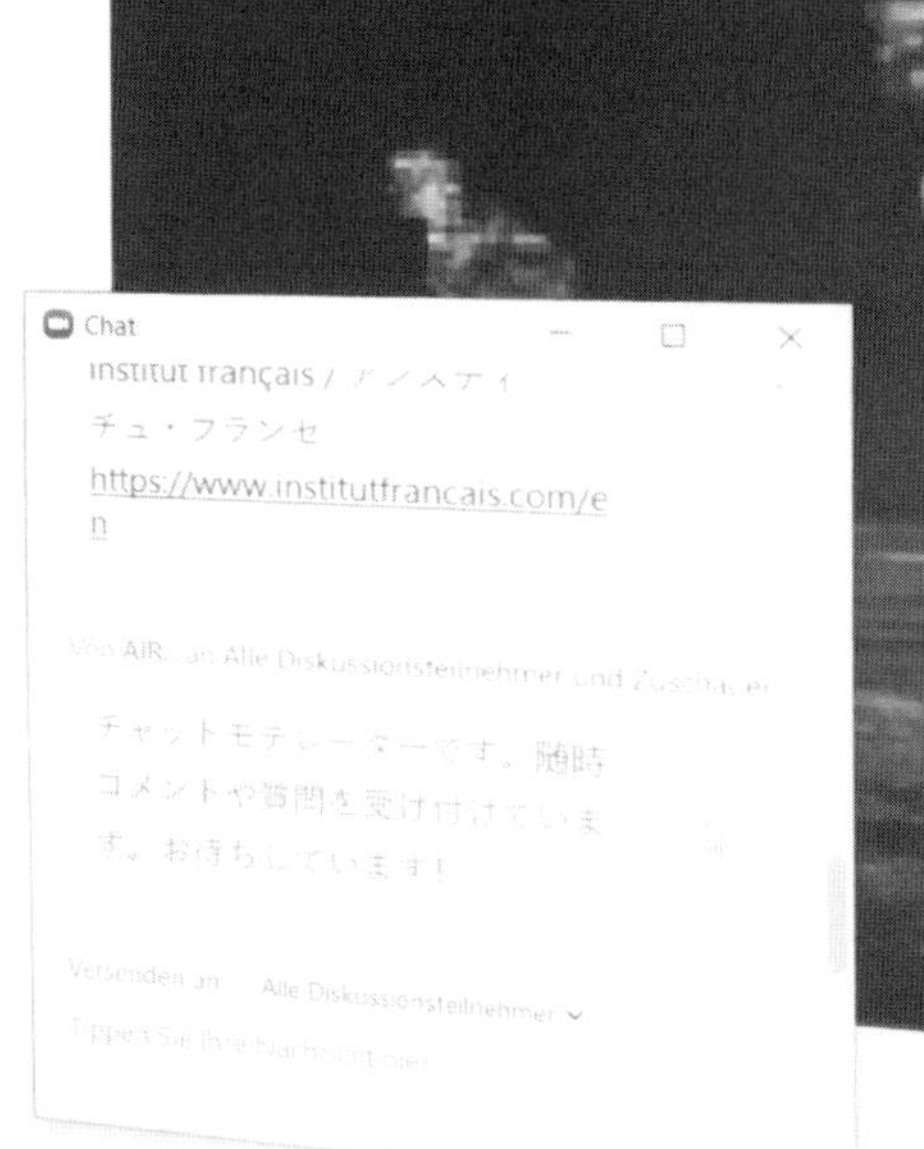
e sehen den Bildschirm von Fanny Rolland
Optionen anzeigen
id-19
dio in March 2020
e portraits of artists /
artists
encies in October 2020)
nges until the last
rmats
n mobility by increasing
Chat
Institut français / アンスティ
チュ・フランセ
https://www.institutfrancais.com/en
Teilnehmer
Chat
Bildschirm freigeben
Aufnehmen
Dolmetschen

会場カメラ（オープニング_
Jun'ichiro ISHII
Fanny Rolland
HOST

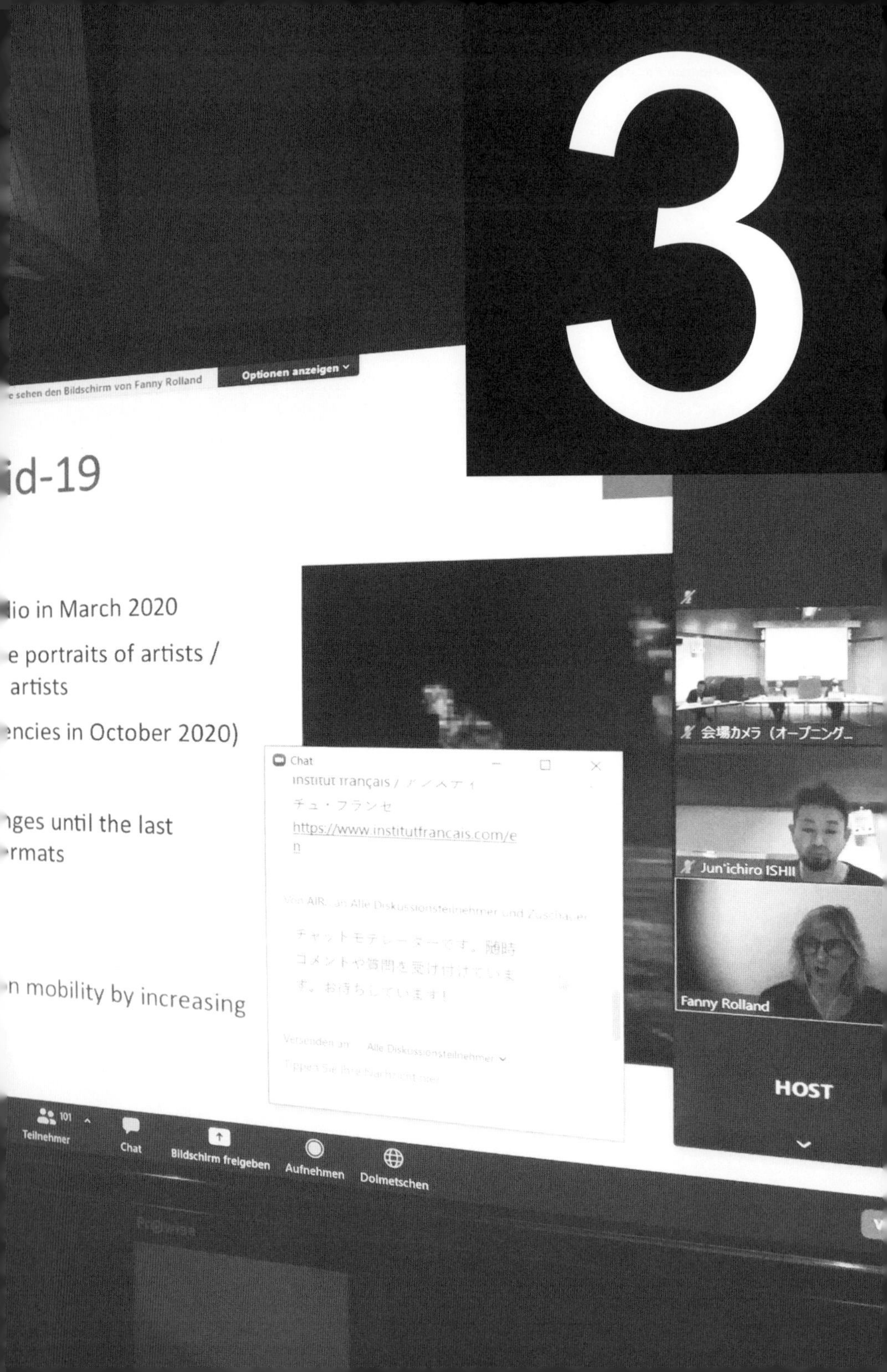

文化政策
と
AIR

本章では過去に行われたAIRの定量調査に基づいたデータから、多様なAIRの現状を明らかにする。インターネットでの公開情報を集約するとともに、文化庁がAIRを対象とした助成事業の採択団体からの実績データ（事業実施報告書、自己評価書）をもとに分析した。

また、AIRに関する欧州の文化政策の戦略的事例を示すとともに、日本における国、自治体と比較検証しながら、AIRの持続可能な運営のみならず、国の文化政策としてAIRが果たす役割、具体的な施策に向けた提言を記す。

※本章は、『［文化庁と大学・研究機関等の共同研究事業］「R1（2019）年度新たな文化芸術の創造を支える活動支援および人材育成のためのプラットフォーム形成研究」報告書』（編集：女子美術大学　発行：文化庁）より一部改変の上、転載したものである。

Image by EUNIC Kansai - Air-on-air (2020)

AIRの定量的な過去と現状の把握

大澤寅雄

ここでは、我が国のアーティスト・イン・レジデンス（以下「ＡＩＲ」）に関して、インターネットでの公開情報を集約するとともに、ＡＩＲを対象とした文化庁による助成事業の実績（事業実施報告書、自己評価書）を分析し、ＡＩＲについての定量的なデータを把握する。

調査の要約

・文化庁「ＡＩＲ活動支援を通じた国際文化交流促進事業」の平成27、29、30年度の3か年の事業実績から、事業実施団体の延べ数は71件となっている。

・必須プログラムとなっている海外ＡＩＲ実施団体から招へいした外国人芸術家の3か年の累計人数は311人で、その推移を見ると、平成27年度は90人、29年度は96人、30年度は125人と増加しており、事業実施団体1件・1か年あたり4人〜5人程度が平均的な外国人芸術家の招へい人数となっている。

・同じく必須プログラムでの日本人芸術家の滞在創作活動の人数について集計したところ、事業実施団体1件・1か年あたり2人程度が平均的な日本人芸術家の滞在人数となっている。

・交換プログラム活動支援の派遣者の人数について集計したところ、平成29年度は19人、30年度は28人と大きく増加している。交換プログラム活動支援に取り組む団体1件・1か年あたり2〜3人程度が平均的な人数となっている。

・自己評価書に記載のあった文化庁の助成事業以外も含む外国人芸術家の招へい人数と出身国の数を集計したところ、3か年の累計で招へい人数600人、出身国数は304か国となっている。

・その推移を見ると、招へい人数では平成28年度が115人、29年度が170人、30年度が315人となっている。招へい人数、出身国数ともに増加傾向にあり、とくに招へい人数は28年度に対して30年度は2・74倍となっている。

・日本人芸術家の派遣人数と派遣国の数を年度別に集計したところ、3か年の派遣人数の累計は118人、派遣国数の累計は80か国となっている。派遣人数、派遣国数ともに増加傾向にあり、とくに派遣人数は28年度に対して30年度は1・86倍となっている。

・国内のAIRに関する情報を、日英バイリンガルで提供する総合サイト「AIR_J」が公開しているデータ（59件）と、AIR_Jに登録されていないAIR（75件）を合計した、インターネットで公開されている国内のAIR（2020年3月時点）は134件となる。

・この国内134件のAIRに対して、文化庁の「AIR活動支援を通じた国際文化交流促進事業」の平成27、29、30年度の3か年で事業実績があるAIRの団体数は34件であり、25%を占めている。

調査結果

1　文化庁「AIR活動支援を通じた国際文化交流促進事業」の実績

文化庁が実施している「アーティスト・イン・レジデンス活動支援を通じた国際文化交流促進事業」の事業実績を分析する。なお、この事業は平成28（2016）年度から開始したものだが、平成28年度の事業実績については集計可能なデータ形式に加工することが困難であるため、平成27（2015）年度までの「文化芸術の海外発信拠点形成事業」の事業実績を含め、平成27、29、30年度の3か年の事業実績報告書と自己評価書をもとに分析・考察を行った。

(1) 事業実績報告書の分析

事業に採択された団体が提出した事業実績報告書から、事業実施団体の基本的属性、必須プログラム及び任意プログラムの事業実績を分析した。

①事業実施団体の基本的属性

図表 1：年度別・地域ブロック別の実施団体数

	平成27年度	平成29年度	平成30年度	総計
北海道	1	1	2	4
東北	3	2	3	8
関東	10	9	9	28
中部	3		4	7
関西	4	3	5	12
中国	1	1	2	4
四国		1	1	2
九州	2	1	3	6
総計	24	18	29	71

事業実施団体の数は、平成27年度は24件、平成29年度は18件、平成30年度は29件で、3か年の延べ数は、71件となっている。

24地域ブロック別に実施団体数を集計したところ、実施件数が最も多いのは関東で28件となっており、次いで関西が12件、東北が8件となっている。3か年のブロック別の実施件数の推移を見ると、平成27年度では四国、平成29年度では中部の実施がなかったものの、平成30年度ではすべてのブロックで実施された。（図表1）

図表 2：地域ブロック別の実施団体数（3か年の総計）

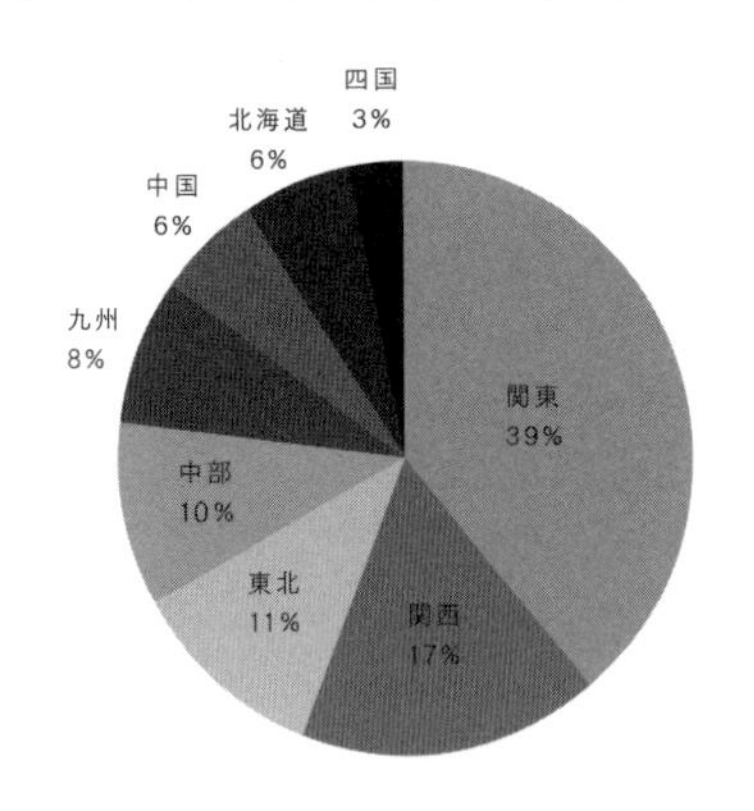

地域ブロック別の実施団体数を3か年の総計で見ると、関東が39%、関西が17%、東北が11%、中部が10%となっている。（図表2）

図表 3：年度別・都道府県別の実施団体数

	平成27年度	平成29年度	平成30年度	総計
北海道	1	1	2	4
青森県	1	1	1	3
岩手県	2	1	1	4
秋田県			1	1
茨城県	1	1	1	3
群馬県			1	1
千葉県	1	1	1	3
東京都	6	6	5	17
神奈川県	2	1	1	4
新潟県			1	1
石川県	1		1	2
長野県	1		1	2
愛知県	1		1	2
滋賀県	1	1	1	3
京都府	2	2	2	6
大阪府			1	1
兵庫県	1		1	2
山口県	1	1	2	4
徳島県		1	1	2
福岡県	1		2	3
大分県	1	1	1	3
総計	24	18	29	71

都道府県別に件数を集計したところ、3か年の実施件数が最も多いのは東京都の17件となっており、2番目に多い京都府が6件、北海道、岩手県、神奈川県、山口県がともに4件となっている。平成27、29、30年度の3か年で事業が実施された都道府県は21（47都道府県のうち45%）で、平成27年度の16から平成30年度は21に増加した（図表3）。

図表 4：年度別・法人格別の実施団体数

	平成27年度	平成29年度	平成30年度	総計
特定非営利活動法人	8	5	8	21
公益財団法人	6	4	7	17
一般社団法人	1	4	4	9
任意団体	4	1	4	9
株式会社・有限会社	2	2	3	7
大学法人	1	1	1	3
一般財団法人		1	1	2
地方公共団体	1		1	2
合同会社	1			1
総計	24	18	29	71

図表 5：法人格別の実施団体数(3か年の総計)

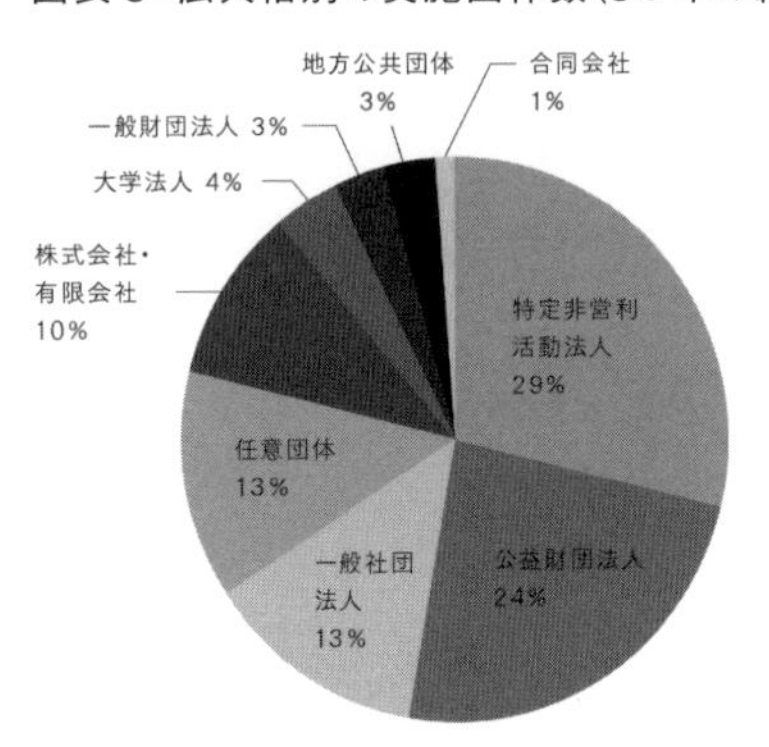

法人格別に実施団体数を集計したところ、3か年の実施件数が最も多いのは特定活動非営利法人で21件(29%)となっている。次いで公益財団法人が17件(24%)、一般社団法人と任意団体がそれぞれ9件(13%)となっている(図表4, 5)

② 必須プログラム

図表 6：年度別・海外のAIR実施団体との交換プログラムの実施状況

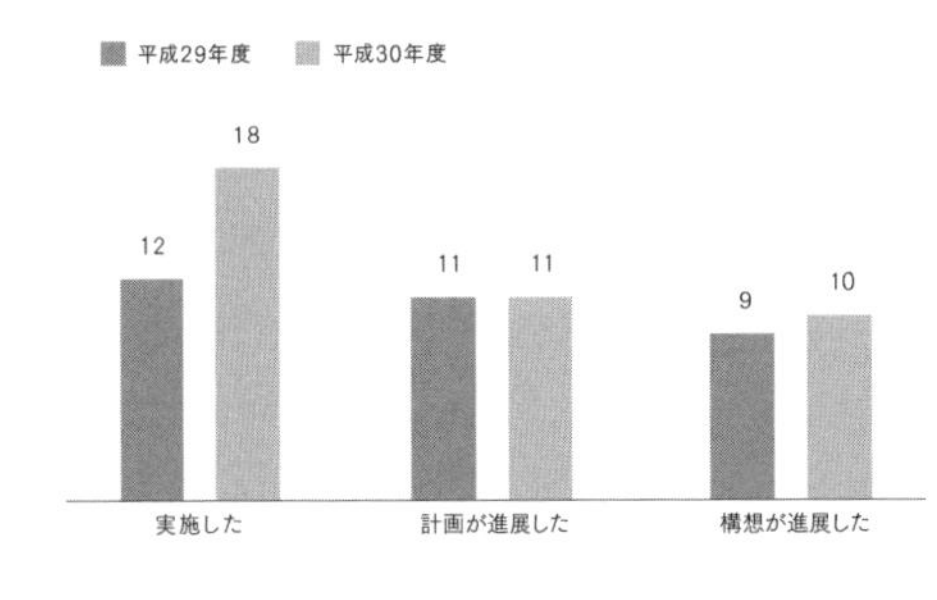

「AIR活動支援を通じた国際文化交流促進事業」が必須とする海外のAIR実施団体と交換プログラムの実施状況を集計した(平成28年度は事業実績報告書の様式が異なるため集計対象外とした)ところ、平成29年度では海外AIR実施団体との交換プログラムを「実施した」が12件、「計画が進展した」が11件、「構想が進展した」が9件となっており、翌年度の平成30年度は「実施した」が18件、「計画が進展した」が11件、「構想が進展した」が10件となっている。海外のAIR実施団体との交換プログラムを「実施した」件数が12件から18件と大きく増えている(図表6)。

図表 7：海外のAIR実施団体との交換プログラムの人数

	平成27年度	平成29年度	平成30年度	総計
回答件数	20	18	29	67
人数(合計)	90	96	125	311
人数(平均)	4.50	5.33	4.31	4.64

海外AIR実施団体から招へいした外国人芸術家の人数を平成27、29、30年度の3か年の推移を見ると、人数の回答のあった件数が、平成27年度は20件、29年度は18件、30年度は29件と増減が大きく変化しているが、回答のあった人数の合計が、平成27年度は90人、29年度は96人、30年度は125人と増加している。各年度の人数合計を回答件数で割った平均人数は、平成27年度は4.50人、29年度は5.33人、30年度は4.31人となっており、事業実施団体1件・1か年あたり4人から5人程度が平均的な外国人芸術家の招へい人数となっている(図表7)。

図表 8：年度別・外国人芸術家の招へい者の選考方法

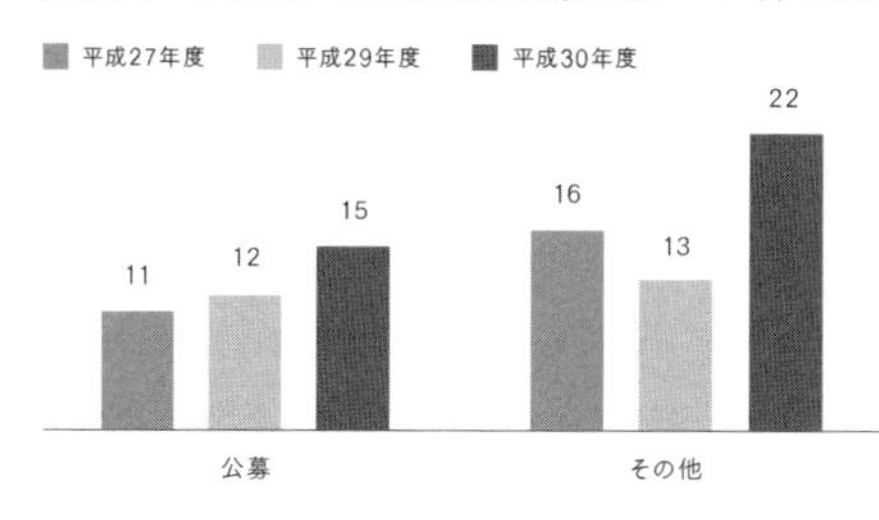

外国人芸術家の招へい者の選考方法を平成27、29、30年度の3か年の推移を見ると、「公募」の件数は平成27年度は11件、29年度は12件、30年度は15件と増加傾向にある。「その他」の件数は、平成27年度は16件、29年度は13件、30年度は22件と年度によって増減が見られる（図表8）。

図表 9：日本人芸術家の滞在創作活動の人数

	平成29年度	平成30年度	総計
回答件数	13	14	27
人数（合計）	27	29	56
人数（平均）	2.25	2.07	2.15

必須プログラムの中で、日本人芸術家の滞在創作活動の人数について集計した（平成28年度は事業実績報告書の様式が異なるため集計対象外とした）ところ、人数の回答のあった件数が、平成29年度は13件、30年度は14件で、回答のあった人数の合計が、平成29年度は27人、30年度は29人となっている。各年度の人数合計を回答件数で割った平均人数は、平成29年度は2.25人、30年度は2.07人となっており、事業実施団体1件・1か年あたり2人程度が平均的な日本人芸術家の滞在人数となっている（図表9）。

図表 10：日本人芸術家の滞在者の選考方法

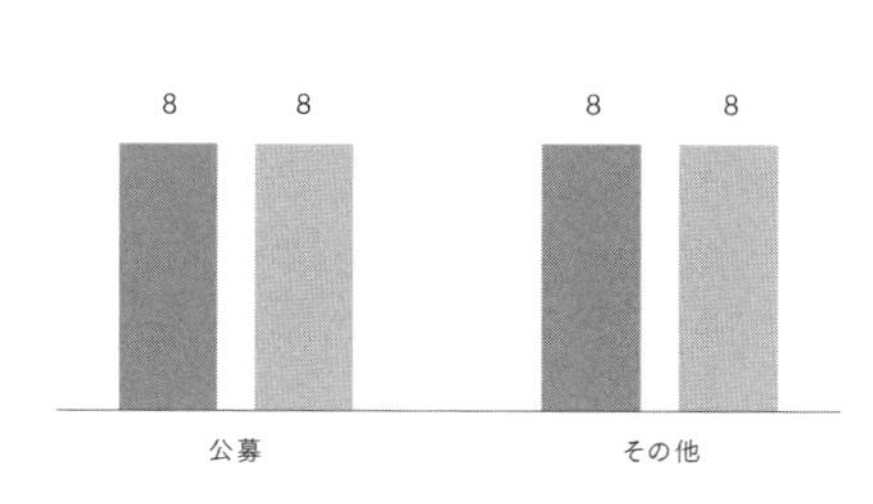

日本人芸術家の滞在者の選考方法は、平成29年度、30年度ともに「公募」が8件、「その他」が8件と変化していない（図表10）。

③ 任意プログラム

必須プログラム以外に任意で実施することが可能な任意プログラムの実施状況を集計し、平成29年度と30年度の件数の推移を整理した（平成28年度は事業実績報告書の様式が異なるため集計対象外とした）。

図表 11：実施した事業

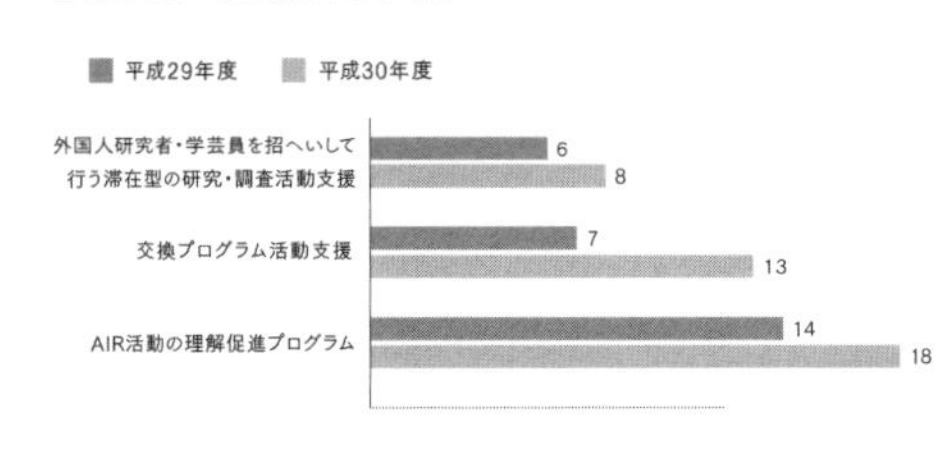

「外国人研究者・学芸員を招へいして行う滞在型の研究・調査活動支援」では、29年度の6件から30年度は8件で2件増加となっている。「交換プログラム活動支援」では7件から13件の6件増加、「AIR活動の理解促進プログラム」は14件から18件の4件増加、「AIR活動の連携促進プログラム」は12件から7件の5件減少となっている。4つの任意プログラムのうち、「AIR活動の連携促進プログラム」以外は増加傾向となっている（図表11）。

図表 12：外国人研究者・学芸員の海外のAIR実施団体との交換プログラム

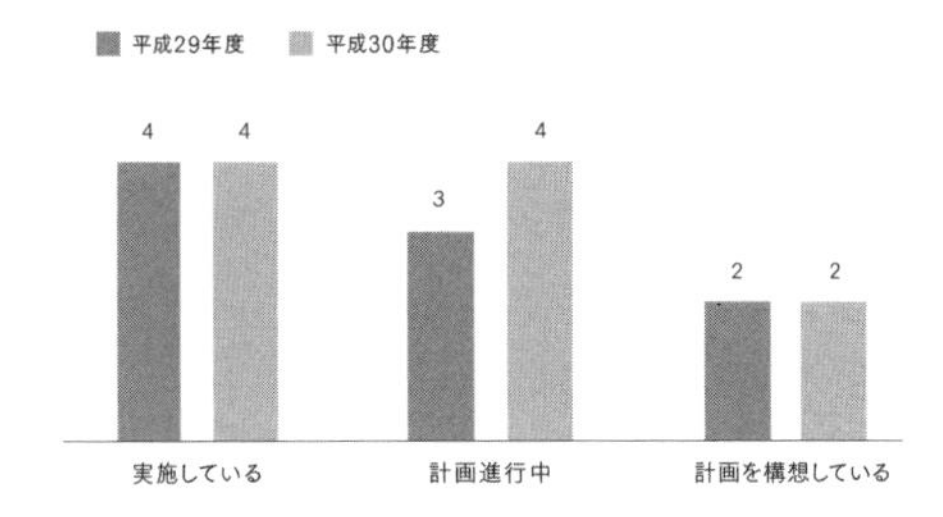

外国人研究者・学芸員の海外のAIR実施団体との交換プログラムについては、「実施している」が平成29年度と30年度ともに4件で変化はなく、「計画進行中」が29年度の3件から30年度は4件に1件増加、「計画を構想している」は平成29年度と30年度ともに2件で変化はない（図表12）。

図表 13：外国人研究者・学芸員の招へい者の人数

	平成29年度	平成30年度	総計
回答件数	6	8	14
人数（合計）	6	9	15
人数（平均）	1.00	1.13	1.07

外国人研究者・学芸員の招へい者の人数は、人数の回答のあった件数が、平成29年度は6件、30年度は8件で、回答のあった人数の合計が、平成29年度は6人、30年度は9人となっている。各年度の人数合計を回答件数で割った平均人数は、平成29年度は1.00人、30年度は1.13人となっており、取り組んだ団体1件・1か年あたり1人程度が平均的な外国人研究者・学芸員の招へい人数となっている（図表13）。

図表 14：外国人研究者・学芸員の招へい者の選考方法

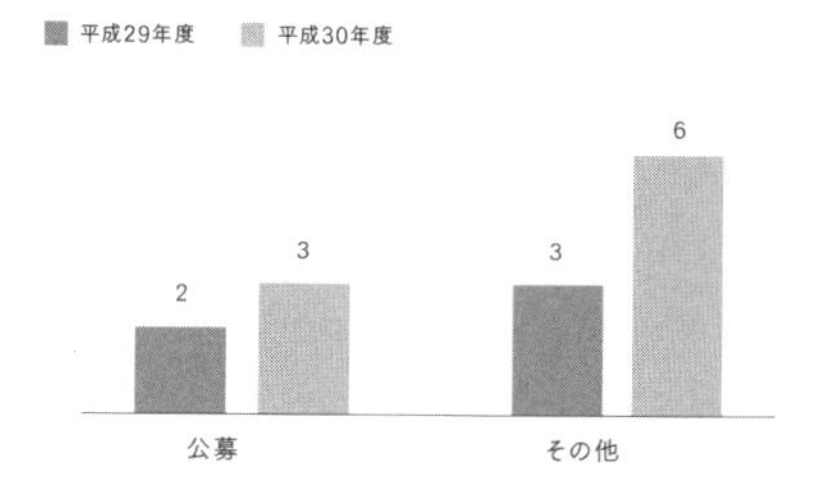

外国人研究者・学芸員の招へい者の選考方法は、「公募」の件数が平成29年度は2件、30年度は3件となっており、「その他」の件数が29年度は3件、30年度は6件となっている（図表14）。

図表 15：交換プログラム活動支援の派遣者の人数

	平成29年度	平成30年度	総計
回答件数	7	13	20
人数（合計）	19	28	47
人数（平均）	2.71	2.15	2.35

交換プログラム活動支援の派遣者の人数について集計したところ、人数の回答のあった件数が、平成29年度は7件、30年度は13件で、回答のあった人数の合計が、平成29年度は19人、30年度は28人と大きく増加している。各年度の人数合計を回答件数で割った平均人数は、平成29年度は2.71人、30年度は2.15人となっており、交換プログラム活動支援に取り組む団体1件・1か年あたり2～3人程度が平均的な人数となっている（図表15）。

図表 16：交換プログラム活動支援の派遣者の選考方法

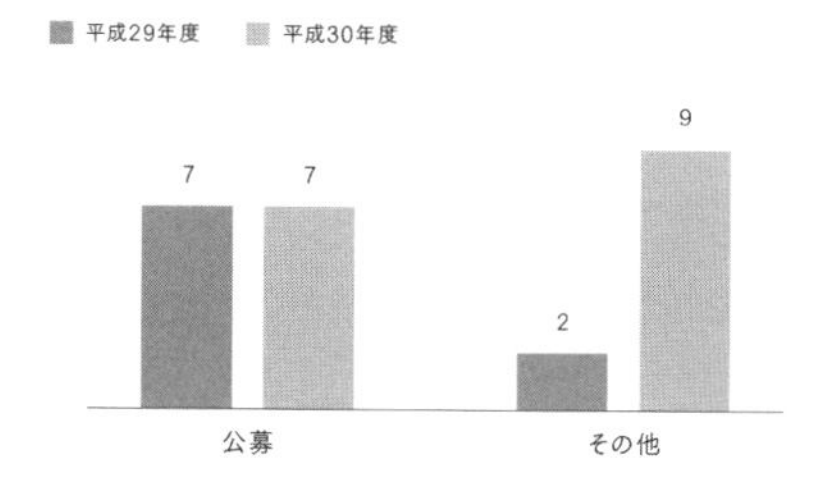

交換プログラム活動支援の派遣者の選考方法は、「公募」の件数が平成29年度と30年度がともに7件となっており、「その他」の件数は29年度は2件、30年度は9件となっている（図表16）。

図表 17：AIR活動の連携促進プログラム

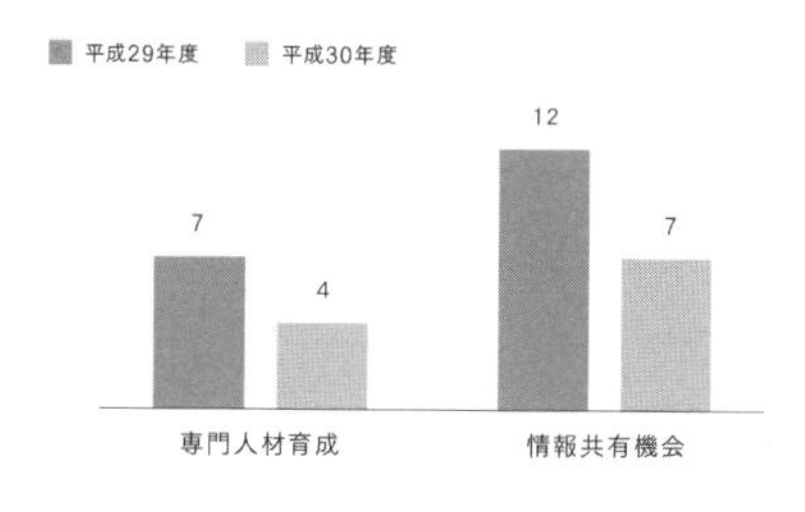

任意プログラムでAIR活動の連携促進プログラムについては、「専門人材育成」では平成29年度が7件、平成30年度が4件と3件減少、「情報共有機会」では平成29年度が12件、平成30年度が7件と5件減少となっており、「専門人材育成」と「情報共有機会」の両方で減少傾向となっている（図表17）。

(2) 自己評価書の分析

事業に採択された団体が提出した自己評価書から、文化庁「AIR活動支援を通じた国際文化交流促進事業」によるものを含めた外国人芸術家の招へい人数・出身国数、日本人芸術家の派遣者数・派遣国数、批評、論評の掲載やメディアへの紹介など、定量的な実績を分析した。

①外国人芸術家の招へい人数と招へい国数

図表 18：年度別による外国人芸術家の招へい人数と招へい国数

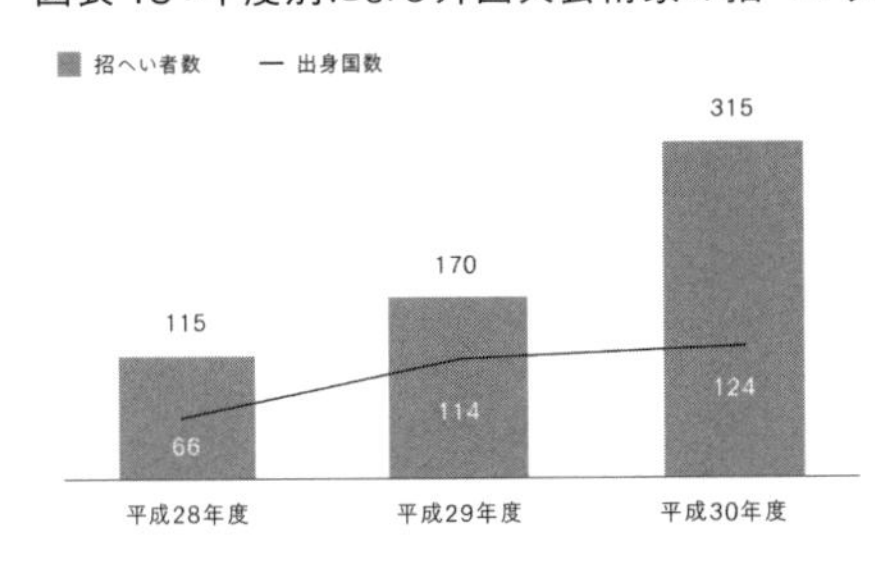

自己評価書に記載のあった文化庁「AIR活動支援を通じた国際文化交流促進事業」によるものを含めた外国人芸術家の招へい人数と出身国の数を年度別に集計（人数、国数ともに延べ数での計）したところ、3か年の招へい人数の累計は600人、出身国数の累計は304か国となっている。その推移を見ると、招へい人数では平成28年度が115人、29年度が170人、30年度が315人となっている。また、出身国数は28年度が66か国、29年度が114か国、30年度が124か国となっている。招へい人数、出身国数ともに増加傾向にあり、とくに招へい人数は28年度に対して30年度は2.74倍となっている（図表18）。

図表 19：地域ブロック別による外国人芸術家の招へい人数と招へい国数

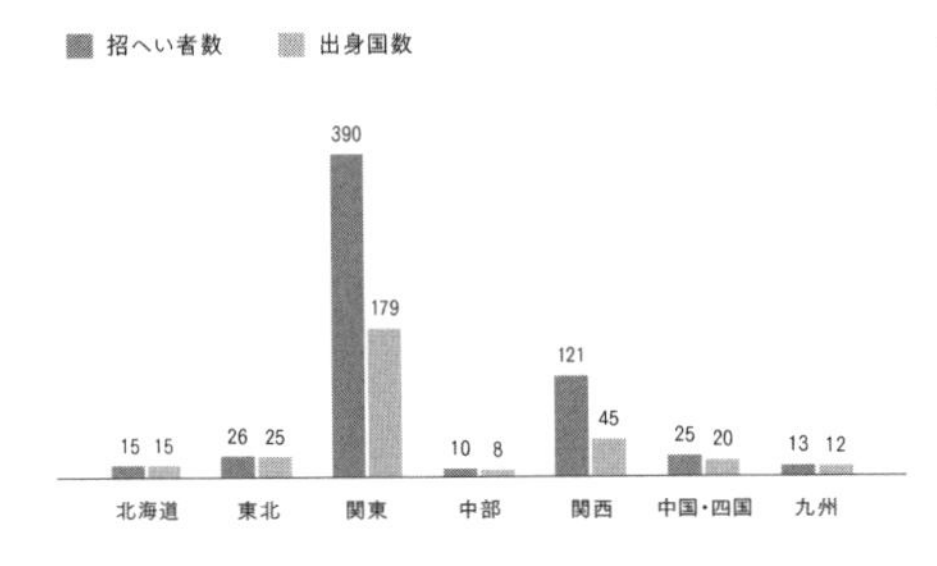

外国人芸術家の招へい人数と出身国の数を地域ブロック別に集計したところ、招へい人数、出身国数ともに関東が最も多く、次いで関西、東北の順となっている（図表19）。

② 日本人芸術家の派遣人数と派遣国数

図表 20：年度別による日本人芸術家の派遣人数と派遣国数

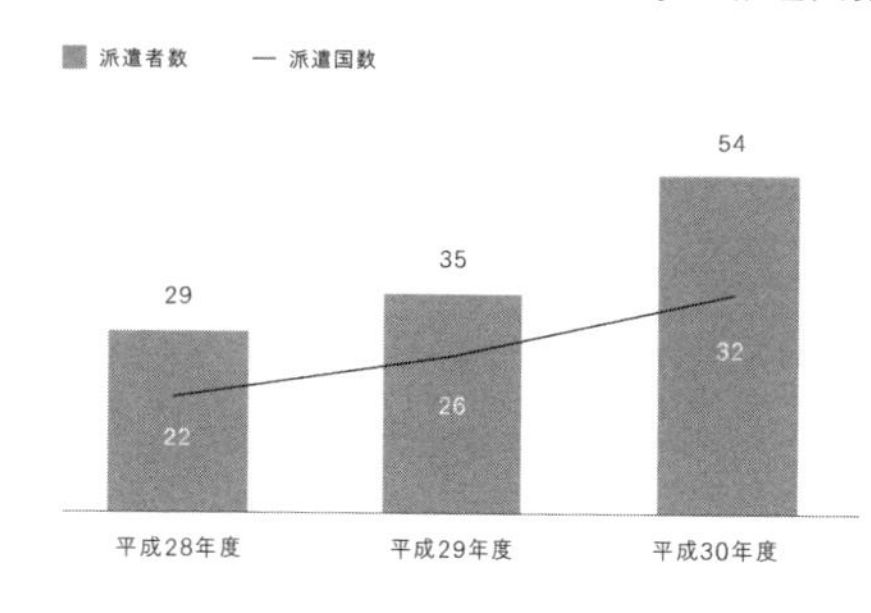

日本人芸術家の派遣人数と派遣国の数を年度別に集計（人数、国数ともに延べ数での計）したところ、3か年の派遣人数の累計は118人、派遣国数の累計は80か国となっている。その推移を見ると、派遣人数では平成28年度が29人、29年度が35人、30年度が54人となっている。また、派遣国数は28年度が22か国、29年度が26か国、30年度が32か国となっている。招へい人数、出身国数ともに増加傾向にあり、とくに派遣人数は28年度に対して30年度は1.86倍となっている（図表20）。

図表 21：地域ブロック別による日本人芸術家の派遣人数と派遣国数

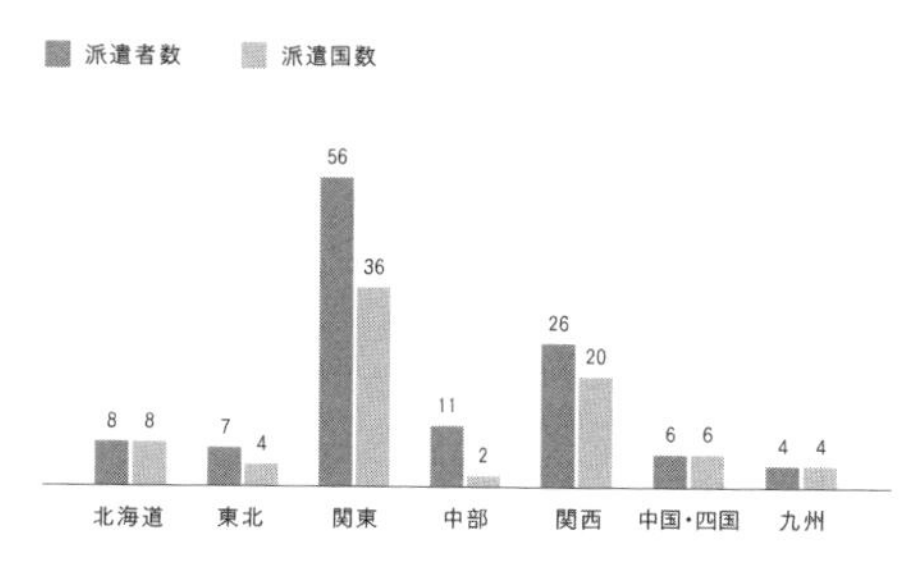

日本人芸術家の派遣人数と派遣国の数を地域ブロック別に集計したところ、派遣人数、派遣国数ともに関東が最も多く、次いで関西、北海道の順となっている（図表21）。

③ 批評、論評の掲載やメディアへの紹介

図表 22：年度別による新聞、雑誌、TV・ラジオでの紹介件数

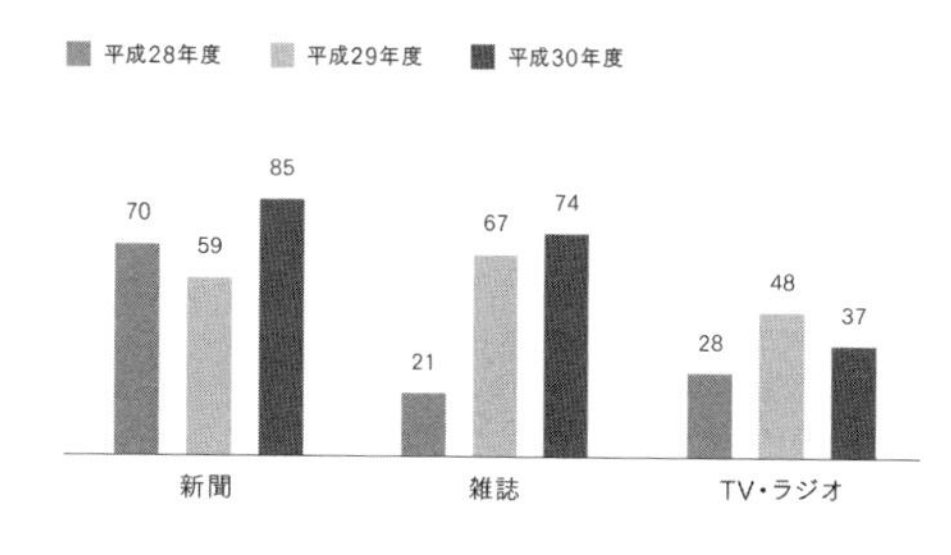

自己評価書に記載のあった批評、論評の掲載やメディアへの紹介の件数を年度別に集計したところ、「新聞」での紹介は平成28年度が70件、29年度が59件、30年度は85件となっている。「雑誌」での紹介は、28年度が21件、29年度が67件、30年度は74件、「TV・ラジオ」での紹介は、28年度が28件、29年度が48件、30年度は37件となっている（図表22）。

図表 23：地域ブロック別による新聞、雑誌、TV・ラジオでの紹介件数

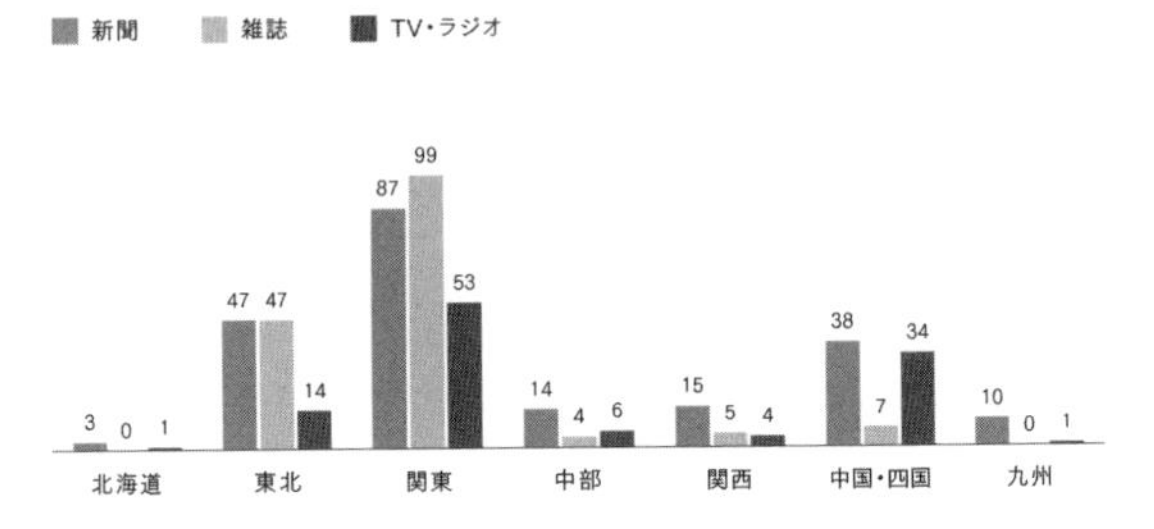

新聞、雑誌、TV・ラジオでの紹介件数を地域ブロック別に集計したところ、新聞、雑誌、TV・ラジオのすべてで関東が最も多い。新聞と雑誌では、関東に次いで、東北、中国・四国の順となっているが、TV・ラジオに関しては、関東に次いで中国・四国、東北という順になっている。

2　インターネットで公開されているAIR情報との統合分析

文化庁による助成事業の採択の有無にかかわらず、日本国内で継続的にＡＩＲを実施している組織やプロジェクトは多数存在するため、ここではインターネットで公開されているＡＩＲのデータを収集し、集計分析を行い、文化庁「ＡＩＲ活動支援を通じた国際文化交流促進事業」の実績との統合的な分析を行う。

(1) 日本国内のAIR件数

日本国内で継続的にAIRを実施している組織やプロジェクトは、①AIR_J（日本全国のアーティスト・イン・レジデンス総合サイト）の掲載数と、②インターネットで公開されているAIR_J登録以外のAIRを合わせて134件となっている。

①AIR_J（日本全国のアーティスト・イン・レジデンス総合サイト）の掲載数

国内のAIRに関する情報を、日英バイリンガルで提供する総合サイト「AIR_J」（運営：京都市、京都芸術センター（公益財団法人京都市芸術文化協会））が公開している「レジデンス一覧」のデータ（2020年3月時点、資料参照）から、登録されているAIRの設立数は59件となっている。

② インターネットで公開されているAIR_J登録以外のAIR設立数

総合サイト「AIR_J」以外に、インターネットで公開されている国内のAIR（資料参照）について、AIR_Jの掲載データと同様にAIRの設立数は75件となっている。

(2) 年代別のAIRの設立件数の推移

図表24：年代別のAIRの設立件数の推移

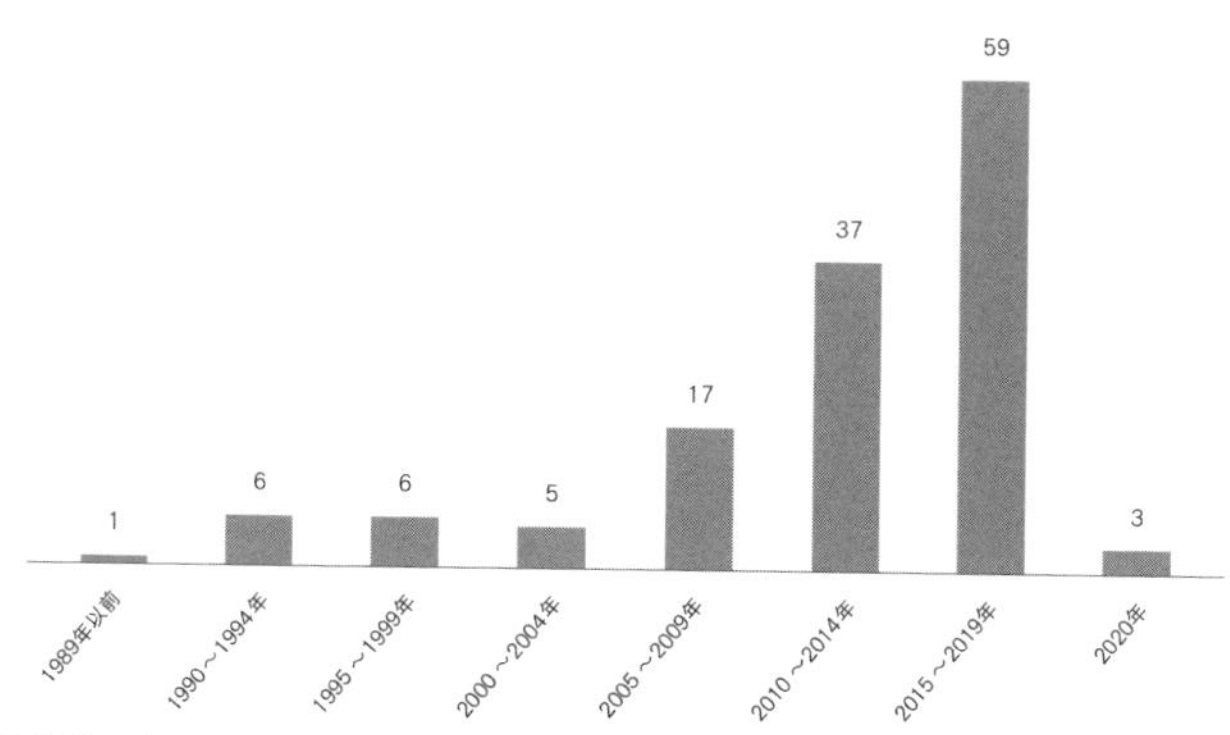

日本国内で継続的に実施している134件のAIRの設立年を、1989年以前から2020年まで8区分に分けて件数をカウントしたところ、「2000～2004年」までの設立件数は少ないものの「2005～2009年」以降急激に増えており、「2015～2019年」の区分では新たに59件（1か年平均で約12件）が設立されている。

(3) AIRの地域ブロック・都道府県別のAIR設立数

総合サイト「AIR_J」以外に、インターネットで公開されている国内のAIRについて、AIR_Jの掲載データと同様にAIRの設立数と地域ブロック及び都道府県の分析を行う。

図表25：地域ブロック・都道府県別のAIR設立数（AIR_J登録以外）

地域ブロック	都道府県	計
北海道		5
	北海道	5
東北		9
	青森県	4
	岩手県	2
	宮城県	2
	福島県	1
関東		36
	茨城県	4
	栃木県	4
	群馬県	2
	埼玉県	1
	千葉県	3
	東京都	15
	神奈川県	7
中部		34
	長野県	9
	新潟県	3
	富山県	2
	石川県	5
	山梨県	3
	静岡県	1
	愛知県	6
	岐阜県	3
	三重県	2
関西		21
	滋賀県	2
	京都府	9
	大阪府	2
	奈良県	2
	兵庫県	6
中国		7
	岡山県	4
	山口県	3
四国		8
	徳島県	2
	香川県	4
	高知県	2
九州		14
	福岡県	7
	佐賀県	1
	長崎県	2
	熊本県	1
	大分県	1
	宮崎県	1
	沖縄県	1
総計		59

地域ブロック別のAIR件数を集計すると、最も多いのは関東の36件、次いで中部の34件、関西の21件となっている。都道府県別では、東京都の15件が最も多く、長野県と京都府の9件、神奈川県と福岡県の7件が上位となっている。

(4) インターネットで公開されているAIR設立数に占める文化庁の助成実績

AIR_Jの掲載データと(59件)と、AIR_Jに登録されていないAIR(75件)を合計した、インターネットで公開されている国内のAIRは134件となる。この134件について、地域ブロック・都道府県別で、文化庁の「AIR活動支援を通じた国際文化交流促進事業」の平成27、29、30年度の3か年で事業実績があるAIRを集計した。

図表26：インターネットで公開されているAIR設立数に占める文化庁の助成実績

地域ブロック	都道府県	AIR件数	文化庁事業採択実績	
			件数	割合
北海道		5	2	40%
	北海道	5	2	40%
東北		9	2	22%
	青森県	4	1	25%
	岩手県	2	1	50%
	宮城県	2		
	福島県	1		
関東		36	10	26%
	茨城県	4	1	25%
	栃木県	4		
	群馬県	2	1	50%
	埼玉県	1		
	千葉県	3	1	33%
	東京都	15	5	33%
	神奈川県	7	2	29%
中部		34	3	9%
	長野県	9		
	新潟県	3		
	富山県	2		
	石川県	5	1	20%
	山梨県	3	1	33%
	静岡県	1		
	愛知県	6	1	17%
	岐阜県	3		
	三重県	2		
関西		21	3	14%
	滋賀県	2	1	50%
	京都府	9	1	11%
	大阪府	2		
	奈良県	2		
	兵庫県	6	1	17%
中国		7	2	29%
	岡山県	4		
	山口県	3	2	67%
四国		8		
	徳島県	2		
	香川県	4		
	高知県	2		
九州・沖縄		15	2	13%
	福岡県	7	2	29%
	佐賀県	1		
	長崎県	2		
	熊本県	1		
	大分県	1		
	宮崎県	2		
	沖縄県	1		
総計		134	24	18%

文化庁採択事業の3か年の事業実績のある団体の実数は34団体となっており、134件の25%を占めている。ただし、34団体のうち10団体は、AIR_Jやその他のインターネットでの公開情報を確認できなかったため、インターネットでの公開情報を確認できる文化庁採択実績のあるAIR24団体としては、国内134件のAIRの18%となっている。

[資料] 日本におけるAIR事業数 (2020年3月現在：地域ブロック及び都道府県別)

(1) 総合サイト「AIR_J」に掲載されているAIR事業のリスト

都道府県	団体名・プログラム名	設立年
北海道	S-AIR Exchange Program	1999
北海道	さっぽろ天神山アートスタジオ国際公募プログラム	2014
青森	八戸ポータルミュージアム　はっち	2011
青森	青森公立大学国際芸術センター青森	2001
宮城	モリウミアス	2015
茨城	石彫千年の交感 アーティスト・イン・レジデンス 桜川(岩瀬石彫展覧館)	1994
茨城	アーカスプロジェクト	1994
栃木	益子国際工芸交流事業	2014
栃木	アート・ビオトープ那須　アーティスト・イン・レジデンスプログラム	2016
千葉	PARADISE AIR	2013
千葉	ふわりの森 国際アーティスト・イン・レジデンス「FAIR(フェアー)」	2014
東京	遊工房アートスペース AIRプログラム	1984
東京	トーキョーアーツアンドスペースレジデンシー(TOKASレジデンシー)	2006
東京	セゾン・アーティスト・イン・レジデンス、ヴィジティング・フェロー	1994
東京	アートスタジオ五日市レジデンス事業	1993
東京	Ongoing AIR	2013
東京	AIT Residency	2003
東京	AIR 3331 オープンコール	2010
神奈川	黄金町アーティスト・イン・レジデンスプログラム	2009
神奈川	BankART 1929	2004
神奈川	藤沢市アートスペース (FAS)	2015
新潟	大地の芸術祭 越後妻有アートトリエンナーレ「オーストラリア・ハウス」	2009
新潟	新潟市芸術創造村・国際青少年センター(ゆいぽーと)	2018
石川	金沢湯涌創作の森	2003
石川	金沢21世紀美術館　レジデンシープログラム	2006
石川	Kapo Creator in Residence	2010
山梨	国際木版画ラボ・河口湖アーティスト・イン・レジデンス	2011
山梨	アーティスト・イン・レジデンス・山梨 [AIRY]	2005
山梨	SAIKONENON	2019
長野	信濃大町アーティスト・イン・レジデンス事業	2015
長野	青雲館 AIR	2017
長野	軽井沢木版画教室	2018
長野	Travel & Art Okubo studio	2018
岐阜	東座AIR	2018
岐阜	GIDS (岐阜自律デザイン会)	2015
静岡	浜松市鴨江アートセンター制作場所提供事業 アーティスト イン レジデンス	2013
愛知	生活体験レジデンス ゆうがく邸	2010
愛知	愛知県立芸術大学アーティスト・イン・レジデンス	2007
滋賀	滋賀県立陶芸の森 アーティスト・イン・レジデンス事業	1992
滋賀	芸術準備室ハイセン ＊プレオープン(本格オープン2021)	2019
京都	京都芸術センター　アーティスト・イン・レジデンスプログラム	2000
京都	京都Re-search	2016
京都	FELLINI Art Residence and Gallery	2008
京都	河岸ホテル	2019
兵庫	城崎国際アートセンター　アーティスト・イン・レジデンス プログラム	2014
兵庫	DANCE BOX	1996
兵庫	Awaji Art Circus	2015
奈良	飛鳥 Art Village	2012
岡山	ARKO (Artist in Residence Kurashiki, Ohara)	2005
山口	秋吉台国際芸術村	1998
徳島	神山アーティスト・イン・レジデンス (KAIR)	1999
香川	高松アーティスト・イン・レジデンス 2017	2015
高知	高知県立美術館　アーティスト・イン・レジデンス	2011
福岡	福岡アジア美術館 (美術作家招聘事業／受入支援事業)	1999/2016
福岡	紺屋2023 (トラベルフロント)	2008
福岡	現代美術センターＣＣＡ北九州(フェローシップ・プログラム事業)	1997
福岡	Artist in Residence Studio Kura	2007
長崎	南島原市アートビレッジ・シラキノ＊2019年本格始動	2018
佐賀	ARTS ITOYA　＊Studio Kura	2007

(2) AIR_Jデータベースに登録されていないAIR団体、プログラムのリスト

都道府県	団体名・プログラム名	設立年
北海道	しべつアーティスト・イン・レジデンス	2016
北海道	アーティストファミリーレジデンス イン 岩見沢	2018
北海道	アーティスト・イン・レジデンス in 白老(ウイマム文化芸術プロジェクト)	2018
青森	弘前アーティスト・イン・レジデンス	2020
青森	AIR-H / Artist in Residence Hachinohe	2017
岩手	特定非営利活動法人 岩手未来機構	2011
岩手	陸前高田アーティスト・イン・レジデンスプログラム(なつかしい未来創造株式会社)	2013
宮城	コトのアート研究所 (パルコキノシタ)	2010
福島	こおりやまアーティスト・イン・レジデンス	2016
茨城	キャンパス・アーティスト・イン・レジデンスプログラム(筑波大学)	2018
茨城	大子アーティスト・イン・レジデンス	2018
栃木	アーティスト・イン・レジデンス大田原	2017
栃木	ART369プロジェクト(那須塩原市)	2019
群馬	アーツ前橋 滞在制作事業(アーティスト・イン・レジデンス)	2014
群馬	高アート コンテンポラリー・ゴールデン・アクション(高崎市)	2015
埼玉	コンテンポラリー・アート・ジャパン	2011
千葉	Kavli IPMUアーティスト・イン・レジデンスプログラム(東京大学カブリ数物連携宇宙研究機構)	2018
東京	ARTnSHELTER	2015
東京	co・iki	2014
東京	シェル美術賞(出光興産株式会社) レジデンス支援プログラム	2018
東京	OAIR (おおたアーティスト・イン・レジデンス)	2013
東京	アーティスト・イン・そんぽの家S 王子神谷	2018
東京	PORTAL Apartment & Art POINT	2017
東京	Iターン(アイターン)支援活動 レジデンス・アーティスト(一般社団法人アーツスプレッド)	2011
東京	東京大学芸術創造連携機構(ACUT)アーティスト・イン・レジデンス	2019
神奈川	神奈川県 アーティスト・イン・レジデンス推進事業	2019
神奈川	西湘地区 アーティスト イン レジデンス(ARIO すどう美術館)	2011
神奈川	アーティスト イン レジデンス 箱根仙石原	2018
神奈川	若葉町ウォーフ	2017
新潟	一般社団法人佐渡国際芸術推進機構	2018
富山	雲ノ平山荘 アーティスト・イン・レジデンス・プログラム	2020
富山	AIR SPLASH TOYAMA	2019
石川	問屋町スタジオ	2014
石川	金沢市民芸術村 アーティスト・イン・レジデンス事業	2016
長野	中条アーティスト・イン・レジデンス(NAGAIR)	2008
長野	信濃の国際 原始感覚 アーティスト・イン・レジデンス(SP-AIR)	2010
長野	木島平アーティスト イン レジデンス	2015
長野	サントミューゼ(上田市)芸術家ふれあい事業	2014
長野	アーティスト・イン・レジデンス善光寺界隈	2011
岐阜	岐阜県美術館 アーティスト・イン・ミュージアム	2017
愛知	瀬戸国際セラミック&ガラスアート交流プログラム	2006
愛知	東海市芸術劇場 アーティスト・イン・レジデンス	2018
愛知	シェアハウス180°アーティストインレジデンス制度	2019
愛知	ダンスハウス黄金4422	2007
三重	伊勢市アーティスト・イン・レジデンス	2019
三重	風と土のふれあい芸術祭 in 伊賀	2013
京都	ヴィラ九条山	1992
京都	ヴィラ鴨川	2011
京都	同時代ギャラリー アーティスト・イン・レジデンス京都×ジュネーブ交換プロジェクト	2013
京都	SANDWITCH Residence	2008
京都	ANEWAL Gallery Residency Invitation Program	2016
大阪	アーティスト・イン・レジデンス- The Blend Residency	2017
大阪	Artist-in-Residence in SHIPYARD	2011
兵庫	あまらぶアートラボ A-Lab	2015
兵庫	KIITOアーティスト・イン・レジデンス	2012
兵庫	Naked Craft Project	2019
奈良	天理アーティスト・イン・レジデンスモデル事業	2018
岡山	白石島AIR 笠岡市	2015
岡山	岡山県アーティスト滞在・交流事業 海と山のレジデンス	2010
岡山	勝山文化往来館 ひしおアーティスト・イン・レジデンス	2005
山口	Do A Front AIR	2018
山口	UBEビエンナーレ アーティスト・イン・レジデンス	2018
徳島	シェフ・イン・レジデンス	2018
香川	四国学院大学アーティスト・イン・レジデンス・プログラム(SARP)	2011
香川	粟島芸術家村 粟島アーティスト・イン・レジデンス	2011
香川	小豆島芸術家村 小豆島アーティスト・イン・レジデンス	2009
高知	現代地方譚 アーティスト・イン・レジデンス須崎	2014
福岡	北九州コミック・アーティスト・イン・レジデンス	2019
福岡	筑後アート往来2017→2018 アーティスト・イン・レジデンス事業	2015
福岡	MEIJIKAN AIR	2019
長崎	南島原市アーティスト・イン・レジデンス事業	2018
熊本	アーティスト・イン・阿蘇	2018
大分	竹田市アート・レジデンスProject	2014
宮崎	新富町アーティスト・イン・レジデンス(こゆ財団)	2017
沖縄	沖縄アーティスト・イン・レジデンス	2020

文化政策としてのAIRのあり方

作田知樹

地域創生、若手のアートマネジメント人材の支援、ネットワーキングに主眼をおいたAIR型プロジェクトを対象として行った調査をふまえ、ここでは、特に人材育成に焦点を当てた政策支援のあり方について提言する。

1　AIRの政策的な位置づけ

(1) 欧州

現在、世界に広まったAIRであるが、発祥の地である欧州では近年、AIRそのものの文化政策上の位置付けの明確化が図られている。これは単に歴史の長さの違いということではなく（作家や文化人の招待や逗留は日本でも古くから行われていた）、現代の欧州においてはこれまで数多の戦乱を通じて得た教訓として、「異文化との交流や理解」が、欧州の文化（国レベルのみならず地域レベルのものを含む）の存続のために不可欠なものであると認識されていることと関係がある。

欧州委員会が、欧州文化アジェンダ「文化のための欧州文化作業計画2011-2014」に基づき、アーティスト・レジデンシーに関するEU加盟国の専門家によるオープン・メソッド・オブ・コーディネーション（OMC）ワーキング・グループが行った研究をまとめて2015年3月に公表した「アーティスト・レジデンシーに関する政策ハンドブック（Policy Handbook on Artist Residencies）」[1]を参照しよう。ここでは、欧州におけるAIRの政策的位置づけの根本規範を、欧州連合条約（TFEU）第167条が示す「文化多様性の尊重・促進」に求めている。そして、2007年11月16日に発表された「文化に関する欧州アジェンダ」が、特に「文化の多様性と異文化間の対話を促進し、欧州連合の国際関係における重要な要素として文化を促進すること」を提唱していること、そして、2010年6月に策定された戦略「欧州2020」でもそれが再確認されていることに言及したうえで、「異文化間対話と芸術家の移動支援」がEUレベルでの文化政策の基礎的な重要事項となっていると指摘。そこから、以下のようにAIRの政策的位置付けを導いている。

「芸術家や文化専門家の移動を積極的に促進することは、共通の欧州文化空間の形成に寄与し、帰属意識を養い、欧州プロジェクトへの参加を促進し、欧州統合に貢献している。芸術家のためのレジデンス・プログラムは、この文脈の中で特に重要な役割を果たしている」(同ハンドブック、9頁)。

(2) 日本(文化庁)

現在、欧州以外ではまだAIRの政策的な位置づけはこれほど明確ではない〔2〕。それを踏まえた上で、日本での、近年のAIRに対する政策な枠組みを見てみよう。

文部科学省設置法では所掌事務を定めた第4条の第88号において「国際文化交流の振興に関すること(外交政策に係るものを除く。)。」を規定している。AIRについての政策を行う根拠のひとつである。なお2001年に制定された文化芸術基本法の前文において「文化芸術は，人々の創造性をはぐくみ，その表現力を高めるとともに，人々の心のつながりや相互に理解し尊重し合う土壌を提供し，多様性を受け入れることができる心豊かな社会を形成するものであり，世界の平和に寄与するものである。」とし、また第2条5項で「文化芸術に関する施策の推進に当たっては，多様な文化芸術の保護及び発展が図られなければならない。」と定めているものの、「多様性」や「多様な文化芸術」からAIRを推進するという欧州のような政策的文脈は形成されていない。その代わり、2011年2月に閣議決定された「文化芸術の振興に関する基本的な方針（第3次基本方針）」においては、重点戦略として「新たな創造拠点の形成支援及び地域文化の振興奨励」が規定され、そこでは「文化芸術創造都市の取組など新たな創造拠点の形成を支援するとともに，各地域における芸術祭，アーティスト・イン・レジデンス等による地域文化の振興を奨励する」としてＡＩＲが記載された。この方針は２０１５年５月に閣議決定された「文化芸術の振興に関する基本的な方針－文化芸術資源で未来をつくる－（第4次基本方針）」においても維持され、重点的に取り組むべき施策の一つとして「アーティスト・イン・レジデンス等，国内外の芸術家を積極的に受け入れる取組を支援するとともに，劇場，音楽堂等，地域の核となる文化芸術拠点等において，優れた文化芸術が創造され，国内外に発信されるよう，その活動への支援を充実する」とされた。つまり、この段階において、地域の「創造拠点」「芸術祭」などとセットで、地域文化の振興と発信に寄与する取組としてＡＩＲに新たな位置づけが付与されたと言えよう。

その後２０１７年６月に行われた文化芸術基本法の改正では、観光やまちづくり、福祉、教育、産業等と並び、「国際交流」も関連分野として法の範囲に取り込んだ。ところが、その後２０１８年３月に閣議決定された第１期推進基本計画ではＡＩＲおよびそれに類する単語は一度も登場しない。一方、国際交流に関しては下記のような場所で記述されている。

・「目標１　文化芸術の創造・発展・継承と教育」
劇場・音楽堂、美術館の果たしている役割の一例として国際交流／国際文化交流が掲げられているほか、「暮らしの文化」でもこれらの文化施設が国際交流推進における極めて重要な役割を果たしているとし、さらに「著作権等についての施策の推進」においても国際文化交流・協力の観点からの必要性があるとしている。

・「目標２　創造的で活力ある社会」
ここでは、「我が国の芸術文化、文化財や伝統等の多様な魅力を国際交流を通じて世界へ発信することは、我が国の国家ブランディングへ貢献するものであり、これらを通じて創造的で活力ある社会の形成に資するもの」としている。これらはＡＩＲのような人的交流よりも、コンテンツの発信が念頭に置かれているものと考えられる。

・「目標３　心豊かで多様性のある社会」
文化多様性、相互理解、文化的対話についての以下の記述がされている。「(文化芸術の多様性と双方向の文化交流)我が国が世界の文化芸術の中枢(ハブ)となり，海外から我が国へ文化芸術を目的に多くの人が訪れ，交流するとともに，文化施設や国内外の文化イベントにおいて多言語化に対応し，国際交流・発信が進むこと，文化遺産の媒介により文化的対話が進み，多様な文化の相互理解ができること等により，文化芸術を通じて世界各国の人々を触発し，我が国及び世界において文化芸術活動の相互交流が活発に行われるなど双方向による多様な文化交流が進むことは重要である」。

よって、第１期推進基本計画における国の政策においてＡＩＲを位置付けるとすれば、こうした新たに設定された複数の目標とつながる文脈上での国際文化交流を実現するものということになろう。ただ、今後、例えばSNSの発信やインプレッションの数が政策評価の指標とされるなど、目標２にあるような国家ブランディングの文脈がより強調され、他方で目標３にあるような文化間対話の重要性が政策評価において無視されるようなことがあれば、ＡＩＲの政策上の位置づけはより短期的成果を求められる事業となりかねない。なお、ＡＩＲが既存の劇場・音楽堂、美術館だけではなしえない多様な人材を育成する可能性を持っていることに鑑みれば、「目標１」で触れられている文化施設が果たすべき役割を実現する上でもＡＩＲは重要であることも指摘しておきたい〔3〕。

国のＡＩＲ施策としては、「アーティスト・イン・レジデンス活動支援を通じた国際文化交流促進事業」が行われており、拠点的なＡＩＲ団体に上限700万円、小規模ＡＩＲ団体に上限300万円の支援が行われている。ここでは、ＡＩＲを「国内外の芸術家を招へいし、地域で滞在型の芸術活動を行うもの」と定義した上で、ＡＩＲ事業を支援することにより、ＡＩＲ実施団体の国際的な協力関係が活発になり、国内外の芸術家等との双方向の国際文化交流が継続的に行われる状況を創出することで、「国境を超えたアーティストの交流の場として機能」すること、また「地域における国際文化交流の推進」を実現することが目指されている。この点においても、地域という言葉は見られるものの、ＡＩＲ振興の根拠が地域文化振興から国際文化交流に「戻った」ことが読み取れる。他方で、前述の目標3に掲げられた「文化的対話」や「多様な文化の相互理解」といった文言はここに掲げられておらず、文化庁においてはＡＩＲは必ずしもそのような目標を実現する事業としていない。この点が、この後に述べる地方公共団体におけるＡＩＲの位置づけとの違いの一つである。

(3) 地方公共団体

2017年の文化芸術基本法改正により地方文化芸術推進基本計画の策定が努力義務とされたことにより、地方行政においてＡＩＲが基本計画やそれに基づく施策の一部として位置づけられる例が増えている。

その位置づけを見ると、最もオーソドックスな「文化交流」や「若手アーティスト支援」の一環とするもののほか、地域住民の芸術へのアクセス向上と結びつけるもの、「多文化共生」（日本における文化多様性促進の行政的表現といえる）と結びつけるタイプ、観光と結びつけるタイプ、さらには複数の目標を同時に満たすものとして位置づけるものなどがある。以下、タイプ別にいくつかピックアップしてみよう。

①文化交流・若手アーティスト支援とＡＩＲ

・函館市文化芸術の振興に関する基本方針（２００７年３月）では「文化芸術活動を担う人材の育成」の一環として「地域間・都市間の文化芸術交流の促進」を施策の方向として掲げ、その中でＡＩＲの推進を例示している。

・神戸市文化芸術推進ビジョン（策定中）では「次世代を育てる」方針の中で、「若手アーティストやクリエイターの支援」の施策としてＡＩＲの整備を位置づけている。

・浜松市文化振興ビジョン（２０２０年３月）では、基本施策の一つである「人材の発掘と育成」の中で、ＡＩＲの実施により新進アーティストの制作場所や発表機会を提供するなどの支援を行う、としている。

・第２期京都文化芸術都市創生計画（２０１７年３月）では、「世界のアーティストが集まる文化芸術のハブを目指した環境整備」としてＡＩＲを位置づけ、ＡＩＲを行う京都芸術センターを「国内外のＡＩＲの活動をつなぐ役割」として位置づけている。またＡＩＲの用語解説として「芸術家等の滞在制作及び展覧会を支援するとともに，ワークショップ等の交流プログラムを実施することにより，芸術家等と市民との多様な交流を図る様々な芸術体験の場を設け，芸術に関わる人材の育成や文化芸術の促進を目的としている。国内外のアーティストとの文化交流が，地域の活性化やまちの価値の再発見にもつながると期待されている」としている。

②**地域住民とＡＩＲ**

・千代田区文化芸術プラン第３次（２０１５年３月）では、「文化芸術が身近に親しめるまちづくり」の施策としての「豊かな文化芸術に触れ、学ぶ機会の充実」プロジェクトの一環としてＡＩＲを位置づけており、「地域住民や小・中学生とのワークショップや共同制作、活動交流などを通じて、区民が芸術に触れる機会を提供します」としている。

・第２期高松市文化芸術振興計画（２０１９年６月）では、基本方針のひとつ「つなぐ・あむ」に紐付けられた基本的施策「交流の促進」の一部としてＡＩＲを通じた地域交流を位置づけており、「地域とのつながりの中で作品制作を行うことで、地域との協働が生まれ、地域に賑わいをもたらすとともに、アートの普及や若手アーティスト等の育成にもつなげる」としている。

③**多文化共生とＡＩＲ**

・つくば市文化芸術推進基本計画（２０１９年３月）において、「多文化共生による文化芸術の振興」の一環としてＡＩＲを促進している。

④**観光振興とＡＩＲ**

・内子町文化芸術推進基本計画（２０２０年３月）では、「観光振興」の課題解決策としてＡＩＲを掲げ、また「目標１　文化芸術の創造・振興でキラリと光るまちをつくる」のうちで「戦略１　内子座を核とした文化振興事業の推進」の一環としてＡＩＲを記述している。

⑤**複合型**

・長野県文化芸術推進基本計画（２０１８年４月）では、２０１７年に開催された「北アルプス国際芸術祭」を、ＡＩＲによる文化交流の取組の成功事例として挙げた上で、「地域の文化芸術活動を活性化させ、人々の相互理解を深めるとともに、文化交流を通じて、地域文化の魅力を再認識し、さらに触発され新たな文化を想像することにもつなが（る）」とし、また「多様な関わり方で長野県とつながる人をふやすため」にＡＩＲの推進に特に重点的に取り組むとしている。

・豊岡市文化芸術振興計画（２０１８年３月）では、２０１４年オープンの市の直営ＡＩＲである城崎国際アートセンターを「特徴的な文化芸術事業」の筆頭に挙げ、優れた文化芸術に身近に触れる機会をもたらすもの、アーティスト・クリエイターの移住の推進施策、さらに文化芸術による交流を通して、多様性を受け入れ、支え合う気風を醸成する施策、子どもたちが優れた文化芸術にふれる機会を充実させる施策など、複数の施策の中でＡＩＲを位置づけている。

・京都府では「文化力による未来づくり事業」として「文化資源を活かした地域づくり」の中で、リサーチを主とした短期ＡＩＲとその成果を踏まえた制作発表を伴う中期ＡＩＲを府内各地で展開している。また、「文化財の保存・継承・活用」や「地域における文化活動の振興」、「観光、まちづくり施策との連携」等を踏まえた施策としても位置づけている。

2　ＡＩＲの成功と波及効果

(1)　ＡＩＲの果実

このようにＡＩＲに多様な位置付けが与えられている現状であるが、ＡＩＲから得られる成果について概観するために、いま一度「アーティスト・レジデンシーに関する政策ハンドブック」を参照しよう。優れた実践例が数多く示された上で、成功要因の分析結果が示され、ＡＩＲの設立、運用、資金調達といった政策に向けた有用なアドバイスが含まれている。これはＥＵ内のみならず、日本を含めた他国においても参考になると思われる。

このハンドブックの中で、ＡＩＲが文化セクターにもたらす共通のメリットとして次のものが挙げられている。

- ・アーティストの専門的な能力開発
- ・アーティスト、ホスト国、地域などの経済的利益
- ・アーティスト、主催団体、地域社会の文化的発展
- ・受入側の組織や地域社会にとっての組織的な学習と能力開発
- ・特に滞在先の都市・地域の知名度向上

これらの果実は、必ずしも設置目的やその政策的な位置づけと関係なく複合的に得られるものと言える。今回は詳細には立ち入らないが、欧州でさえも、これらのメリットをもたらすＡＩＲは「過小評価されている」と指摘されているところである。ＡＩＲ関係者に限らず、文化の多様性や異文化間対話の促進の重要性を啓発する立場、特に行政・教育関係者からの国や民主社会に対するアドボカシーの中にＡＩＲを意識的に組み込んでいくことがより必要ではないだろうか。

(2) ＡＩＲにより育まれる専門的人材

今回の調査のテーマである人材育成という側面から見ると、アーティストの能力開発のみならず、受け入れ側の組織や地域社会にとっても組織的な学習と能力開発の機会となっていることがわかる。では、具体的にどのような学習と能力開発の機会となるのか。

以下は「アーティスト・イン・レジデンシーに関する政策ハンドブック」でＡＩＲの成功要因として分析されていることであるが、ＡＩＲと人材育成という側面から、何が学習と能力開発の対象となるかと読み替えることも可能である。

- 明確な目的を設定し、関係者全員がレジデンスを通して何を達成したいのかを理解し、確認すること。
- 互いに目的を伝え、レジデンスのニーズ、条件、期待を明確にすること。
- 計画、調査、交渉のための十分な時間を確保すること。
- ビザの取得（国際的なアーティストの場合）やその他の規制上の問題など、実際的な問題に十分な時間を確保すること。
- 必要に応じて資金調達のための十分な時間を確保すること。
- アーティスト、組織、都市・地域・国の文化を調査・理解し、全体的な文化と制度的な文化の両方を理解すること。
- 関係する他のパートナーの意見に耳を傾け、敏感であること。信頼と理解を築くこと。
- 付帯活動、ネットワークづくり、知名度向上を含んだ、運営計画を立てること。
- アーティスト個人と組織の両方に向けたコミュニケーション戦略を立てること。

これらの要素は、他の現代的・国際的・文化的な組織と協働したり、そこで専門的なスタッフとして働くための能力とも重なる。よって、アーティストのみならず、ＡＩＲの運営に関わる人々も、現代的・国際的・文化的な組織（必ずしも文化機関ではなく、クリエイティブなビジネスも含む）で働くための基礎的な素養を幅広く身につけることができるといえよう。

3　まとめと提言

〈1〉

我が国では近年、国の文化政策でAIRを推進してきたが、最新の「文化芸術基本計画（第1期）」ではAIRが言及されていない。しかし、AIRは同計画の「目標3　心豊かで多様性のある社会」の「相互交流」に位置づけるのが妥当と考えられる。なお、近く批准される可能性があるユネスコ文化多様性条約が規定する「文化相互性の尊重」や「異文化間の対話の促進」とも結びつけることができれば、EU同様にAIRを明確にそれらと位置づけることができるだけでなく、地方公共団体におけるAIRの位置づけともより合致するのではないか。


〈2〉

地方の文化行政においてAIRの位置づけは多様であるが、いくつかのタイプが存在する。またAIRから得られる果実は多様であるが過小評価されがちである。総合的な地域再生戦略や地域広報の一環に組み込むなどして、文化的発展、知名度向上等を図ることが望まれる。


〈3〉

AIRが成功するためには人材開発が不可欠だが、そこで必要となる基礎的な素養は現代的・国際的・地域的・文化的組織と協働したり、そこで働くための素養と共通している。AIRは小規模にも立ち上げることができるが、そこで育つ人材はより幅広い活動において貴重な専門的人材となりうるため、人材開発について適切かつ戦略的なサポートを行うことが望ましい。

注

1 https://ec.europa.eu/assets/eac/culture/policy/cultural-creative-industries/documents/artists-residencies_en.pdf

2 米国でもAIRの政策的な位置づけは欧州ほど明確ではないが、文化政策における多様性や異文化間対話の重要性は既に文化セクターの中での優先度の高い課題であること、また多様な出自を持つ国民がおり、廉価な交通手段も発達していることから、AIR固有の役割として異文化間対話や芸術家の移動支援があえて強調されることが少ないという事情を考慮する必要がある。

3 文化芸術基本計画（第1期）に先立ち、2017年12月に内閣官房の文化経済戦略特別チームと文化庁が発表した「文化経済戦略」では、「6つの重点戦略」のうちの「No. 4 国際プレゼンスの向上」の一環として、「文化芸術を通じた国家ブランド強化、インバウンド拡充」の一例として「文化交流使の派遣やアーティスト・イン・レジデンス事業等双方向の国際文化交流の推進」が掲げられている。しかしこれは上記の文化芸術推進基本計画でいえば目標2に妥当するものであり、AIRの位置づけとして疑問が残る。

4 https://www.mext.go.jp/unesco/009/003/018.pdf

4

AIRインタビューズ

AIRを活動拠点とするアーティスト、運営者へのインビュー。それぞれの視点、経験から見えるAIRの魅力と価値。

※2～4のインタビュー記事は、『［文化庁と大学・研究機関等の共同研究事業］「R1（2019）年度新たな文化芸術の創造を支える活動支援および人材育成のためのプラットフォーム形成研究」報告書』（編集：女子美術大学　発行：文化庁）より一部改変の上、転載したものである。

Image by 第58回ヴェネチア・ビエンナーレ国際美術展日本館展示
Photo by ArchiBIMIng

Interview

1

森山未來

AIRはもぐら？
アートと生活の土壌を豊かにする存在

俳優、ダンサーとして国内外での活動を展開する森山未來さん。2021年開催の「東京オリンピック大会 TOKYO 2020」開会式における圧巻のパフォーマンスは多くの人々の記憶に残されているだろう。森山さんは、自身の海外でのAIR経験から、クリエイションにおけるAIRの重要性を強く受け止め、2021年にさまざまなフィールドで活動する仲間たちとともに「AiRK」を神戸で立ち上げ、運営に携わっている。また、2022年には「KOBE Re: Public Art Project」のメイン・キュレーターに就任。参加アーティストの活動にAIRの仕組みを取り入れるなど意欲を見せる。これまでのAIRの経験、森山さんが考えるAIRの意義、課題、今後の展望について話を伺った。

AiRK内共有スペース

——最初にAIRを知ったのはどういうことからでしたでしょうか?

森山：ベルギーからシディ・ラルビ・シェルカウイ[1]という振付家が来日し、そのリサーチに同行し、創作の現場に立ちあった経験からですね。

ラルビは、母国ではない場所で、例えば佐渡の鼓童とセッションしながら作品を創った経緯もあるのですが、鼓童の存在が当たり前の地元の方たちにとって気づくことができない発見が相互に起こりうる。そういったことがとても新鮮だったんですね。普段とは違う場所に行って自分自身がインスパイアされる場合もあるし、逆に違うカルチャーからの目線でその文化を客観的に観る視点が生まれたりします。同時に、カルチャー、考え方、言語が違っていても、そのアーティストの「見る力」によってしっかり本質を捉えることができるのだ、ということをラルビを見ていて改めて思いました。AIRという体験は、自分のカルチャーとは違う場所にいる訳ですから、そこで見るものは、新鮮なものであると同時にとても本質的であることを気づかせてくれました。

他には、同じくベルギーの振付家のダミアン・ジャレと名和晃平さんがコラボして創った作品「Vessel」[2]に僕もダンサーとして参加して、創作の初期段階からリサーチに加わっていました。彼は山伏を経験し、屋久島に行って縄文杉に出会い、土偶を研究している人に実際に会いに行って土偶や土器を見る、そういったプロセスから生まれるアイデアを全て共有していました。こうした経験から立ち上がってくるプリミティブな日本が作品に転化され、昇華されていくのですが、日本人が果たしてこの視点を持てるだろうか、と思うのです。純粋な美として縄文の文化にフォーカスを当てて作品に残すというセンスが、なかなか日本で育った日本人にとっては持つことが難しいかもしれない、と。

ラルビやダミアンとのAIRを通じて、新しい発見や感覚がインタラクティブに起こることを体験したことがきっかけだったのですが、今度は自分が運営する側になってしまったというところです。

——実際にアーティストとして海外に滞在し、クリエーションした時に記憶に残るエピソードがあれば、教えてください。

森山：一緒に滞在するアーティストたちとの交流、そして違った環境にいることで受けるインスピレーションというものがやはり大きいです。例えば、東京に住んで活動する場合、そこには生活があって、その中でクリエーションがあり、パフォーマンスがあります。もちろん生活と表現とは切り離せないものですが、他のクリエイターたちと一緒に活動する時間は限定的になり、システマティックになる側面もある。そうすると、作品を創っていく上での密度や集中力などが変わってくると思うのです。

それが、生活というものから、ある種切り離された場所に滞在した場合には、一時的にではありますが様々なしがらみから開放される。作品に集中できる環境が整い、共有するリビングやキッチンでは毎日食事を作り、その食事を共にしたりという時間の中で、些末な日常的なコミュニケーションの中からアイデアが立ち上がることもある。

例えば、冬季のノルウェーの北部に滞在した時は、周りには雪しかなくて、逃げ場がなくどこにも行けない。車で30分以上走らせないとスーパーにも行けないという、ある意味でとても集中できる環境でした。雪は音を吸収するので、そこで鳴る音はそもそも違う。一緒に行ったミュージシャンはそこに影響を受けたりもしていました。雪の下に流れてくる水の音なんて日常の生活からなかなか出逢えない音なので、そういった発見がクリエーションにつながるという体験もありました。

また、２０１９年に香港に行った時には、デモが行われている真っ最中でした。創作している最中に、窓の外ではレンガをはがしながら逃げ回っている黒いTシャツの学生たちが沢山いたし、街を歩けば、催涙ガスの残り香で眼が痛くなったり。そういった環境に影響を受けて生まれる作品もあります。

僕の場合はパフォーミング・アーツの視点からになってしまいますが、周りにある環境や、今ここにあるコミュニケーションが、即、作品になっていきます。その可能性を信じているからこそ、最初はあえてフレーミングをしない。アイデアはあるけれどどんな作品になるかはまだわからない、そういったオープンな感覚からものづくりを始めることは重要で、そのタイミングでレジデンスを行えるというのは、非常に効果的なのです。

生活というものが、表現につながっていくということの強さもわかっているつもりなんですけど、生活から離れて、都市ではない違う地域で本来ある生活を振り返る中、フィードバックとしてアイデアが生まれてくる。そういったことも意義深いことではないでしょうか。だから生活から離れるということはあるニッチな世界に行く、ということのみに留まるわけではなく、生活の場に戻った時に、そのフィードバックを生き方に還元できる。さらにそれが表現につながっていくということも、僕としては重要だと思っています。

――これまでの内外でのＡＩＲのご体験から感じてきた課題とは、どのようなものでしょうか？

森山：日本にとってのアートというのは職人さんが作るものと同一視されていることが多いような気がします。どれだけ精巧なものをつくれるのか、美しいものをつくれるのかといったような。もちろんそこも大事なのですが、きっとアートというものはそれだけではない。

例えば、一見なんだかよくわからないコンセプチュアルな作品に出逢った時の違和感から生まれる、一般的によく言われるアートに対するいぶかしみというか、拒否感みたいなものを解決するとまで言わなくても、この本を通じてアートは何を前提としているのかを伝えることは重要なのかなと思います。社会的課題を解決する、違う視点を持ち込むためのアート、アーティストとは何なのか、その上でアーティスト・イン・レジデンスの必要性とは、といった考え方の提示がまず必要なのでしょうね。

それから、地域との関わりという課題ですね。ＡＩＲの役割の中でも、アーティストの内省のため、作品に集中できる空間であるという要素は重要です。例えば、豊岡市にある城崎国際アートセンター（ＫＩＡＣ）の場合、作品に集中できる適切な空間があり、日本でもそのような施設は数少ないと思います。この施設はその意味で素晴らしいのですけど、滞在するに当たってワークショップやワーク・イン・プログレスを公開しなければならないという条件があるんですね。そういったものをフラストレーションと感じる人もいると思います。僕の場合、２度滞在したことがあるのですが、どちらも地域の人たちとの交流を通してリサーチしたいということが前提としてあったので、自分にとってはプレッシャーではなかったのですけど。でも、そこに抵抗を感じるアーティストもいるので、そこをどういうふうにコントロールしたらよいのか、バランスを取るのかということは、それぞれのＡＩＲの課題かもしれません。

例えば、行政の視点から考えるＡＩＲという活動には、

AiRKエントランス

芸術祭やco-working spaceが全国的に増えていることと相まって、どうしても観光誘致的なイメージが強いように思われるのです。村おこし、町おこし的な、そういう側面でとらえられてしまい、どうしても結果がないと納得できない。本質的には、そういった考え方とは真逆なものであることを伝えるべきではないかと気になっています。

――神戸で始められたA i R Kのビジョンと期待について教えてください。

森山：それと関連して、2022年に神戸市の経済観光局から、「KOBE Re: Public Art Project」のメイン・キュレーターへの就任を依頼されました。この企画では、県内外からアーティストを公募して、市内に滞在してリサーチするというレジデンスの仕組みが基盤となっていますので、このプロジェクトを通じて、ビジョンについて話しましょう[3]。このアイデアは、以前、伊勢市で開催された伊勢市クリエーターズ・ワーケーションからヒントを得ているようなのですが、何もしなくていいから、伊勢市の魅力をウェブ上のブログであるNoteやSNSに、それぞれに発見した伊勢の魅力を発信、アピールしてほしいという内容だったのですが、とても成功したと聞いています[4]。

その流れで立ち上がった神戸でのプロジェクトは、基本的には神戸にパブリック・アートを作るという建て付けにはなっているですが、そもそもパブリック・アートとは何か、アーティストが神戸という地でレジデンスをするということはどういうことか、といった根本的なところから考えています。作品ありきではないと思うんです。

今、コミュニティ・アートに対する関心が高まっていますが、観光客誘致とか、町おこし、村おこしという観点もありつつ、そもそもアートというものに物質性を求める考え方が変容してきている結果だとも思うのです。立体物、造形物にこだわらずに地域の人がアーティストと共に、アートを体験することは非常に重要です。スクラップ&ビルド的な、新しくモノを作るということだけにこだわらない、これからの生き方を考えると余計そう思います。

神戸という街は山、海、都市、下町と多彩です。それらのエリアにそれぞれのアーティストに分散してもらい、自由に散策してもらう中で気に入った風景、ヒト、モノ、場所、なんでもいいのでそれをどんどんインスタグラムなどのSNSにあげてもらう。それをこちらで集約してマッピングしたものを一つの作品として集約していこうというのがアイデアのひとつです。AIRに滞在したアーティストたちのリサーチによって、新たな神戸の魅力を再発見していくと同時に、神戸の中だけに限らない、同時代的な社会的課題を提示していくことで、鑑賞者や地元の人たちの目線が変わるということにつながればと思っています。

神戸は風の街だと思っています。まさに六甲おろしと呼ばれる陸海風が吹いていて、開港以来、世界中から文化が流入し、混ざり合ってきました。北野という場所はまさしく神戸を象徴する場所で、狭いエリアに20以上の宗教施設が密集している。そういう場所に風や人が流入し、留まり、移動していく。神戸市北野にはまさにAIRの素地があるのです。

A.i.R.Kに話を戻すと、運営メンバーは6名で、それぞれ神戸に縁があり、専門分野は違うのですが、それらを活かしてアーティストの選考などもやっていきたいと思っています。市内でも、NPO法人DANCE BOXが関わっている下町芸術祭、C.A.P.さんが関わる六甲ミーツアートなど多彩なアートイベントが開かれているので、それらとも連携して、A.i.R.Kを提供できたらいいなと思っています。今は、

AiRK運営メンバー（写真左：森山未來氏）

国内外のAIRやネットワークを調べて勉強したり、情報を共有しているところです。調べていけばいくほど、これという答えがない。行政、企業、個人が運営しているかどうかでも構造が変わるし、その場所が持つ特性や、そこから生まれる文化などに寄り添った形でそれぞれの団体が独自のやり方で運営しています。本当に多彩なので、自分たちも独自のスタイルを作っていくことになるでしょう。

それから、AIRの意義を説明するのはなかなか難しいのですけど、僕は最近は「もぐら」に例えるようにしています。もぐらというのは、日々の僕らの生活の中で、なかなか目に見えるものではない。土の中で一生を過ごし、昆虫を食べ、排泄をして死んでいく。土の中の害虫のバランスを整えてくれる役割があったり、土が掘り起こされることで、空気が入って土が柔らかくなり作物が育ちやすくなる。種の層も掘り起こされるので、新たな種子が芽吹くこともある。僕らは、そんな土壌から生まれた野菜を食べ、植物を食べた動物を食べているのです。そういう意味では、僕らはもぐらを食べているようなもの、と飛躍した考え方もでき、それはAIRのひとつの理想形ではないかと感じます。いずれも、その価値というものはなかなか視認しづらいものですが、確かに僕たちの土壌を豊かにし、そこからの恩恵を受けているのです。レジデンスが持っているポテンシャルや在り方と限りなく近いと考えています。

ちなみに、東日本と西日本で主なもぐらの種類は違っていて、東日本に主に生息しているのがアズマモグラ、西日本に主に生息しているのが、コウベモグラなんですよ。とあるイギリス人の研究者が神戸に滞在して発見したモグラだったから、コウベモグラという名前が付いただけらしいんですが。それも含めて、AiRKにぴったりだなと思っています。

インタビュー会場：女子美術大学
日時：2022年7月6日
聞き手：日沼禎子・菅野幸子（記）

注

1　2012年2月、イギリス、日本、ベルギー国際共同制作作品「テヅカTeZukA」がBunkamuraが上演され、森山さんはダンサーとして参加。関連サイト：https://www.bunkamura.co.jp/orchard/lineup/12_tezuka/topics/post_2.html

2　2016年京都で初演されたパフォーマンス。ジャレのダイナミックな振付け、ダンサーたちの驚異的な身体能力、素材にこだわった名和の舞台美術が三つ巴になって創作された作品。

3　「森山未來さんがリード、神戸の街中をアートで飾って　芸術家を国内外から公募、滞在して創造を」https://www.kobe-np.co.jp/news/kobe/202209/0015626846.shtml

4　「伊勢市クリエーターズ・ワーケーション、伊勢に滞在して創作してみませんか？　伊勢市が文化・芸術分野のクリエイターを募集」https://bijutsutecho.com/magazine/news/promotion/22634

森山未來（もりやま・みらい）
1984年、兵庫県生まれ。5歳から様々なジャンルのダンスを学び、15歳で本格的に舞台デビュー。2013年には文化庁文化交流使として、イスラエルに1年間滞在、Inbal Pinto& Avshalom Pollak Dance Companyを拠点にヨーロッパ諸国にて活動。「関係値から立ち上がる身体的表現」を求めて、領域横断的に国内外で活動を展開している。俳優として、これまでに日本の映画賞を多数受賞。ダンサーとして、第10回日本ダンスフォーラム賞受賞。
監督作として、ショートフィルム「Delivery Health」「inside-out」などを手がける。2021年3月11日には京都・清水寺でのパフォーマンス「Re:Incarnation」の総合演出を務め、東京2020オリンピック開会式では鎮魂の舞を踊った。2022年4月より神戸市にArtisti in Residence KOBE（AiRK）を設立し、運営に携わる。ポスト舞踏派。

Interview

2

服部浩之

不確かさの魅力
実験や試行錯誤というプロセス重視の場

「あいちトリエンナーレ2016」、「第58回ベネチアビエンナーレ国際美術展」のキュレーターを務めるなど、コンテンポラリーアートの分野で活躍の場を広げ、現在は大学教員として教鞭をとる服部浩之さん。柔軟なキュレーションスタイルの確立につながった、AIRの現場での経験について話を伺った。

第58回ヴェネチア・ビエンナーレ国際美術展日本館展示
「Cosmo-Eggs｜宇宙の卵」ジャルディーニ内日本館、2019年
撮影：ArchiBIMIng

——服部さんご自身のアーツ・マネジャー、キュレーターとしてのキャリアについて。最初からキュレーターを目指していたのでしょうか?

服部：いいえ、特に目指していたのではありません。結果として、キュレーションの仕事が増えたというところだと思います。たまたま最初に関わった仕事がアーティスト・イン・レジデンス(以下、「AIR」)で、そこから10年くらいメインの仕事になっていきました。現在でも、自分の考え方の根底には、AIRの考え方があると思います。

街を見ることが好きで風景に関わることがしたかったので、大学では建築を専攻していました。私の先生がガウディの研究をしていたこともあり、2003年から04年にスペイン、バルセロナに留学し、その時にアート・センターに出会いました。当時、アート・センターとは何かも知らなかったのですが、アートが面白いと思ったきっかけになりました。アート・センターは美術館のように作品を収蔵しているのではなく、常に何かが起こっている場所で、こういう施設が街中にあるのがすごく良いと思いました。演劇や音楽、展示もあり、図書館も併設されているという空間が生活に必要な場所と思いました。

学生時代は六本木の再開発の時期だったのですが、大規模な再開発になんとなく抵抗感がありました。組織化された大規模な計画は自分には馴染まない感じがしました。そんなときに赤瀬川原平らの路上観察学会の活動のように、アーティストたちが別の角度から都市や生活に対して異なる価値を提示することがすごいと思っていました。それが、アートをおもしろいと思ったきっかけでした。

同時に、地に足のついた活動に関心を持っていました。日本に帰国した時、秋吉台国際芸術村で求人がありました。都会から離れた場所であることと、磯崎新の設計の建物に興味を持ち、そこでAIRという活動を知りました。AIRは実験や試行錯誤をしている現場で、プロセスが重視され、それが自分には合っていました。作家が惹かれるもの触れたいものが最初はぼんやりとしているけれど、それが徐々に輪郭が見えて形になる。その不確かさに魅力を感じました。失敗してもいい、大上段に構えなくてもできることがあるというアーティストの姿勢を、AIRを通じて学ぶことができ、それが自分の考え方には合っていました。ですから、10年も続けられたのだと思う。自身が強いステイトメントを打ち出すのではなく、何かを模索している作家に対して応答していく、一緒に考えていく環境が自分の性にあっていた。その意味では、いわゆるキュレーターではないのかもしれません。フレームを考えるのが好きで、そこから何が起こるか、どうなっていくのかを知りたいと思うので、あらかじめ結論を想定し、そこに導いていくようなあり方は得意ではありません。これは、何年か働いてから気づいたことです。

ＡＩＲの良いところは、わかりやすい結果を出すことや展覧会として成功させることが目的ではなく、プロセスを重視するところ。つまり、失敗できる場所だということです。失敗することって勇気がいるので、そういう態度を許容できる場や環境であることに意味があると考えています。もともと美術は好きで、モダン・アートについては学生時代から勉強はしていたし、今、生きているコンテンポラリー・アーティストから刺激を受けることも多くありました。ただ、何よりも、生身の、自分と同世代のアーティストが不確かなものを模索する場に関わることは、当時の若い身にとってとても意味がありました。

自分が通っていた大学は一学年の人数が多く結構な競争がある場で、どちらかというと声の大きい人や強い人が勝ち残る風潮があって、その感じになじめませんでした。ＡＩＲは、作家にとっては倍率の高い公募を勝ち取るという側面もありますが、競争の場ではありません。ＡＩＲの展覧会はそれ自体が主目的ではないことが多く、大きな動員は余り期待されておらず、そういうプレッシャーは小さい。むしろ、ＡＩＲに滞在している間に、アーティストがどのような体験ができるかが重要になってきます。時には、それが地域貢献だったり、時には、それがスタッフの教育と作家の成長につながる。ＡＩＲは結論ありきではない現場というのが魅力だと思います。

その観点では、美大は、それに近い役割を持っていると思います。美大生は、アートに関心を持っている学生だけとは限りません。アニメや、もっと幅広い分野に関心を持っていて、その中のごく一部だけがアートに関心をもっているということがよくわかりました。そもそも、アートはマイナーであることを再確認しましたし、何でもメジャーになる必要はないのではと思います。

――ヴェネチア・ビエンナーレという規模の大きな国際展と、日本の小規模なレジデンスでの仕事などスケール感の異なる現場で、戸惑いは無かったのでしょうか?

服部：ありませんでした。実際は、とても繋がっていたのです。それまでもあいちトリエンナーレのほか、国内外でAIR以外の仕事も行なっていて、さまざまな経験をしていた上での仕事でした。ヴェネチア・ビエンナーレの日本館展示はキュレーター指名コンペによって決まるのですが、コンペに参加することで自分の立ち位置を改めて考えました。自分自身は真正というよりはオルタナティブだと思っていたので、実験的なAIRを運営していた経験を踏まえ、結果よりはAIRのような環境を過程として作ろうと考えて提案しました。ある作家や作品が日本を代表するという力学や構造を解体し、異なる専門性を持つ人々が関わることによっておこる化学変化やその過程を重視し、コラボレーションを試みたのです。AIRでは、まったく違う方法論をもっているアーティストたちがたまたま出会い、絶対に合わないと思っていたアーティスト同士でも、突然妙な関係性が生まれたりするのが面白いのです。そこで、アーティストの下道基行さんの作品を軸にして新たな展開を生み出せないかと考えました。コンペなので他にも様々な提案があるという前提で、このような提案をしました。企画を作る上で、皆で合宿もしましたが、合宿という経験もAIRにつながる。なかなか企画が進まなかったのに、会って議論すると、一気に進む。このプロジェクト自体が、民主的な議論や権力構造のあり方を問いつづける場でもあったことは、作者性や何をもって創造行為とするかが問われる現代という時代性とも密接に関わっていると思います。

――AIRの仕事を通じて面白かったこと、得られたことはありますか?

服部：いろいろあります。AIRでは一定の期間、アーティストの作品や活動に真近でふれることができます。アーティストたちから得られる具体的な情報は圧倒的に多く、AIRを通じて様々な発見があります。

アーティストがある程度長く滞在するときに生じる、直接的な生産につながらない時間というか余白みたいなものを共有できることは重要でした。例えば、青森公立大学国際芸術センター青森（以下：ACAC）で働いていた時、全く違うタイプのある程度キャリアのあるアーティストたちが

3か月間、一緒に滞在することになりました。一般的に公募のレジデンスに参加するにしてはキャリアが確立している方で、それぞれが自身の領域内においてこれまでの延長線上で安定した制作活動をするのかと思っていたら、むしろ変化に対して柔軟でした。最終的には、ＡＣＡＣのレジデンスを超えて、私が運営していたアートスペースで、２人がコラボレーションすることになったのです。遊びの延長だったとは思うのですが、作品や展覧会のみに追われるだけではない時間がＡＩＲを通じて獲得できたことが大きかったのかもしれません。

ＡＩＲは若いアーティストたちの登竜門と思われていますが、ミッド・キャリアのアーティストたちからも新しいプロジェクトが生まれることもあります。ＡＣＡＣでは、ミッド・キャリアのアーティストたちも意識的に招へいしていました。若いアーティストたちとは違う化学反応が生まれることもある。ミッド・キャリアのアーティストたちにとっても、自分を変える、もっと新しい試みをする機会でもあり、別の展開が見えてくる。他者と同じ場所で一緒に生活してみるって、結構学生時代に近い感じで、グループ展に参加してホテルが一緒というのとは少し違うのです。ごった煮状態になるのは、ＡＩＲの良いところであり、異なるものがぶつかる、出会いのおもしろさを気づかせてくれる機会でした。この経験が、ヴェネチア・ビエンナーレの企画につながったと思います。

――ＡＩＲがアーティスト、アーツ・マネジャーのキャリア形成の場であるとした時、現場でのご経験から、人材育成についての課題、不足なものは何か、ご意見をお聞かせください。

服部：ＡＩＲは千差万別で、幅も広すぎて、一口に語ることが難しいですね。しかし、これだけは言えるのは、受け入れる人の存在が大きいということ。スタッフの能力は重要だと考えます。資金面だけではなく、実際はホスト力が重要です。ホストの能力によって、アーティストにとって実現できることが異なってくる。専門性だけでなく、パーソナリティとスキルの両方が必要。アートに興味のない人がホストだと難しいでしょうが、一方でアートが専門でなくても、何か変な特技みたいなものがあると、それ自体が特色になることもある。たとえば異常に料理が上手とか。美味しいご飯があるＡＩＲって魅力的だし、それが創造を喚起することもあります。場をつくる、アーティストに対してなんらかの環境を提供する力ですね。ＡＩＲはすぐに始められるかもしれませんが、思った以上に責任が必要な仕事です。どのような環境を用意できるかによっておそらくアーティストの制作の質にも影響を与えるでしょう。

ＡＩＲは、アーティストにとっては無くなっては困る存在だと思う。日本では、ＡＩＲはシステムとしてある程度確立されてきました。だからと言って、余りにも個別の状況が違いすぎるので、影響力があるかは一概に言えません。とは言え、アーティストにとって、違う環境に身を置くなかで制作に向き合える時間と場所を得られることは、重要だと思います。アーティストは様々なＡＩＲに滞在するので、彼らの意見を聴取してみた方が良いとは思います。

経済の浮き沈みもあると思いますが、滞在して制作するというＡＩＲの仕組みは当面なくならないと思う。そういう意味では、確立されてきたのだと思う。その中で、ＡＩＲに携わる人たちの就労環境は良くなっているのだろうか？体制が整っていて、確立した機関であれば正規で働けるのだろうが、体制や環境はまだまだ不安定なのかもしれません。その意味では、日本ではＡＩＲの成功例は少ないのかもしれませんが、例えば、ＡＣＡＣは建物を作ってしまったので簡単に事業を止めることができない。ＡＣＡＣも一度不安定な時期がありましたが、今はひとまず安定しているようです。しかも、ミッションは明確になってきており、国内のＡＩＲの中ではそれなりによい制作環境を提供していると思います。アーティストの活動もアーカイブとしてきっちり残しています。やはり、専門職として学芸員を置いたことが重要であったのだと思っています。

現在、国際展の中でもＡＩＲが多く実施され、また、あらゆるものがＡＩＲと呼ばれるようになっている中で、スタッフの地位が確立されていない実情があります。ＡＩＲのスタッフは、専門職なのに現場のコーディネーターとしてのみ認識されているケースが多く、片手間にできるという印象が持たれていて、職能として確立するのが難しいのです。ですから、学芸員などのわかりやすい言葉を使うのが良いのかもしれません。ガイドラインを作ればよいということでもないので、難しいのですが、専門職としてのＡＩＲスタッフの地位を確立していくことが必要だと思います。

この他、ＡＩＲスタッフを経験した人のキャリア形成がどうなっているのかということも調査して分析する必要があ

北川貴好の作品空間において行われたセッション
「Storyteller – 識る単位」展、青森公立大学国際芸術センター青森（ACAC）

ります。個別事例として、その個人のユニークさとか個性で終わらせてしまうのはもったいないですし。やはり職能として確立されるべきだと思います。AIRをやる上で持っていなければならないスキルを何と呼ぶか、職能としてどう呼ぶか。今のところ、やはり学芸員という名前を使った方がわかりやすいんですかね。秋田公立美術大学でもAIRに取り組んでいますが、手探りで実践している感じです。AIRスタッフは仲介したりコミュニケーションを取るだけではないので、モノを作る専門家（アーティスト）をサポートする専門性をどう担保していくかも重要だと思います。プロダクション・マネージャーやドラマツルグ（演劇などのカンパニーで戯曲のリサーチや作品制作に関わる役職）でもない。作ることを支える専門家で、多様な人とフラットな関係を築いていける人。何と呼んだらいいのか、迷うところです。

キュレーションも日本では専門的に学べるところは多くないです。全体的に日本のアートに関わる人材育成の制度はあいまいだと思います。美術大学は作る人を養成していますが、現在でも油絵、彫刻といった表現媒体に分かれて専攻が構成されていることが多い。芸術の生産のあり方は大きく変化しているのに、大学は変わっていない部分も多いです。とはいえ、ＡＩＲの専門家養成コースがあったら需要があるのかというと、難しい気もします。必ずしも専門的に学んだ人だけでよいというわけではないし、むしろ異なる分野やジャンルを許容できる複合性が重要だとも感じます。そういう多岐に渡る関心や興味をもつ人が集う場は、どのような教育から生まれるのか考えていきたいですね。教育システムも少しずつ変化していますが、緩やかながら抜本的な改革が必要かもしれません。

これからの日本のＡＩＲは、強みと弱みをより意識し、総合的に精度を上げていく必要があります。今、存在しているＡＩＲが何を目指すのかを明確にする。それにはやはり、専門職として責任を果たすスタッフのポジションを確立していくことが必要だと考えています。

インタビュー会場：秋田公立美術大学服部研究室
日時：2020年1月20日
聞き手：菅野幸子

服部 浩之（はっとり・ひろゆき）
1978年、愛知県生まれ。東京藝術大学准教授。2006年、早稲田大学大学院修了（建築学）。2006年〜2009年、山口県文化振興財団秋吉台国際芸術村、2009年〜2016年、青森公立大学国際芸術センター青森 [ACAC] 学芸員。2011〜2017年、秋田公立美術大学にて准教授・特任准教授。インディペンデント・キュレーターとしてアジアを中心に展覧会、リサーチ、プロジェクトなどを展開し、芸術と公共空間の関係を探求している。近年の企画に、「MEDIA/ART KITCHEN」（インドネシア、マレーシア、フィリピン、タイ、日本（青森）、2013－2014）、「あいちトリエンナーレ2016」、「近くへの遠回り」（キューバ、2018）、第58回ヴェネチア・ビエンナーレ国際美術展日本館展示「Cosmo-Eggs｜宇宙の卵」（イタリア、2019）など。出典：https://www.jpf.go.jp/j/about/press/2018/dl/2018-008.pdf, https://www.akibi.ac.jp/teacher/16210.html

Interview

3

ハイメ・ヘスースC・パセナⅡ

AIRでの経験は、私を良き観察者にしてくれた

人間をとりまく多くの差異との共存と理解

絵画、写真、映像など、ジャンルを問わない表現活動を行い、アーティストコレクティブを率いるアクティビストとして、教育者として社会の中でのアートの役割、意義を拡張し続けるパセナにとって、AIRとはどのような場であるのか、またこれからの自身の成長、社会貢献など、将来への展望を伺った。

「反応連鎖 ― ツナガルシクミ」2010年　青森公立大学国際芸術センター青森(ACA)
参加アーティスト、プロジェクトに関わったメンバーたちとの記念撮影
Photo by 三澤章

――はじめてのＡＩＲへ参加した経験、その動機をおきかせください。

パセナ：２０１０年が最初の関わりで、その時、実はＡＩＲとは何かをほとんど理解していませんでした。２００９年に「ＪＥＮＥＳＹＳプログラム２０１０」[1]に向けた、キュレーター養成ワークショップがマニラで開催されました。その頃、特にフィリピンでは、アートプロジェクト、キュレーション、リサーチプロジェクトのそれぞれの差異について議論が行われている時でした。ワークショップのモデレーターはフィリピンで最も尊敬されているヴァーガス・ミュージアムのキュレーター、パトリック・フロアーズが務めました。２日間のワークショップでしたが、日本へ派遣される者を選ぶためのものであったことを、私たちは誰も知りませんでした。そして、日本についてもっと学ぶべき者として、11名の参加者のうち私が選ばれたのです。

そこから数か月後、国際交流基金の担当者によるインタビューがありました。担当者の方は、日本について知っていることは何かと尋ねました。私は、いわゆるポップカルチャーの分野、ゲーム、アニメーション、そして食べ物の３つを挙げました。担当者の方は、「申し訳ないけれども、我々はあなたを東京ではなく、地方に３か月間派遣します」とおっしゃいました。私は「私にはその（東京と地方との）違いについてよくわかりませんが、日本であることは変わりませんよね」と言いました。

ＪＥＮＥＳＹＳプログラムの意図することとは、参加者の日本の文化に対する見方に異なる理解をもたらすこと、そして、日本のアートシーンに対して、それぞれの時間とプロセス、経験をもって研究をすることだったと私は考えています。そして、２０１０年６月29日、東京に到着した際に国際交流基金の２名の担当者が私を案内してくださったのですが、それ以外に初めて出会った日本人は日沼さんでした。私が青森を訪ねた際に、日本のＡＩＲの存在を教えてくれた最初の人こそ、日沼さんでした。

私は国際芸術センター青森（ＡＣＡＣ）でキュレーターのインターンとなり、アートのみならず、さまざまな方法論、異なる文化的な背景を持つ日本人アーティストたちについて、じっくりと観察する機会を得ました。その経験は、広く、複雑で、そしてもっとも根源的なアートの有り様として、私を魅了することとなりました。そして、作品制作のプロセスのみならず、異なるイデオロギー、考え方について目撃することとなりました。例えば『Nadegata 24 Our Project』において、私は少し混乱させられました。私は自分自身に問いました。「私が見ているのはアートなのか?」、「これがアートマネジメントなのか?」、「これは映画のセット?」。その時はまったく理解できなかったものの、自分自身、それをどのように感じるのかを楽しみました。彼ら若いアーティスト(Nadegata Instant Party)とキュレーターの服部(浩之)さんとの、コミュニティをつなぐ仕事のしかたは、私にとってどれも新しいものでした。私はそこで、大友良英さんにも出会い、彼の実験的なノイズ音楽についても知ることができました。それが、日本と、日本のアートに対して最初に影響を受けたことでした。そして、その後、日本を代表する3名のアーティストが、彼らの家族とともにやってきました。それは私にとって、非常に特別な経験となりました。彼らはアーティストであるのみならず、一人の個人であり、夫であり、父親であるということを私は理解したのです。私は、彼らとの関係性の中で、一人の日本人になったように、日常生活についてさらに深く理解をしていきました。

私のACACでの経験は、AIRとは何かということへの理解を促してくれました。スタジオの中で制作するだけではなく、また、個人的な成長や技術を磨くためでもなく、日常生活を共に送り、他の参加アーティスト、交渉人、アシスタントたち、その他の環境との平和的な関係の築き方を学ぶことなのだと。およそ3か月の間、私はそこで観察し、学び、日常生活を送りました。小山田徹、高嶺格、藤浩志と共にいることの特権を得て、個々の活動のみならず、Dumb Typeのメンバーとして活動していた時代のプロジェクトについても学ぶことができました。

JENESYSプログラムは、日本について学ぶだけではなく、自分自身の学びとして非常に特別な体験でした。虫への恐怖心も克服することができました。なぜなら、ACACは森の中にあって、夜の照明があるのはレジデンス施設だけですので、光に寄せられて、本当にたくさんの虫が窓の外にはりついてくるのです。それらすべての経験は、人間をとりまくすべての場における多くの差異との共存、理解に対するものであり、ここでのAIR経験は、私を良き観察者にしてくれたと考えています。ACACでのAIR経験の後、国際交流基金の共同キュレーションプロジェクトがオーストラリア、インド、シンガポールで始まりました。私は、オーストラリアのグループに属したのですが、その際、津波（東日本大震災）の後に、ひとつのプロジェクトを立ち上げることができました。パース現代美術館（Perth Institute of Contemporary Arts）において、2011年11月に開催したプロジェクトのタイトルは「Omnilogue: Alternating Currents—Japanese Art after March 2011」でした。私は若手キュレーターのひとりとして、橋本梓、リー・ロブとともに展覧会のキュレーションに関わりました。

——特に影響のあった事例、そこでのエピソードはありますか？

パセナ：私は、この9年にわたり、陸前高田ＡＩＲに関わってきました（2013～14、16、19年）。そしてその間、フィリピンにおいては、仲間たちとともに「CANVAS」というＡＩＲを立ち上げました。実は私にとってのＡＩＲの経験は日本だけで、別の国のＡＩＲに応募したことがありません。その理由としては、私にとって、日本との関係性がはっきりとしていた。それは、東日本大震災による津波の被害を受けた後の日本という国へ対し、より強い興味を持ち、もっと理解したいという気持ちが膨らんだからです。どのように街を再建していくのか、フィリピンとの違いをもっと学びたいと思ったのです。アーティストたちそれぞれの異なる呼応、国による手段の違いに対して興味を持ちました。津波被害の直後に行われたアサヒ・アートフェスティバルのスタディツアー[2]を経て、2013年、日沼さんから（参加の）依頼があり、陸前高田ＡＩＲ（以下：ＲＴＡＩＲ）で、実際に（ツアーでの経験を）反映させる機会を与えてもらったのです。

ＡＣＡＣ、ＲＴＡＩＲ、そしてフィリピンでの私個人のアート・エンゲージメントのプロジェクト以外では、2013年に推薦書を日沼さんにお願いして応募したのは黄金町ＡＩＲでした（採択されず）。しかし、ＲＴＡＩＲはいつも私に対して明確な判断、アイデア、コンセプトをもたらし、回を重ねてＲＴＡＩＲに携わるうちに、アーティストである私にとって、さらに重要さを増しており、また、この数年来の観察と、日本と陸前高田との関係性をもとにした映画制作へとつながり、今、まさにその展開に取り組んでいるところです。

また、自分自身のアーティスト、キュレーターとしての展開としては、「Bliss Market Laboratory」というチームをフィリピンで結成しました。このチームは、デザインとアートを通したビジネスプラットフォーム「Bliss Design Studio」設立へと発展しました。陸前高田で学び実践したことなのですが、私は、常に学生たちを私のチームの活動に参加させ、アートや文化事業の運営の経験を学ぶ場をつくっています。これらのつながりは、私が過去に経験したＡＩＲでの学び、そして新たなコラボレーション、ネットワーク、コミュニティ、パブリックアートのプロジェクトを通じて、２０１２年のArts Network Asiaおよび２０１７年の国際交流基金アジアセンターにおけるグラントに申請した際のプロジェクトへと発展していったのです。さらに私の仕事は、若者たちや、異なる少数民族、コミュニティに向けた事業を行うCANVASギャラリーのキュレーターという責任ある仕事へと拡大しており、将来、子供たちのための美術館を設立したいと望んでいます。

陸前高田において、私の興味は「立ち退き・置き換え」という深刻な課題に対する理解へと向かわせ、それはまた、アーティスト、キュレーター、研究者、教員としての明確な視点をもたらしました。

――アーティストとして、ＡＩＲにおいてもっとも重要な成果とは何でしょうか？　もちろんそれぞれの経験が一続きであるわけではないと思いますが。

パセナ：もっとも重要な成果のひとつとして、思考のプロセスの変化をもたらしたことです。例えば、ＲＴＡＩＲでは、私と他のアーティストたちも、スタジオのような空間の中だけで、地域コミュニティとの相互の関係性をつくることはできませんでした。レオさん（leo van der kleij）は人々の日常生活を記録し、ショーネッド（Sioned Huws）は、ダンスを通して人々とのつながりを作ろうとし、私は、コミュニティが離れ離れになり、異なる場所の仮設住宅に暮らす人々同士を、ポストカード、映像と音楽を用いてつなごうとしました。例えば、《つながる場所》という作品では、陸前高田の異なる場所のドアとドアをつなぎ、私自身が誰かの仮設住宅のドアから別のドアへと出たり入ったりする映像を編集しました。津波によって、それぞれの場を置き換えられた人々の仮設空間をつないでいくことを意図しました。

このように街が展開していく段階に、ＲＴＡＩＲも始まっていきました。少しずつですが、スタジオの中での活動にも移行しはじめていて、いまではスタジオでの作業そのものに地域コミュニティが関わるようにもなってきています。他のAIRでは、むしろコンセプトを軸にしたプログラムが一般的なように思えます。例えば黄金町AIRでは、異なるプラットフォーム、異なる変換の手段を持っています。どのような作品のあり方が望まれているか、あるいはいかにして異なる公共の場にアーティストを結びつけるのか。それは、AIRによって生み出される異なるプラットフォームの生成、あるいは文化の変化だと考えられますが、AIRの主題は、まずは与えられた空間との関係性であること、さらには招へいされたアーティストと制作されるもの(作品)との間に共存する外の世界、異なる文脈、異なる成果でもあるでしょう。

2014年に、わたしたちは遊工房アートスペースで開催された「マイクロレジデンス・ネットワークフォーラム」[3]に参加しました。そこではさまざまなアーティストたちが座談会に参加し、いくつかのグループ毎に異なるテーマで議論を行いました。私が参加したグループでは「どのようにアーティストがコミュニティとつながり、そこで何ができるか」についての議論で、それは「HomeBaseプロジェクト」[4]のリサーチの一部であったと記憶しています。そこでは多くの議論があり、その中のひとつのアイデアとして、「コミュニティとともにどのような変革をもたらすか」ということが挙がりました。私はそれに対し、「まずはコミュニティが私たち(アーティスト)に何をもたらすことができるか、私たちがそこから何を学ぶかということを、まずは理解することが必要だ」と発言しました。私たちは自分たちアーティストは(コミュニティに)必要とされる存在であると考えがちですが、おそらくコミュニティへのアーティストの介入は必要なく、何か他の方法があるはずです。私たちは、まず、その特定された場所について学ぶことから始め、そして、コミュニティに存在する重要な問題について注目し、コミュニティとともに解決方法を見つけ出すための何かにつなげることができる。そうしたことが、人々に必要とされない巨大な作品をつくるよりも、私たちにできるもっと重要なことではないでしょうか。AIRは、しばしば、アーティスト個人の成長に着目し過ぎており、もちろんそれは構わないのですが、アーティストの成長とは、自分がどのような場所、コミュニティ、社会、国、そして世界の中に存在しているかを気付くことであるべきです。

ひとつの良い事例があります。RTAIRのコーディネーターたちに「DISPLACED」という言葉の、日本語での書き

BM Labと陸前高田AIRとの共同プロジェクト「DISPOACED」2017年 マニラでのリサーチ。
貧困や自然災害など社会課題を抱える地域における活動のあり方を探求している。

方を教えてもらったことがありました。その際に彼らは書き方を見せてくれて、私はその線、形をなぞろうとしました。すると「だめ、だめ！ 違う！」というのです。私は「なぜ？ 同じだよね、見てよ！」といいました。けれども、それは見た目ではなく、「どのように書くか」であると彼らは言うのです。それぞれの文字のすべてに書き順、異なる筆致、方向、配置があり、連続性を持たなければならないのだと。まさにこのことが、異なる様式の中での対話と繋がりであり、場所、国、異なる文化、異なる文脈、物語を理解するための道筋だと示してくれたのです。

――今後、活動していく上で、また、あなたのキャリアに対してどのような支援が必要でしょうか。

パセナ：例えば、AIRでは、地域のコミュニティにおける方法、さまざまな形式でのサポートを得ることができますが、映像作家としては、それとは異なる方法での支援が必要であると考えます。しかし、私がさらに「大きな絵」を描き始めた時には、ひとつの成果のための助成ではなく、最終的なゴール、成果に向けたそれぞれの段階に対し、あるいは異なる展開に応じた助成が必要ではないかと考えます。なぜなら、「大きな絵」を実現するには、その先にもさらなる困難なプロセスがあるからです。

ですから、最終的な成果のみに対してではなく、将来実現したいプロジェクトの実現に向けたいくつかの段階的な支援が必要です。この段階ではこの支援、次のレベルではまた別の方法による支援というように。なぜなら、それぞれの段階ごとに必要とされる手当があり、それぞれの段階を踏むごとに顕在化していき、またその発展についても明確になってくるからです。私のプロジェクトに対する必要なサポートのあり方は、このようなことです。他のＡＩＲの招へいアーティストにとっても一度だけではない（支援や滞在）が重要ではないでしょうか。ＲＴＡＩＲは私や他のアーティストに対して、制作者、文化に携わる者として複数回にわたって陸前高田に戻ってくることを可能にしてくれました。私たちはその度に異なる状況と、発展していく様子を見ることができました。そしてその度に交わされる実践的な議論、オープンな対話、さらなる理解を引き出す相互の関係性を続けることができ、それは非常に有益なものでした。私は陸前高田について多くのことを知り得たことによって、陸前高田について多くのことを語ることができます。なぜならば、私はそこで多くのことを考える時間を過ごし、多くの人々に出会ったからです。ですから私は誰に対しても「はい、私は陸前高田を知っています」と言うことができます。地理的にも、精神的にも、感情的にも、私はこの地域のことを知っており、そして今、どのようにしてこれまでの長いリサーチの目標と成果を映画の中に入れ込むか、それらすべてをより深く理解するためにここに来ています。理解、関係性、感情、異なる感覚、触覚、視覚、味覚、そのすべてを、私は映画の中に取り込むことができると考えています。私にとって、２０１０年から始まったことのすべてが重要であり、アーティストとして、キュレーターとして、必要な支援についての考えは、今、もっと明確になっています。

インタビュー会場：女子美術大学
アートプロデュース表現領域研究室
日時：２０１９年11月19日
聞き手：日沼禎子

注

1 「JENESYS Programme (Japan-East Asia Network of

Exchange for Students and Youth、21世紀東アジア青少年第交流計画）」の一環として行われた「東アジアクリエーター招へいプログラム」。日本のアーティスト・イン・レジデンス実施機関や芸術文化機関などを受入団体として、アジア・太平洋州13か国から35歳以下の若手クリエーターを年間約20名、1〜3か月間招へいし、滞在中の活動および成果発表や関連事業などを支援するプログラム。

2　東日本大震災直後の東北各所を巡るスタディツアー。アサヒ・アート・フェスティバル（株式会社アサヒビールによるメセナ活動）10周年特別企画として実施された「世界ネットワークプロジェクト」の一環として実施され、アジア7か国から各1名のクリエーターが招へいされた。

3　2011年に遊工房アートスペース（東京）が「小規模で質の高いAIR組織、団体」を「マイクロレジデンス」として提唱したもので、以来、その調査研究と国際ネットワーキングプロジェクトとして不定期に実施されている。

4　「HomeBase Project」は、現代の社会状況の変化により生まれた空き家や工場、歴史的建造物などをアーティストの「Home（家）」と見立て、一定期間の滞在制作活動を行う移動型国際アーティスト・イン・レジデンス・プロジェクト。2006年にスタートし、これまでニューヨーク、ベルリン、エルサレムなど各開催国・地域のアーティスト、キュレーターとプロジェクトチームを編成し実施されてきた。

ハイメ・ヘスースC・パセナⅡ（Jaime Jesus C. Pacena Ⅱ）
マルチメディア・アーティスト、映像作家、キュレーター、Asia Pacific Collegeの教師。美術家として国内外での展覧会に参加、キュレーターとしてマニラ、日本、オーストラリアで活動の場を広げている。フィリピン国内でミュージックビデオによる多数の受賞歴を持ち、美術館におけるPR、教育ビデオも制作している。2010年の国際交流基金「21世紀東アジア青少年大交流計画（JENESYS プログラム）」でのキュレーター研修、2013年の東日本大震災で大きな被害を受けた陸前高田市を中心にしたアーティスト・イン・レジデンス「陸前高田AIR 2013」に参加以後は、毎年プロジェクトに関わり、国際間でのアーティストによる社会活動プロジェクトを実施している。また、美術・文学などの文化活動と環境問題に取り組む「CANVAS」のキュレーター、マルチメディアアートに取り組むアーティストコレクティブ「Bliss Market Laboratory」の創設メンバー、ディレクターとして活動。フィリピンのアートの環境づくりのための教育、実践とマーケットのシステムの向上にも取り組んでいる。

Interview

4

安藤祐輝

制作に対する視野の広がり
自身の作家としての経験がAIRの作家のために役立つものになる

陶芸のAIRの現場では、アーティストの受け入れにかかるマネジメント、コーディネートのみならず、制作のプロセスを支えるために重要な施設管理、技術指導、危機管理などの幅広いスキルが必要とされる。作り手と指導者の双方の立ち位置から、地場産業との関わり、どのようにAIRに向き合ってきたのか、について考えを伺った。

窯出し、シャトルの押し出し

――創作研修指導員（AIR担当）となったきっかけは？

安藤：強い動機があってレジデンス（ＡＩＲ）に関わり始めたわけではなく、たまたま大学院を修了するタイミングで僕の前任の方が辞められるということで募集があったんです。その時の大学の担当教官が陶芸の森でのＡＩＲを経験されていた方だったので、応募してみたらどうかと勧めてくださいました。ＡＩＲのことはそれほど知らなくて、大学を出た後に工房が使える場所ぐらいの感覚でした。僕は大学で陶芸を専攻し、将来的には作家として活動したいと思っていたので、その現場をのぞきながら作品制作をすることで、自分の制作に対する視野の広がりにつながるのではと思い、この仕事をはじめました。だから、本当に何も思うところなく、（ＡＩＲの現場に）入って行ったのです。

――現在の現場では、同じようにご自身の制作との関わりを考えて、仕事に取り組んでおられる方が多いのでしょうか。

安藤：そうですね。元は作家です。僕と嘱託のスタッフの二人は、現在も作家活動を続けています。家に帰ってから が自分の時間、という感じです。

現場に関わっていて思うのですが、「こういうふうに窯詰めしたほうがいいよ」とか、自分が作っていなかったら、アーティストに言えることが無いと思うんです。ですから、ＡＩＲでは自分の経験が直接相互に活きてくる場所だと思います。例えば、自分と同じ土を使っている作家には、「こういう可能性があるよ」という風に伝えることができたり。もちろんすべて網羅しているわけではありませんが、数字上や聞いただけのことではなく、自分の制作の中で経験したことを相手に伝えることができるから、作ること自体が直接ＡＩＲの作家のために役に立っていると思います。

――今の仕事をしながら、ご自身の働き方、キャリアに反映されていることがありますか？

安藤：ＡＩＲの仕事をはじめてから、美術館を会場にして滞在作家やゲストアーティストの展覧会を行うなど、自分で展覧会を立ち上げることが何度かありました。それまでは（自分が）作家側だったので、展覧会によばれて出品するという形でしたが、企画して作家を決めて文章を作って打ち合わせをして、展示まで持って行くという、そうした側面を担う経験をしました。そのことから、現在、僕の企画で外部の美術館に企画を持ちかけて、AIRを経験して信楽在住の作家たちと一緒に展示をする計画につながっています。

――ご自身の成長や、スキルアップにつながったエピソードはありますか?

安藤: 作家と制作についての会話をしている時に、技術的なことにしろ、作品的なことにしろ、何気ない自分の言葉で作家のプライドを傷つけていたことがありました。僕はそのような気持ちがあったわけではなかったのですが、その後、しばらく仕事がしづらくなったことがありました。他の作家であれば、どうってことのないことだったのかもしれませんが、その作家は傷ついてしまった。対作家だけではないと思うのですけれども、どのような対応の仕方をすれば相手に気持ち良く受け入れられるのか、距離感の取り方を考えるようになりました。人によって態度を変えるのは良くないと一般的には言われるかもしれませんが、僕は今、(個々の)作家をしっかり見て、態度を変えるというよりは、距離の取り方を変えるようにしています。

他のことでは、有名な作家で、以前、陶芸の森で制作した際に培った技術を持つ方がいますが、その方の何年か後に滞在した別の作家が、同じ技術を使って制作したいと相談してきたのです。確かにできないことはないし、こちらで教えれば同じような物を作ることはできると思います。それを僕から伝えてよいのかは、とても微妙な問題です。その時は「教えはしないけれどやってみたら?」というところでおさめました。最終的にはそれを(同じものを制作)しなかったので良かったのですが、例えばその方法を伝えて、同じものが出来てしまっていたらどうなっていたのだろうかと思います。やりたいということに対しては、極力そのようにしてあげたいのですが、それが自分の中から来るものではなく、他の人がやっていた「あれ」をやりたい、と言われた時に、果たしてそれは最終的にその人のためになるのか。何も下積みがなく、プロセスもないところで、作品の上積みだけをさらってものづくりをすることに、その人の作家としての未来はあるのだろうか?と思ってしまいました。

――陶芸の世界では、作家性を重視する面もあれば、工房

での徒弟制による技術や作風の継承というあり方もありますね。一方でAIRは多様な表現、背景を持ったアーティストたちが、空間、素材、経験を共有して制作する環境という違いがあると思います。そこで、アーティストひとりひとりの成果を持ち帰ってもらわなくてはならないという難しさがありますね。

安藤：そうです。板挟みになる時もあります。でも、それはたぶん、作家自身が考えることであるとも思います。例えばその人が、自分で筋道を立てて考えて作って、こういう風にしたいけれどもどうしたらよいか、という相談を受けた場合であれば、「以前の作家を例に挙げて」アドバイスができるかもしれない。それがなければ、作家とは何だろうと。作って楽しい、売れて嬉しいということは、違うのではないかと思います。もちろん、あまり多くあるケースではないですが。

——通常の作家（アーティスト）の受け入れまでの仕事の流れを教えてください。

安藤：通常10月の終わりに募集締め切りがあり、12月の頭に陶芸の森内部での選考委員会を開きます。ゲストアーティストについては外部の選考委員に関わっていただきます。その後1か月をかけて審査結果の行政組織内での承認を経て、12月末に審査結果を発表。そこからは応募者へ採択の可否について個々にメール通知をします。陶芸の森では、滞在期間が作家それぞれで異なっていて、例えば4～6月までの3か月にアーティストが同時期に滞在するという仕組みではありません。年明けから、滞在日程の細かな調整に入りますが、第一から第三希望までの日程と13部屋ある個々の作業場との調整がパズルみたいでなかなか大変な作業になり、1年中を通して調整をしています。そして、3か月以上滞在する、あるいは査証（ビザ）免除国以外の国からの作家の場合の査証発行の手続きなどを経て、実際の受け入れという流れとなります。

作家が来てからは、打ち合わせをしながらですが、プランが変わるのはいつものことなので、好きなことは何でもやってもらい、手伝いが必要な時はいつでも声をかけてもらうという対応ですね。スペースを提供して、どうぞ、と。今は、自分で作りたい人が多いのであまりケースがありませんが、

例えばゲストアーティスト(自身で作陶をしない)が来た場合、陶芸の森のスタッフが立ち上げて、焼くところまでをサポートします。あとは月に一回「窯会議」を行い、滞在作家がみんなで集まって、いつ誰がどの窯を焚くのかという調整を行います。

作品を反転する際の固定作業中

――技術的なプロセスもあるので、多岐にわたる対応、マネジメントが必要となりますね。

安藤：調整しようとしていることを解ってくれる作家であれば、そんなに大変な作業ではないのですが。陶芸の森でのＡＩＲは自分一人で仕事をする場ではないので、「明日、窯を焚きたいんだけど」とか、「この日、ここの窯を占有したい」と言われても出来ないこともある。もちろん大半の作家は理解してくれますけれど。

――6年間を経た変化、転換期や成長があったなどのエピソードはありますか?

安藤：成長か後退かはわかりませんが、もともとＡＩＲのことを知っていて現場に入ったのでもなく、おそらく作家としての自分は、ＡＩＲでの制作が向いていないタイプだと思っていました。それが、今では、一度はどこかに行ってみたいな、と思うようになりました。少しずつ意識が変わって行っているのかな、と思います。作家としては、今まで、作品の話や陶芸の制作の話をするときは、先生が側にいたり、同じような言葉を使う人が周りにいたので理解しやすかった。ＡＩＲではいろいろな人が集まっているから、もちろん自分の話を解ってくれないこともあるし、作家が話している言葉がわからないこともあります。例えば、英語でいうと、僕らは窯のことを「kiln」というのですが、場所によっては「oven」というところもある。細かいことですが、そういうことに慣れなくてはいけない。制作論や造形論の話をする時に、場所が違うと考えていることも違う。制作プランから関わっていてもなかなか理解できないこともありますが、最終段階まで落とし込めた時に、直接的ではないけれども、自分自身の作品もひとつ、深くなるような気がしています。あまり得意ではないですが、（必要に迫られて）いろいろな人と喋るようになったという感じですね。

――今後、身に付けたいスキル、キャリアアップへの理想像などがありますか？

安藤：経験として足りないのは、海外での経験です。陶芸の森に滞在するのは8割が海外作家ですので、その人たちのことを本当に理解するためには自分がＡＩＲを経験するしかないと思います。将来的に、できればそういう支援を受けることができたらと思いますけれども、ここに滞在する作家たちは、自分の費用を使って来ていて、食費を削って土を買って、ということもしているかもしれません。ですから、自分でも取り組んでみないと解らないのだろうなと思うんです。あまりお金は使えないけれども、ＡＩＲに行ったら大小の窯があって、どちらかを使うか？と選択することになった場合、僕は（スタッフの立場であれば）おそらく簡単に「大きい方を使ったらいい」とか、「こちらだったら2個ぐらい作れるよ」と言うと思うんです。けれども、経費的なことを（作家側で）考えたら、やっぱり小さい方で、ということになるかもしれない。陶芸の森では展覧会で作品を売るという仕組みは持っていないのですが、金銭的なことを考えたら、最後には展覧会をして作品売って、窯代と航空費代ぐらいはバックして帰りたいと、作家ならばきっと思うんだろうなと。また、チャンスがあれば現地のギャラリーと契約を交わすことができたら、という考えも持っていると思います。その点では本当に相手の気持ちには立つことが出来ていないと思うので、足りないのはこのような経験かな、と思います。

もちろん、サポートがあったら、予定をあわせて行きたいです。ＡＩＲの仕事をしていて、自分が経験が無い、というのは、作ったことがないと（作陶の）話ができないことと一緒で、「行ったことないヤツが、何を言ってんだ」ということになるんだと思うんです。今のところ、そうしたことは言われたことは無いのですが、そういうことを今まで感じた滞在作家もいたのかな、と思うのです。

――今後の新しい取り組み、またそれに対する課題がありますか？

安藤：まずは、先ほどお話した展覧会を頑張りたいと思います。単発的にやって終わりではなく、それを他の場所へ継続させて行くことができればと。まだ青写真ですが、今回、信楽に住んでいるＡＩＲを経験した作家たちと取り組んで行けば、売れる可能性もできてくるだろうし。継続的に取り組むことのできる仕組みづくりができればと思っています。

課題としては、キュレーション能力があるのかどうか。そこで失敗したら次にもつながらないと思いますし、展覧会を自分の持ち込みの企画で行うのはなかなか大変だと思います。また、相手が自分を評価してくれていないと、実現しないことだと思いますので、評価してもらうために、良いものをつくることは難しいと思います。どんなところで行うのかということも含めての課題になると思いますが、まずは知っているところでやることしかできないと思うので、うまく関係ができた所に声をかけていくというところからでしょうか。

――キュレーション能力を高めるにはどのようなことが必要と思いますか？

安藤：とりあえず今はまだあまり考えていませんが、まずは一度取り組んでみるところからだと思います。美術のことがすごく良くわかって、自分の意見をいうことができれば、キュレーションをし、作家にも提示できると思います。自分の意見と、過去と今のことを知っているということが必要になってくると思います。その見識を深めていくことが課題だと思っています。

インタビュー会場：女子美術大学
日時：２０１９年11月29日
聞き手：日沼禎子

安藤祐輝（あんどう・ゆうき）
滋賀県立陶芸の森・創作研修課指導員としてアーティスト・イン・レジデンス事業を担当。
1988年　愛知県生まれ。
2014年　愛知教育大学大学院 芸術教育専攻美術科内容学領域修了。

2018年　安藤祐輝展（目黒陶芸館／三重県）
やきものの現在 土から成るかたち PartＸⅥ（ギャラリーヴォイス／岐阜県）
2019年　異界庭園（白鳥庭園／愛知県）

5

AIR の つくり方

AIRをはじめる、運営するにはどのような要素やプロセスが必要なのか。各AIRの固有性や継続性を保ちながら、時代の変化と共にどのようにプログラムを発展させればよいのか。

この章ではAIR運営において長いキャリアを持つディレクターによるQ&A、インタビューによるケーススタディを紹介する。

AIRをはじめるためのQ&A
S-AIRでの経験から

特定非営利活動法人 S-AIR 代表 柴田 尚

2022年現在、S-A-R（エスエア）創設から23年目となりました。1999年の実行委員会の創業時、事務局長でスタートした37歳の自分もとうとう還暦となりました。

思い起こせば、この事業のスタート前、個人的には人生のどん底状態でした。仕事もプライベートも全て行き詰まり。まあ、何をやってもダメ……完全な壁にぶち当たってしまいました。しかし、そんな最悪の状況の中で、ひとつだけ、新しく始めることになっていたアーティスト・イン・レジデンス事業の手続きだけが不思議と順調に進んでいました。しかし、まだそれは日本で始まったばかりで、数少ない公的機関を除けば、仕事としては成立していませんでした。

地元北海道では、本格的なA-R事業としては初めて。しかも、助成金は採ったもののボランティアの理事仲間以外のサポートもない。それでも、「これしかない」と判断し、再就職のための就活を止めて、A-R創業を中心にした生活を選択しました。それは新しい事業に胸躍る……というものではなく、真っ暗闇の中で、先の見えない分かれ道を選ぶような瞬間で、今でも、当時の緊張感を思い出すと体が震えるような選択でした。

つまり、AIRの創業は、「芸術家の滞在制作＋生活」の環境づくりだけでなく、自分にとっての「仕事＋生活」の環境づくり、人生の再スタートでもあったのです。

さて、よもやま話はこのくらいにして、このシンプルなようで、複雑な事業について解説するのは、けっこう難しい。ここでは、これまで受けたさまざまな質問をQ&Aとして例に挙げながら、自分が関わったAIRという仕事を振り返ってみます。そして、これからAIRをはじめたい人、運営に悩んでいる人たちへのヒントになればと思います。

Q アーティスト・イン・レジデンスとは何をする事業か？

A 一般には、「芸術家の滞在制作や調査に関わる事業です。」と答えています。「旅をつくる事業」とも言えるし、発祥地のヨーロッパでは「留学事業」、日本では近年、「まちづくりの事業」として拡張されています。

「制作環境を創る仕事」とは、「どうやって高いインスピレーションを得る環境を創るか」ということで、施設の空間や人間関係、衣食住全ての要素を含みます。アーティストのサポートをする仕事というのは、一般には特殊なことかもしれませんが、実は、全ての仕事にも通じる側面があると考えています。

Q 具体的には、どんな流れの仕事なのか？

A 団体や事業により、かなり違いがありますが、S-AIRの場合はだいたい次のような流れです。

1 アーティストの出迎え
2 宿泊先や制作アトリエなどを紹介
3 滞在先での生活の基本を伝授
4 興味のありそうな人物、土地、事柄を紹介
5 作品制作の補助
6 展覧会など発表機会の運営
7 アーティストの送り出し
8 記録集作成
9 次年度予算に向けた助成金の申請書、報告書の作成

Qどのようなビジネスモデルか？

A 経営の仕方は、団体や施設の方向性により、様々な形態があります。利用するアーティストからお金をもらってホテルのように運営する「セルフファンディング型」から、受け入れ側が主な費用を負担する「フルサポート型」、旅費はアーティストが負担し、宿泊費は受け入れ側が負担するというような「部分支援型」などがあります。

S-AIRは、2名の非常勤スタッフ、無償の理事が10人という極小の組織です。しかし、実はアーティストには最も手厚い「フルサポート型」を創業時から続けています。かつては、知名度が低かったので、手厚くしないとアーティストが参加しないのではと考えていた側面がありましたが、今日では、助成金を得ることが難しい、あるいは表現の自由がない地域からのアーティストに対しても平等に支援したいという気持ちを表明してもいます。それは、過去にこうした地域からのアーティストたちを支援した結果、後にブレイクしたという成功体験があるからです。

ある程度の部屋数を持つAIRの場合、稼働率を上げるためには、「セルフファンディング」を増やす必要があります。海外では何百とアトリエを持つ施設もありますが、その場合、料金がホテルよりも安いとか、他の作家たちと交流できる、地域やプログラムになんからの特徴があるなど、顧客としてのレジデントを惹きつける要素は必要かと思います。また、セルフファンディングだと、どうしても、裕福な国の作家に偏りがちになる側面はありますね。しかし、フルサポート型も助成金ありきの支援なので、一度招いた作家と継続的な関係を続けづらい、あるいは少人数しか対応できないなどの限界も多いのです。

Qどのような施設が必要か？

A AIR事業で見られる主な施設は下記の3つです。

1 宿泊場所
2 制作場所（アトリエ、スタジオなど）
3 発表場所（ギャラリーやステージ、あるいはそれに変わるもの）

1は絶対必要ですが、ホテルや民宿などを臨時に借りることも可能です。

2はアーティストによって、必要な環境が異なるので、予め、制作環境を相手に伝えておくといいでしょう。最近はコンピューターワークやリサーチのみ、あるいは発表場所で制作したいという場合も多く、必ずしも制作場所を構える必要がないとも考えられます。しかし、AIRのサポートとは、「何かを創りたくなる環境を整える事業」と解釈すれば、アトリエは、やはりこの事業の根幹の施設だと言えます。どんな作家を招くのかによって、条件が違うので、注意が必要。例えば、写真を手焼きしたいので暗室がほしいとか、ダンス系だとウッドフロアでないと膝に悪いとか言われたことがあります。

3の発表場所は運営組織が拠点を有するか否かにもよりますが、制作場所と同一の場合、外部のスペースをレンタルする場合など臨機応変に実施することが可能です。

尚、S-AIRは完全な民間組織ですが、用意できる資金の内容に合わせて、施設の組み合わせ方を工夫しながら、下記のように何度も拠点を変えています。

❶CAI現代芸術研究所（1999年春〜2000春）
アメリカンセンターのある札幌の高級住宅街に隣接。ほぼ新築の建物で、民間のギャラリー+アートスクールを運営。主に展示室と事務所として使用。宿泊とアトリエは、立地の離れた公共のアトリエハウスを利用。

❷第2三谷ビル（2000年春〜2001年春）
札幌市の都心に立地する60年代の古ビル。事務所として1年のみの使用だったが、後（2008年）にS-AIR展の会場にしたことがきっかけで、OYOYOというオルタナティブスペースが産まれる。

❸インタークロス・クリエイティブ・センター
（2001年春〜2013年春）
札幌市産業振興財団のクリエイティブビジネスのインキュベーションセンター。元教育研究所の再活用。創設から解体までの10年以上、事務所+スタジオ提供を受ける。宿泊は、市内民間のアパートを利用。

❹札幌卸センター（2013年春〜2017年秋）
札幌駅近郊の一等地にあった60年代からの古い倉庫群。再開発で解体。主に事務所として利用。アトリエ

や宿泊所、展示室は作品の内容に合わせて、民間の施設などを利用。

❺なえぼのアートスタジオ（2017年秋～現在）
札幌駅の隣、苗穂駅付近の元マネキン倉庫。目の前の苗穂機関区は鉄道ファンの聖地。主にアトリエと展示室、事務所などで使用。宿泊は公共のアトリエハウスやマンスリーマンションなどを利用。

現在のS-AIRは、運営コストの関係で、なるべく最小限の不動産しか持たない分散型AIR。現在、拠点を置くなえぼのアートスタジオは、約15名のアーティストが入居する共同アトリエですが、その一角に事務所兼スタジオ一室のみを構えています。展覧会場や大きな作品を制作する場合は、共用のフリースペースを申請して使用することができ、宿泊場所は外部に借りています。

三つの施設機能が一体型となった専用施設を持つのが理想ですが、その維持をするためのコストの確保など、拘束される面もあります。現在のスタイルは不安定ですが、柔軟で自由。また、他の施設や団体と連携して実施することにより、広がりを作ることができるという利点もあります。

札幌大通地下ギャラリー500m美術館での展示

Q 空き家があるのですが、使えませんか？

A よくある質問です。魅力ある空間であれば、S-AIRでも発表場所などに使用することもあります。

ご自身の資産活用として運営したい場合、特に利用客（アーティストなど）から使用料等を得て運営したい場合、地域の環境や建物、サポート体制、マーケット、料金などといった利用者にとって何か魅力があると良いでしょう。アーティストからすれば、世界中に数多く存在するAIRから選択することになるからです。

Q アーティストからのAIRへの問い合わせはどのようなものがありますか？

A 公募していなくても、滞在制作に関する問い合わせが常にあります。その中で奨学金などの金銭面の条件面の問い合わせ、自ら「セルフファンディング」するための施設側からの招へい状がもらえるかなど様々です。

Q AIRで働きたいのですが。

A これもとても多い問い合わせです。最近、S-AIRでは留学生や外国人からの問い合わせ、応募が増えてきました。S-AIRのような地方の民間AIRで、単年度助成金申請の割合が多い組織だと、年度始めにならないと状況が読めなかったりして、簡単ではないかもしれません。

それでも、タイミングが合えば可能かと思います。本当にAIRに興味あれば、諦めずにあちこち何度かリサーチしてみてください。経験を積んでいくと、芸術祭やアートセンター、国際的なNPOや財団など関連する職種へのキャリアアップするケースもあるかと思います。

Q 海外の交流先（エクスチェンジ）はどうやって見つけるのですか？

A これは、文化庁からの助成が交流事業（エクスチェンジ）も対象経費として認めるようになってから出てきた課題かもしれませんね。S-AIRが初期に協働していた札幌市産業振興財団は、「招へいよりも派遣」に興味があったので、初期から積極的にエクスチェンジ先を探していました。同業者や過去の滞在アーティスト（レジデント）を通じて探すと意外と見つかります。ただし、レジデントへの同様の資金面の補助を持つ相手となると、公的文化助成がある欧米の文化先進国などに偏りがちになります。しかし、S-AIRは、より広い国々との交流を目指して、それ以外のアジアの国々や旧共産圏とも交流してきました。ファンディングの仕方を工夫すると意外となんとかなる場合もあります。

さて、ＡＩＲに関するＱ＆Ａは、いかがでしたか。あくまで民間のS-AIRの自分の立場からの答え方ですので、公的なＡＩＲには当てはまらないところもあるかもしれません。けれども、アーティストは旅人。そのお世話に関しては、どの土地でも団体でも、基本は変わらないと思ったりします。

人生では時折、不思議なことが起こりますが、自分にとっては間違いなく、このＡＩＲ運営を始めたという選択が自分の人生を変えました。そして、今となれば、これはとても良い決断だったと思っています。

現在のなえぼのアートスタジオ。窓の見える二階窓際がS-AIR。

AIRをはじめる・育てる・つなぐ

日沼禎子

AIRをはじめる動機は、個人・団体によってそれぞれ異なるであろう。

ここでは「AIRをはじめてみたい」けれども「何からはじめてよいかわからない」という個人・団体へのガイドラインとして、ベテランのAIR運営者にとっては自己点検としてお読みいただきたいと思う。

なぜ、AIRではなくてはならないのか？

AIRは多くの文化活動、仕組みの中でも最も成果がみえにくい、あるいは成果が出るまでの時間を要することは本書でも解説してきた。それでもなお現在もAIRに取り組む組織やプロジェクトが増加傾向にあるのか。それは、AIRプログラムにおけるアーティストの創作活動の中にある「プロセス」に大きな魅力や意義を見出しているからではないだろうか。

AIRをはじめる前に、まず、組織のミッションを明確にし、「なぜAIRでなければならないのか」、「AIRが必要なのか」、「成果そのものよりもプロセスを重視できるか」、そして何よりもアーティスト、クリエイターのための仕組みであり、中長期の時間軸のなかで効果を生み出していくものであること（図1）を念頭に置き、その諸活動への最大限のリスペクトを持ちながら、事業目的、問題意識を明確にしていく必要があるだろう。

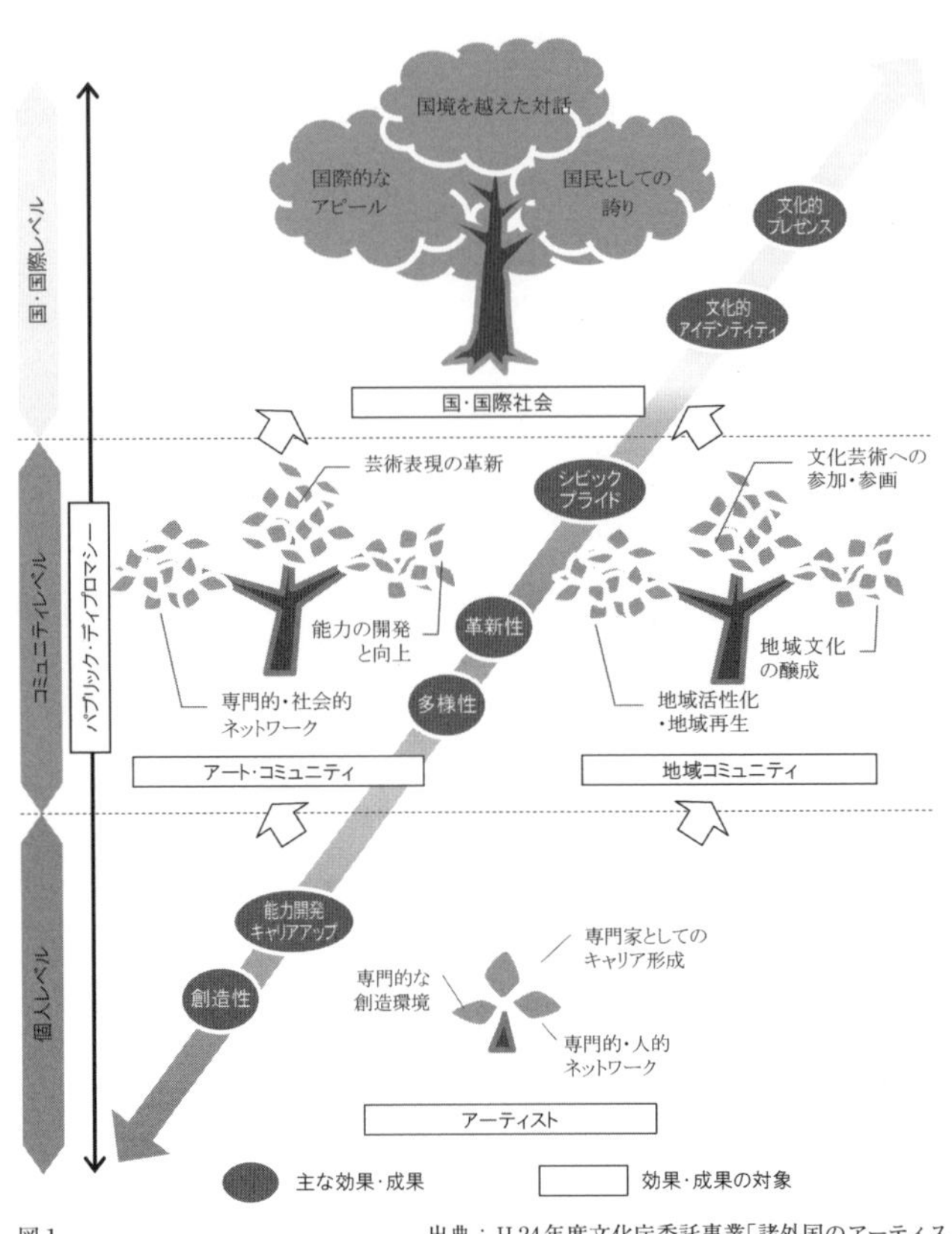

図1

出典：H 24年度文化庁委託事業「諸外国のアーティスト・イン・レジデンスについての調査研究事業」ニッセイ基礎研究所、2013年、9頁

AIRの目的は何か？

・アーティスト支援
・新しい芸術拠点形成
・アート、アーティスト・イニシアティブ
・まちづくり
・異文化交流
・ネットワーク形成
・教育

AIRを成立させる基本的な要素——「時間」・「場（空間・環境）」・「資源」

アーティスト・イン・レジデンスは「アーティストが滞在しながら創作活動を行う場」であることが大前提である。平成24年度「諸外国のアーティスト・イン・レジデンスについての調査研究事業」[1]では、「アーティスト・イン・レジデンスが提

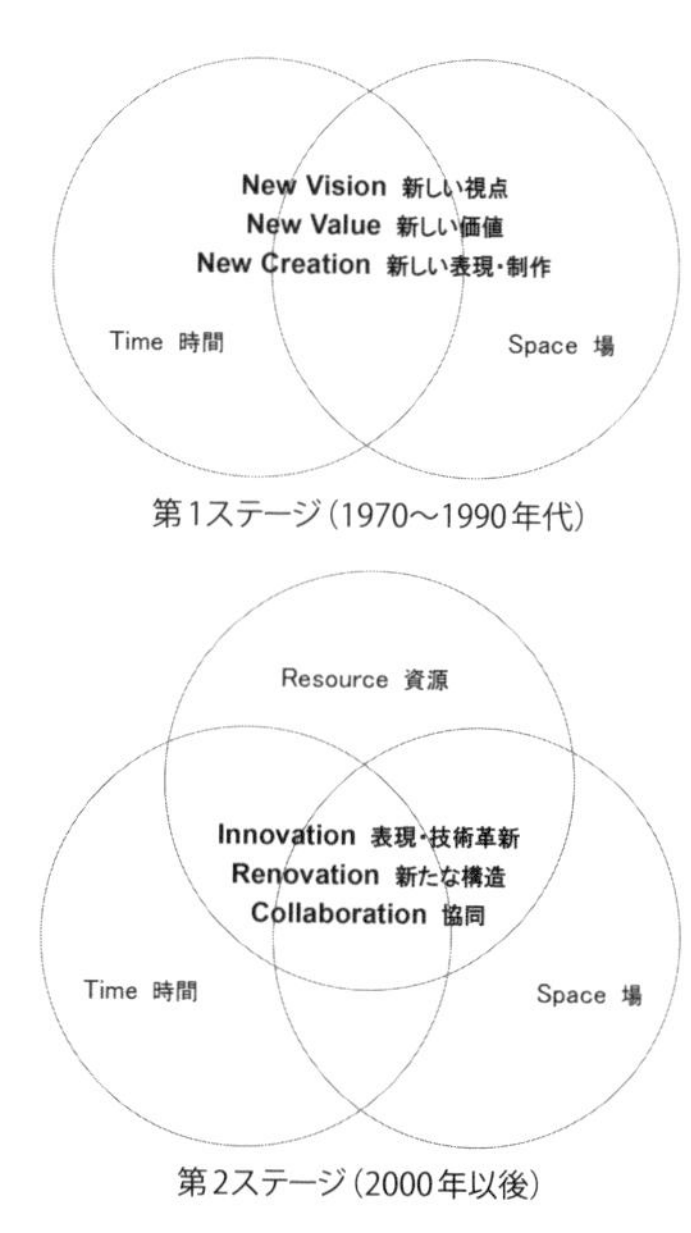

図2(上)・図3(下) アーティスト・イン・レジデンスが提供するものと期待される成果〜時代による変遷 出典:同前、12頁

供するものと期待される成果〜時代による変遷」の中で、「アーティスト・イン・レジデンスを成立させる基本的な要素は、『時間』と『場』である」(図2)としている。特に1970〜1990年代のアーティストが、サイトスペシフィック[2]な表現へ関心を寄せていたこととも連動していると考えられる。また、2000年代以後に開始された戦略的なプログラムとして「人・物・出来事などを含む『資源』を意識的に取り込むことによって、技術の革新、新たな構造、領域を横断する共同作業などが生まれている」(図3)と記述されており、そのことが、AIRの社会的意義を広げ始めているとしている。

AIRをはじめるには、運営者が標榜するAIRが提供できる「時間」・「場(空間)」・「資源」をどのように捉えるか考える必要がある。例えば「時間」については、リサーチの質・深さ、地域への介入の度合いなど、短期の旅行との差別化を図ること、また、ある一定の効果を出すためには、短期であっても最低1か月以上の滞在は必須である。「場」や「資源」においても、主催者の目的を達成し、アーティストにとっての成果はどのようなものかを考え、提供、設定する必要がある。

「時間」

・滞在期間(短期:1〜3か月/中期:3〜6か月/長期:6か月〜1年)
・季節、時期(春夏秋冬、祭事など地域文化に触れる機会等とのマッチング、等)
・施設利用時間(限定的か、24時間なのか、等)

「場(空間・環境)」

・滞在場所(専用施設、ホテルや民泊などの活用)

・制作および成果発表の場
・恒常的施設・拠点とするか
・テンポラリースペース（遊休施設、空きビル、旧校舎、倉庫など）を確保するか
・地域特性のある場、特異な環境はあるか

「資源」

・専門スタッフを含む適切な運営メンバーの配置
・地域のキーパーソン（リサーチ協力や資源提供、交流先）
・アーティストへの制作費や滞在費などの資金提供はあるか
・出来事、文脈（地域や場にまつわる文化的・地理的背景や環境）
・人的ネットワーク（美術館・ギャラリー・芸術祭・演劇祭などのディレクター、プレス関係、等）

AIRのプログラムを考える

AIRは前述のように「時間」・「場（空間）」という最もシンプルな要素を提供することで成立するが、ある目的を達成するための事業として成立させるためには、上記のような「資源」を取り入れた戦略的なプログラムを計画し、受け入れ条件を整備し、適切なマネジメントを行う必要がある。企画立案方法の基本である5W2H（2Hとは、「HOW」、「HOW MUCH」）に沿ってブレーンストーミング、整理をしていくと良いが、そこで重要なことは、その目的、問題意識を明確にすることだろう。また、繰り返しになるが、AIRがアーティストのための場であるならば、アーティストの目線、立場からプログラムを考えることを忘れてはならない。行政による運営や企業との連携により実施する際には、そのステークホルダーにとっての意義、目的と、アーティストにとってのAIRであることのバランスをどのようにもたらすかが重要となる。

5W2Hに沿いながら、目的、問題意識、目指す成果を明確にする

・誰（組織・個人）が企画・実施するのか、主催・共催は？
・なぜ実施するのか
・誰のためなのか（アーティスト、ステークホルダー）
・アーティストに何を提供するのか
・受け入れの諸条件は何か（成果発表、地域交流、広報活動）

・地域の文化資源は何か
・期待する成果、目標は何か
・単年度・単発事業か、継続事業なのか
・収支計画
・助成、協賛、協力

プロジェクトメンバーを組織する

プログラムを運営するためには、専門のスキル、経験を持つスタッフによる組織が望ましい。特に海外からのアーティストを対象とするためには、語学の素養も必要になる。また、表現の分野によっては工房等の設備を必要とするため、技術者、インストラクターなどの配置も考慮する。恒常的スタッフを配置できない場合には、プログラム、プロジェクト毎に委託契約をするケースもある。

プロジェクトメンバー

・プログラムディレクター
・キュレーター
・コーディネーター
・テクニカルスタッフ
・プロジェクトマネージャー
・アカウントマネージャー
・広報、渉外担当者

AIRを次世代につなぐために
——事業継続のために必要な評価

文化事業全般に言えることだが、成果や効果をもたらすには、ある一定の継続的な取り組みが必要である。そのためAIRプログラム終了後は、ある時点での達成目標を定めその度合いを測るなど、組織自ら評価を行う必要がある。AIRにおける事業評価は成果物のみならず、クリエイションのプロセスや交流の質を重視するため[3]、成果や効果を測るためには、定量評価と定性評価をバランス良く組み合わせると良いだろう。

ニッセイ基礎研究所による研究報告では、「アーティスト・イン・レジデンスの効果や成果は一元的に集約されるものではなく、多面的、多元的に顕在化する」とし、3つのベクトル「アーティスト」、「アート・コミュニティ」、「市民・地域」

に整理できるとしている(図4)。

そのため、各運営者自らがカスタマイズしたPDCAサイクル以外の評価軸を設定し成果を測ると良いだろう(図5)。

定量評価軸では、招へいアーティスト人数、参加国と数、交流プログラムや成果発表展・公演等の来場者数等、数値化できるデータを可能な限り収集し、定性評価軸では、プログラム終了後、アーティストおよびステークホルダー(市民、地域)へのアンケートの実施行うと良い。また、同業者間による「ピア・レビュー」を実施することも有効であろう。さらに、AIR同業者間のネットワーキングによってそれぞれの課題共有、評価に対する議論や評価軸の言語化をすることでAIR事業を可視化し、文化政策への提言などアドボカシーを行うことで、AIRに対する理解者、支援者が拡充され、持続可能な運営に繋がることが期待される。

注

1 『H24年度文化庁委託事業「諸外国のアーティスト・イン・レジデンスについての調査研究事業」』ニッセイ基礎研究所、2013年、12頁。https://www.bunka.go.jp/tokei_hakusho_shuppan/tokeichosa/pdf/artist_houkoku.pdf

2 特定の場所に帰属する作品やその場所の特性を活かした作品、性質、方法を指す。20世紀後半の芸術表現の拡張から、脱・美術館、インスタレーション、ランド・アート、パブリック・アート、パフォーマンスが展開され、オルタナティブの概念へと繋がっていった。

3 多くのAIRが招へい条件として展覧会、公演などの成果発表を求めるが、そこで発表される作品はいわゆるマスターピースとなるような完成度を求めるのではなく、あくまでプロセスやリサーチの質を見える化し、ステークホルダーと共有することを重視している。

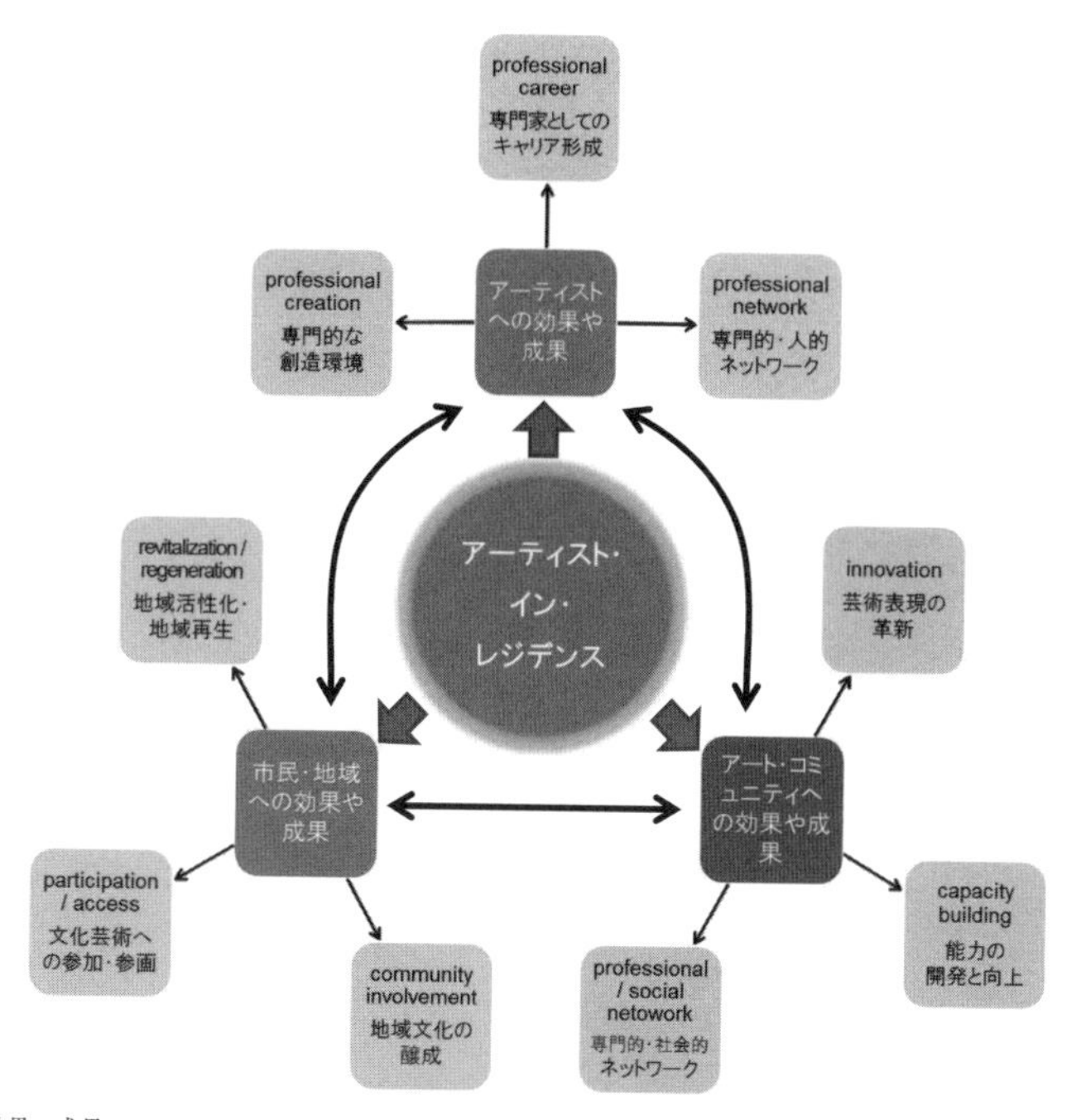

図4　AIRの効果、成果　　出典：同前、7頁

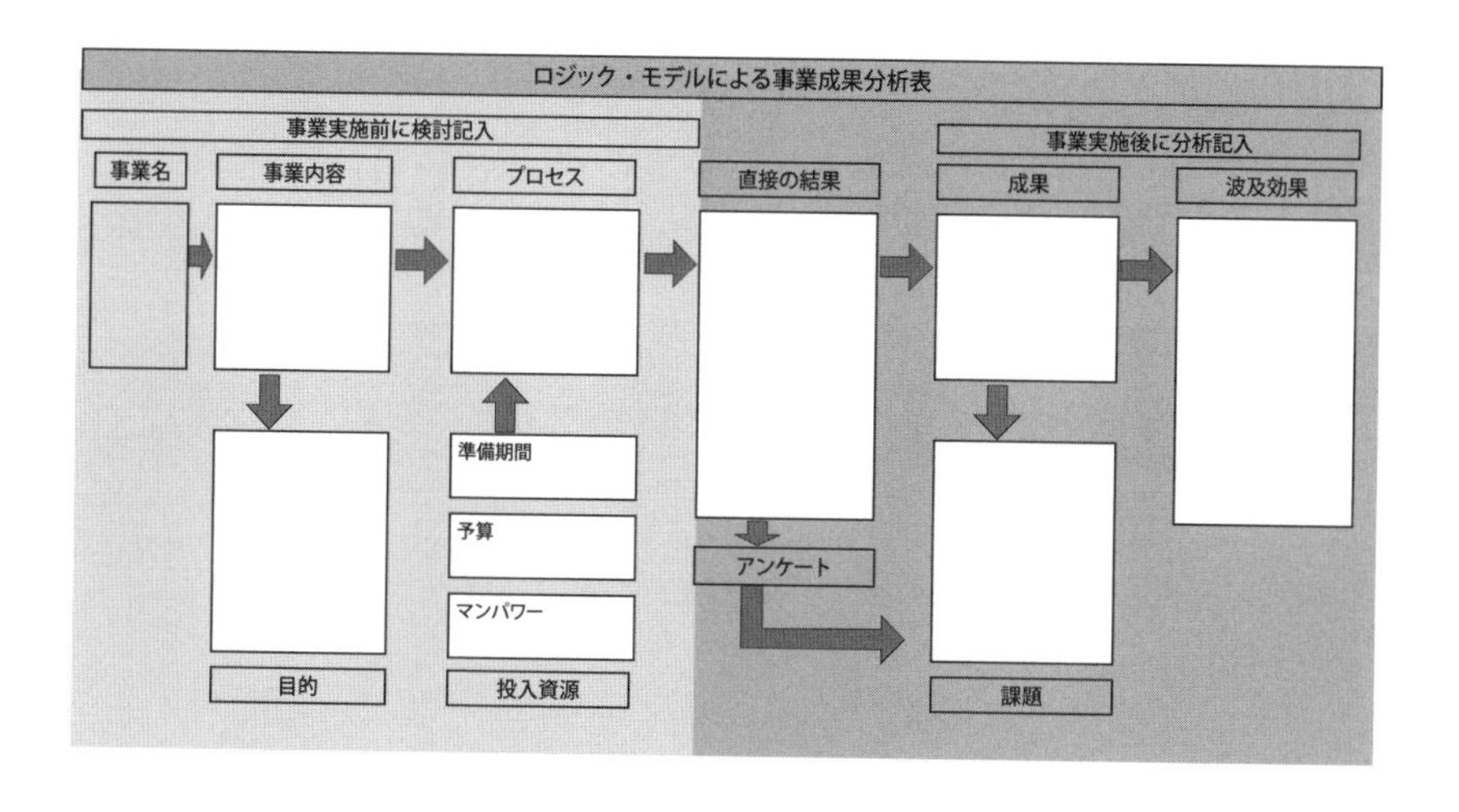

図5　自己評価の例：ロジック・モデルによる事業成果分析表　　資料提供：(公財)滋賀県立陶芸の森

COLUMN

国際木版画ラボ／河口湖アーティスト・イン・レジデンス

一般社団法人 産業人文学研究所代表理事 佐藤靖之

インタビュー聞き手：菅野幸子、日沼禎子

国際木版画ラボ／河口湖アーティスト・イン・レジデンス（MI-LAB Artist-in-Residence、以下「MI-LAB」）は、日本の伝統的表現・技術である「水性木版画」の研修を行うプログラムとして、多くの海外アーティストから支持され、国際的に高い評価を得ている。国内外の多くのAIRが、現代美術を中心としたアーティスト個人の自由な表現、リサーチの場を提供することを目的としている中で、MI-LABの独自性は、中長期の滞在によって、日本の伝統的な木版画制作にまつわる知識と技術を習得し、そこで得た経験と技術を各自の創作、教育活動に活用できるという明確なゴールが可視化されている点である。

これらのAIRを通した諸活動は、表現者の新たな創造を支えるだけではなく、国際会議の開催によるネットワークの形成と文化的価値の可視化、伝統文化の担い手の育成、和紙や道具などの素材を扱う産業の振興、素材から道具へ至るまで天然素材を使用するという自然環境への配慮など、世界規模での今日的課題である持続可能な社会へ向けた先駆的なプロジェクトでもあると言える。

初代ディレクター故・門田けい子氏[1]とともにMI-LAB

を運営してきた、産業人文学研究所代表理事である佐藤靖之氏にインタビューを行い、ＡＩＲ事業開始の経緯、問題意識、成果、今後の課題について話を伺った。

日本の文化を基盤としたプログラムの立案から海外との交流、国・自治体の地域文化振興政策とのつながり

――ＡＩＲを立ち上げた背景、問題意識はどのようなものだったでしょうか？

実は、初めからＡＩＲを実施しようとは考えていませんでした。１９９０年頃、日本の文化を基盤とした事業を行いたいと考えていました。アメリカでアートセンターの先進事例を調査しました。そこで水性木版の普及を目的に、１９９４年から淡路島で１週間のアーティストと摺師の協同制作ワークショップを行ったのですが、海外から見るだけでなく作り方を教えて欲しいという問い合わせが入るようになりました。しかし、作り方を教えるためには、長期滞在をしなければならないという課題が持ち上がり、当時の通産省、文化庁、国際交流基金など国の機関に相談したところ、「文化のまちづくり事業」[2]が始まるという情報を得ました。そこで１９９６年、当時の津名町（現淡路市）とともに実行委員会を組織して事業申請し採択されて、１９９７年に第１回のＡＩＲ事業（長沢アートパーク）が始まりました。加えて国際交流基金から事業委託を受け、合わせて１千万円ほどの予算を得て、それらの資金を元に古民家を借り上げ、滞在できるように設備を整えた上でＡＩＲを始めました。淡路島でのＡＩＲは建物の老朽化等により２００９年に終了し、その後、河口湖に拠点を移し「MI-LAB Artist in Residence」と改称し民間の事業として再開、現在に至ります。

研修を目的としたＡＩＲにより可視化されるそれぞれのゴール、成果

――研修プログラムの内容をおしえてください。

水性木版画の基本を学ぶ「ベーシック」、応用・周辺技法を学ぶ「アドバンス」、さらに上級の技術を学ぶ「アッパーアドバンス」という、内容がステップアップするプログラムを設けています。そのため、最初にベーシックで滞在し、翌年にアドバンスに参加して、より高度な技術を身に着けたり、指導者を目指したいという人たちがいます。

また、和本の製本技術を指導し、アーティストブック制作の技法として普及させていく取り組みを併せて行っています。

――プログラムには、どの国から何名ほど参加しておられるのでしょうか？

2019年までに229名のアーティストが参加しています。国別ではアメリカが最も多く、イギリス、カナダ、オーストラリア、ドイツ、アイルランド、オランダと続きます。地域としていうと、EUからの参加が多いです。現在は年間に5つのプログラムにつき1回35日間、6名のアーティスト（滞在場所の部屋数による上限）が参加しています。今、日本の政策はアジア諸国に目を向けた交流が多いのですが、日本の文化に強い関心を持つのはやはり欧米です。

――アーティストはどのようにしてプログラムの事を知るのでしょうか？

MI-LABに参加するアーティストは水性木版画を学ぶという目標を共有しています。そのため年代や地域を越えた人の繋がりが生まれています。このネットワークにより情報交換が行われています。約300名がネットワークされていて、大学の予算を利用して参加する教員や、スタジオを運営している方が多いので、そこで学んだ人たちが次

制作した屏風のプレゼンテーション
（2022年 Upper Advance Program）

のプログラムに申請して来日するケースも多くあります。また、日本人のアーティストで、海外の留学先で木版画を学び、指導者からＡＩＲを勧められて参加したという方もいました。また、資金があるアメリカの大学からは、サマーキャンプ[3]として教員が学生12名ほどを引率して東京や他の都市を回り日本に3か月ほど滞在しますが、そのプログラムの一環としてMI-LABでワークショップをする場合もあります。

海外のアーティストによる日本の文化的資産価値の再発見と伝播、国際会議開催への発展、ネットワークの重要性

――ＡＩＲへの参加アーティストは美術大学等の教育に携わる方が多いとお聞きしましたが、その理由、成果とはどのようなものでしょうか？

はじめは自分たちが持つ文化的資産にどのような価値があるのかということを、主催者である我々もまったく理解していなかったのです。しかし、木版画に対する関心はどのようなところにあるのかということが、徐々にわかるようになってきました。例えば、アーティストたちが、ＡＩＲを終えた帰国後に、研修の成果を元に特別授業を行っています。しかも、その方たちが大学の学部長クラスの方であれば影響力も大きく、木版画への関心がより高まるようです。気がつけば、大学で指導しているアーティストの割合が比較的高くなっていきました。また、欧州各地でスタジオを開いたアーティストから学んだ方たちも、一度は日本で学びたいと多くいらっしゃいます。そのような方たちのためのプラットフォームにもなっています。

――木版画国際会議の発足の背景は？

実は、イギリスやアメリカを中心に海外では、毎年版画に関する国際会議が行われており、さまざまな版種を対象としています。そのため、木版画に特化した国際会議を日本で行って欲しいという要望が寄せられるようになり、２０１１年に第一回目の「国際木版画会議」を実施

しました。

その後、2017年に、これまでの取り組みをまとめるため、海外のアーティストにアンケートを実施しました。その結果から、現在の状況についていくつかわかったことがありました。例えば、木版画をテーマに博士号をとった方が6名、大学教員になった方が39名、AIRを運営している方が67名、指導書を出版している方が6名いらっしゃいました。例えば博士号のデータベースを検索すると、日本で木版画をテーマにした博士号を取っている人は約10名いらっしゃるのですが、ほとんどが海外からの留学生です。日本人にとって当たり前すぎて目を向けないことに、海外の人たちは価値を見出し、学術研究の対象としている。国際会議の場では、日本に滞在してどのようなイメージやインスピレーションをもらってこの作品を制作したのかということが発表されます。文化的な文脈の違いに対して、とても関心が高いのです。けれども日本の中で仕事をしている人たちは、海外の人たちがどのようなことに関心を持って、それが何であるのかをあまりわかっていないのではないでしょうか。

道具の説明風景(2022年 Basic Training Program)

また、ネットワークでいえば、木版画の国際会議にいつも参加している7～8名の女性アーティストがグループを結成し「Mokuhanga sisters」と名付けて、大規模なグループ展を行ったり、アメリカの大学で巡回展を実施したり、積極的に活動しています。また、第4回国際木版画会議で論旨発表をオンライン形式で行ったのがきっかけとなり、4か月に一度アメリカ、ヨーロッパ、アジアが持ち回りでホストになって活動を報告しあう「Mokuhanga Talks」を行なっています。Zoomで世界中をつないでおしゃべりをすることで。自立的にみなさんの活動が繋がってきています。

文化資産を深堀りし、その価値をどのように

伝えていくか、要請に応えていくのか

——自国の文化の価値に対する認識を深め、伝えるために必要なものとはなんでしょうか？

例えば、海外のアーティストは「木版画って何？」という、とても素朴な質問をします。木版画というと「浮世絵」をすぐに思い浮かべると思いますよね。その質問に対し、職人さんは「親方から教わった技法を教えています」と、アーティストは「自分はこういう作品を作っているからこの技法を扱っています」とそれぞれおっしゃり、アーティストの素朴な疑問には答えることができていないのです。

そこで日本の木版画を学びたい人たちに対して何を提供すればよいのかということをみんなでディスカッションして、そこで学んだ人が次の指導に入っていくという仕組みを作りました。その時の「伝統的技術を携えて海外を目指すインストラクター養成講座」に参加した4名が、現在のＡＩＲのインストラクターを担っています。

年齢的に30歳前後で、大学を卒業して独り立ちしようともがいているような、ちょうど学び直しの時期にいるアーティストたちを対象に募集しました。２０１７年に実施したプログラムには４名の応募がありました。はじめてロシアからの参加者が来ていた年で、翌年の１月にモスクワを拠点にしている日本人がショートワークショップに参加して、その年はロシアにおける日本年だという話になり、２０１８年秋にインストラクター養成講座の受講者をモスクワに派遣をし、モスクワで展覧会・ワークショップを実施しました。

こういう繋がりはとても面白いですね。インストラクターの仕事はアーティストにとっては収入源になりますし、プログラムが１年前に決定しますから、その後の自分の計画を立てることができます。アーティストたちにとっては、作品を売ったり、海外

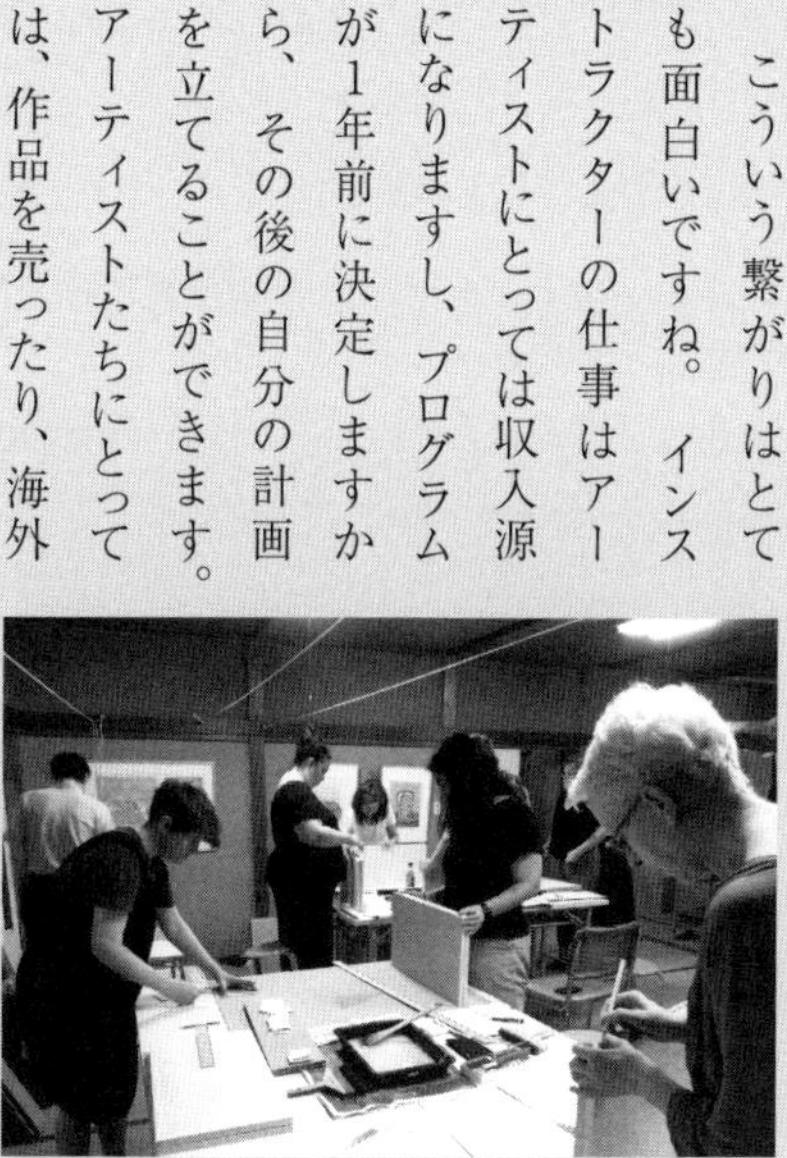

屏風製作風景（2019年 Upper Advance Program）

から来たアーティストたちに水性木版画の指導をすることで収入を得る場所ともなるのです。

また、養成講座で具体化できなかった英語による動画を用いた技術指導書を、コロナ禍の給付金を活用して『MI-LAB Mokuhanga Handbook for Contemporary Artists』を作成し、ウェブ販売を始めました。

海外のアーティストの素朴な疑問に応えるため、どこにバックボーンを求めたらよいのか、あるマスタープリンター（摺り師）に相談した時、「木版画の基礎となるのは『書誌学』だよ」とおっしゃいました。例えばヨーロッパで活字印刷技術の発明者としてグーテンベルクがいますよね。さらに、中国で最初に「紙」が発明されて、ヨーロッパに伝わるまで1300年ぐらいかかっている。そういう時間の中で日本にも古代中国から伝播して来る。

現存する世界最古の印刷物は「百万塔陀羅尼」[4]といわれています。ですから、最初のお経は僧侶が摺っています。アーティストはそれぞれ大学で版画を学んでいるのです。おそらく江戸時代の浮世絵ぐらいから学びが始まって、あまりこういう事を意識していないとは思いますが、どこかで教わっているのだろうけれども忘れてしまっているのかもしれません。

古典籍書誌学の巻子本、折本、屏風、掛軸などがあり、書かれている内容によって本の形態が決まっていて、奈良時代から江戸の末まで1200年も続きました。中国や朝鮮は王朝が変わると一度文化をこわしてしまうのですが、日本では1200年間継続していて70万冊以上も残っていて、現在デジタル技術によりデータベース化されています。ここに使われている道具や技法、素材が現在でも残っています。

例えば、屏風や軸などを作る際の「裏打ち」という技法があり、正麩糊を使います。100年ぐらい経った後でも解体して修復できるようにするために、剥がしやすい糊を使用するのです。海外のアーティスト

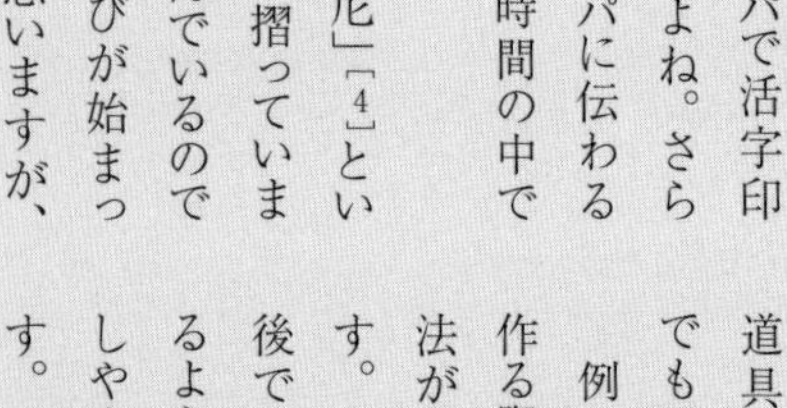

古典籍（和本）のさまざま

MI-LAB研修の資料より。日本の木版画の背景を書誌学に辿る。

からは「なぜ化学糊を使わないのか?」と聞かれた際には、このように説明をします。さらに、「それを証明することはできるのか?」と聞かれると、「一千年以上もこの技法を使っているから」と説明すると、みんな納得しますし、海外の美術館や博物館でも修復する際には和紙を使っていますよね。このことは、つまり、環境に優しいということも証明できるのです。

AIRでは和本の作り方も教えます。いろいろなプロセスがありますが、日本的合理性で職人さんの仕事にはすべて無駄がありません。このように、水性木版というものを通して、「書誌学」に背景を求めていくことで、さまざまな可能性が見えて来ました。

次世代の担い手の育成
持続可能なプログラムのために必要なことは何か

――これまでの運営でご苦労されたこと、困難であったことなどをお聞かせ下さい。

最初は恐々と始めて、海外の方たちから要請があって、いろいろ学ばせていただいて、展開していくことができましたが、やはり一番は資金的な問題です。AIRプログラムへの参加費だけでは運営は厳しく、助成金の獲得を続けて行くことも難しくなっています。参加費を上げればよいのかもしれませんが、大学からの予算には限りがありますし、個人で参加するアーティストにもあまり大きな負担をかけるわけにはいきません。なぜ、アーティストが自己負担をしてもこのAIRプログラムに参加するのかという理由は、ここでの学びをもとに帰国後にスタジオを開くなど、自分への投資としているからです。

例えば国からのコロナ禍における補助金で「ARTS for the Future!」[5]という支援事業がありましたが、入場料などの収入を得るものが対象となっていました。また、そうした行政からの補助事業は非営利活動法人を対象としている一方で、収入を得ることが条件であるなど、矛盾があります。現在、我々は一般社団法人として運営していますが、非営利活動は銀行の融資の対象になりません。そのような資金面での運営課題があります。

――AIRの運営を持続可能なものとするにはどのような取り組みが必要だとお考えですか？　また、これからの可能性はどこにあると思われますか？

我々はたまたま木版画に取り組んで来たので、このような経験をしましたが、このようなことにもっと着目すれば、長期滞在できる仕組みや環境を持っているAIRの役割は大きいと考えます。

現在のAIRの状況を見ますと、現代美術を対象としているところが多いですよね。現代美術は文化のグローバル化ですから、どこでも成立するのです。現状の日本のAIRでは、国や自治体が予算を持ってプログラムを運営し、アーティストを招へいします。そうすることでプログラムが成り立ってしまいますので、自分たちの文化的資産を自らが深掘りすることができなくなるのではないでしょうか。日本の特性に合わせたものは、日本に来ないと体験できないし、ここに来なければ道具も手に入らない。そうすると、海外に対する道具や素材の需要、輸出も増えてきています。そういう相乗効果をどのように担っていくのか。国際会議やワークショップを行う際に、和紙の産地やメーカーが協賛してくださるようになりました。そのことが、一緒に20年間をかけて培って来た成果なのだと思います。

江戸時代の地域産業に根ざした日本各地の文化、AIRを発展させるために

現在日本各地にある文化は、いわゆる江戸時代からの地域産業の上に成り立っています。日本人が文化的に培って来た価値を、海外人の目にどのように触れさせれば、その価値を拡大できるかを知り、伝えることができれば、日本の文化的資産を発展させ、より付加価値の高いものにすることができます。それができる場所が、おそらくAIRという社会装置なのだと思います。江戸時代に300諸藩が切磋琢磨したように、AIRが各地でできているということはとても良いことだと思うのですが、その存在や価値をどうやって見える化できるのか、フォーカスしていったら良いのだと思います。

例えば（裏打ちでの）糊の使い方など、その特徴はどこから始まったのか？ということは、正確にわからないのです。けれども、書誌学の専門家の方によれば「それこそが日本の文化なのだ」と。欧州の文化は始まりがはっきりしていて、何においても、誰がいつどうやって、どのように考えて、どのように発展して来たのかというリニアな歴史があります。でも、日本はそれが無い、というのが日本の文化的特徴だとおっしゃるのです。例えば、ラーメンの多様なレシピやコンビニの品揃えなど何でこんなに豊富にあるの？だとか、気がついたらそうなっていた、ということが多くある。それは、日本のAIRはどのように始まったのか、ということと一緒ですよね。気がついたら始まっていたというように。それが日本の社会の特徴ではないでしょうか。海外の人たちがみると、そのことがとても不思議に思えるし、そこからいろいろな関心が高まっていくのです。

また、現在、コロナ禍なので難しいですが、AIRの滞在期間中に国内旅行に行く人たちもいます。東京で1週間のショートプログラムを実施した際に親子で滞在して、あわせて国内旅行もするような人たちがいます。一般の観光客とは違う、AIRを活用した贅沢な旅行ですよね。

――今後の取り組みについてお聞かせください。

今後、私たちの運営の仕方を変えて行きたいと考えています。僕は門田と一緒に始めて、自分たちのやりやすいように運営をしてきましたが、ほかの人に繋いで行った時にその人でも運営しやすいような仕組みづくりをしていきたい。AIRは生活なので、生活を支えるということがとても大事です。特に地方で交通の便が悪かったり、周囲に商店が少なかったりすると、買い物や食事のタイミングなどもありますよね。今はお弁当を届けてもらったり、毎夕食に専属シェフが来てくれて、寿司を握ったり、天ぷらも一人一人揚げてくださいます。

また、新しい取り組みとして、2023年の3月から奈良で水性木版画のAIRが始まります。それに合わせて、関西在住の木版画インストラクターを公募することになっています。2017年のハワイでの国際会議を終えて

帰国して、すぐに文化庁で会議がありました。その際に、次は奈良で国際会議を実施する予定であるということをお話ししましたら、その会議の後に、実は奈良の春日大社の350年前に建てられた神官たちの住宅があるのだけれども、それを修復して有形登録文化財にしてアート関係の仕事をしたい、という人がいらっしゃるというのです。そして、その方に奈良での国際会議に協力いただき、現在、業務提携契約を交わして進めています。このような繋がりも生まれているのです。また、次回の国際会議は2024年の4月に越前で開催予定です。

注

1 1997年から2009年の13年間にわたり、兵庫県淡路島の長沢アートパーク(NAP)、水彩多色摺り木版画協同制作プログラム並びに2011年から始まった国際木版画ラボ(MI-LAB)でディレクターを務め、国内外の多くのアーティストの育成・支援を行った。2017年逝去。

2 文化庁が策定した「地域における文化振興のための施策」により、同年組織改編を行い「地域文化振興課」(現在の地域創生本部）を設置し、その所管業務として、1996年「文化のまちづくり事業」、1997年「アーティスト・イン・レジデンス」を開始した。

3 海外の大学の夏休みに合わせて6月に実施。和本制作を中心としたワークショップや日本の学生たちとのコラボレーション、和紙の産地の見学等を行う。これまでカンザス大学、プリンストン大学、ロードアイランド・スクール・オブ・デザイン等が参加。

4 奈良時代（8世紀）に、教文を収めた塔を百万基作成し、奈良の大安寺、東大寺、元興寺、西大寺、薬師寺、興福寺、法隆寺、川原寺、大阪の四天王寺、滋賀の崇福寺の各お寺に十万基ずつ納められた。

5 文化庁による支援事業（コロナ禍を乗り越えるための文化芸術活動の充実支援事業）。2021年1月開始、2022年3月で終了。新型コロナウィルスにより、文化芸術活動の自粛を余儀なくされた文化芸術関係団体において、感染対策を十分に実施した上で、積極的に公演等を開催し、文化芸術振興の幅広い担い手を巻き込みつつ、「新たな日常」ウイズコロナ時代における新しい文化芸術活動のイノベーションを図るとともに、活動の持続可能性の強化に資する取り組みを支援。

佐藤靖之（さとう・やすゆき）
一般社団法人 産業人文学研究所代表理事。21世紀のライフスタイルを研究、調査、デザインする研究機関として産業人文学研究所（Center for the Science of Human Endeavor［CfSHE］）を1996年創設。（2004年法人化。）MI-LAB Artist in Residence主宰。木版画国際会議を運営する特定非営利活動法人 国際木版画協会日本委員会 理事長。

おわりに

本書の冒頭に、「これからのＡＩＲのさらなる発展に向けた長い道のりへの『最初の一歩』となること」を目指して刊行することを記したが、これを契機として、ＡＩＲの意義、価値について、この本を手に取っていただいた読者の方々に少しでも伝わることができれば幸いである。

本書には、２０１８（平成30）年から２０２１（令和３）年までの３か年にわたって実施した文化庁との共同研究「新たな文化芸術の創造を支える活動支援および人材育成のためのプラットフォーム形成研究」の成果も一部含まれている。本書の出版に当たって、多くの読者と共有したく、文化庁から許諾を得て、転載させていただいた。そして、この研究を通じて顕在化した課題の一つが、わが国において、ＡＩＲの価値、意義をどのように、より多くの関係者や読者に伝えていくかということであった。この課題に対して、ＡＩＲの意義や価値を伝えるべく、国内外のＡＩＲに関わる仲間たちが賛同して、この本が誕生する運びとなったことは記しておきたい。

ＡＩＲは勢いを持って内外において発展してきている。しかし、本書でも言及してきたことだが、ＡＩＲは、「過程」を重視するプログラムであるがために、評価や成果を測ることが困難だとしばしば指摘される。また、本書の内容からもご理解いただいたように、多様な事業形態であるため、美術館や劇場、あるいは展覧会や公演といった統一したフォーマットがある訳ではなく、確固たる制度としてはなかなか確立しにくく、分かりにくい事業とも言われる。

さらに、ＡＩＲの運営者には学芸員といった資格が必要な訳ではないものの、学芸員、コミュニケーター、通訳、リサーチャーといった多様な能力が必要とされているのだが、こうした役割の重要性も十分に理解されてはいない。ＡＩＲの現場に携わる多くの運営者たちは、この現実を理解し、真摯にアーティストや地域の人々に伴走し、橋渡しし、創造の世界を支えている。

現在、日本のＡＩＲの現場はアーティスト、運営者、地域の受け手を含む相互の「信頼」によって成立してきている。信頼の循環によってその基盤が保たれている。しかし、この信頼関係は、時として非常に脆弱にもなりかねない不安定要因の上に成り立っている。それゆえ、アートの世界において、ＡＩＲがアーティストのキャリア形成の場として、日本の地域を世界とつなげていく制度として、さらなる基盤整備を図る必要があるということでもある。

ＡＩＲに関する議論は、始まったばかりでもある。今後、本書を契機として、さらなる議論の輪を広げ、深めていく必要があることも確かである。筆者たちも、さらなる議論や研究を深め、また制度化に向けて活動を進展させていきたいと考えている。

今まで、こうしたＡＩＲの現場に携わる人々の声を伝える機会はあまりなかった。ＡＩＲの運営者、ＡＩＲに参加した経験のあるアーティスト、その双方に携わっている者、あるいは研究者など、多様な立場、視座からＡＩＲにアプローチすることを目指したのだが、結果的に、ＡＩＲの最前線を走る執筆者の方々にご快諾を頂くことが出来たのは、望外の喜びであった。どの執筆者も、現場を運営しつつ、また、表現者として表現しつつ、時間を削りだして執筆してくださったこと、インタビューに応えてくださったことに、心より感謝申し上げたい。

また、美学出版の黒田結花さんには、出版をあきらめかけていた私たちを最後まで励まし、編集者としても伴走してくださり、素晴らしい本に仕上げてくださったことは記してお礼を申し上げる。

なお、本書の刊行にあたっては、２０２２年度女子美術大学出版助成を受けた。

菅野幸子
日沼禎子

AIR データ集

本書で紹介したAIRを中心に、国内外のAIR、AIRネットワーク組織および関連Webサイト、研究資料を紹介する。

各ネットワーク組織では、アーティストたちの創作活動を支えるため必要不可欠な情報発信（AIRプログラムデータベース、公募情報、助成情報、アーティクル等）を中心に、対面によるネットワーク会議、研究会の開催などの活動を行っている。

日本国内で発行されているデジタル版による研究報告書、レポートからは、本書では詳細を記載できなかったCOVID-19によるパンデミック禍のAIRの状況の調査報告等を参照できる。

また、年表ではAIRの歩みを概観してほしい。

AIR一覧

国内 ＊50音順

アーカスプロジェクト［茨城県］

https://www.arcus-project.com/

〒302-0101 茨城県守谷市板戸井2418もりや学びの里内

1994年に、元小学校の校舎を転用した守谷市の生涯学習施設「もりや学びの里」を活用した「アーカススタジオ」を拠点に、茨城県が主催し開始されたAIR。現在は実行委員会により運営。国際的に活動するアーティストが滞在制作を行う「アーティスト・イン・レジデンスプログラム」と、地域の人が主体となって関われる場づくりやワークショップ等の「地域プログラム」を展開している。

A-iRK（Artist in Residence Kobe）［兵庫県］

https://www.facebook.com/airk.kobe/

〒650-0002 神戸市中央区北野町4-16-7

神戸市の通称異人館街として知られる多様な国籍の人々が居住する北野に2022年に誕生したAIR。神戸市内の文化施設と連携しながら、多様な場で活躍する人々が共同して運営している。発案者は、俳優でダンサーの森山未來さん。

アーティスト・イン・レジデンス山梨（AIRY）［山梨県］

http://air-y.net/

〒400-0031 山梨県甲府市丸の内2-37-2

アーティストの坂本泉によるアーティストランAIR。個人経営の産婦人科医院の建物を借り受け、2009年よりAIR施設を開設。宿泊施設、スタジオ、ギャラリースペースを有し、国内外のアーティストによる滞在制作および地域におけるワークショップ、ネットワーキングの支援を行う。

アートスタジオ五日市レジデンス事業［東京都］

https://www.city.akiruno.tokyo.jp/category/14-3-12-0-0.html

〒197-0814 東京都あきる野市二宮350 あきる野市教育委員会

1993年、多摩地域の東京都移管100周年記念事業として「TAMAらいふ21」が開催される。日の出町、五日市町（現・あきる野市）、八王子市、町田市の4市町にスタジオと宿泊設備を整えた施設が建設され、石彫、版画、織物、陶芸を対象とする各レジデンスに、国内外のアーティストを招へいした。現在は「アートスタジオ五日市レジデンス事業」（あきる野市）として版画を対象にしたプログラムを継続。

ICA京都［京都府］

https://icakyoto.art/

〒606-8271 京都市左京区北白川瓜生山2-116

伝統文化が深く根付いた古都・京都をグローバルな現代芸術の動向と呼応させ、共に新しい価値を創出するための開かれたプラットフォームとして機能。京都を中心とした関西地方から、世界各地のAIR滞在を希望するアーティストを支援。地域別のレジデンス・プログラムの概要、滞在条件、締め切り等についてまとめたディレクトリーや具体的な体験談などをウェブサイトで公開している。

青森公立大学 国際芸術センター青森［青森県］

https://acac-aomori.jp

〒030-0134 青森県青森市大字合子沢字山崎152-6

八甲田山麓のダイナミックな自然と特徴的な建築が生み出す環境を活かし、AIR、展覧会、教育普及の3つの柱で、現代芸術の多様なプログラムを発信するアートセンター。青森市市制100周年記念事業として設立され、2001年12月に開館。

秋吉台国際芸術村［山口県］
https://aiav.jp/
〒754-0511 山口県美祢市秋芳町秋吉50
世界に開かれた芸術文化の創造と発信の場として、音楽、美術、ダンス、演劇など幅広い芸術文化活動に対応できる滞在型芸術文化施設。AIRやセミナー・ワークショップ事業のほか、国内外の関係団体との連携プログラムや地域に密着したプログラム、さらには滞在者と地域との交流事業などを展開している。

特定非営利活動法人Anewal Gallery［京都府］
https://gallery.anewal.net/
〒606-8392 京都市上京区上天神町630 興聖寺山門内 青松院勝手口
元錦糸問屋だった築120年の京町家を自らで設計・改修を行い、母屋の一階をギャラリーとして開放、アート・デザインの領域・可能性の再検証を目的としてディレクター・デザイナー・アーティスト・学生を中心に運営されている。

いわてアートサポートセンター（WATE AIR/AIR）［岩手県］
https://iwate-arts.jp/
〒020-0874 岩手県盛岡市南大通一丁目15-7 盛岡南大通ビル3階
岩手県内をフィールドとするAIR事業。文化施設運営、文化芸術の活動支援事業及び調査研究を通じて、県内の文化芸術・まちづくり・教育の活性化を図り、創造的な地域文化・コミュニティの形成を目指す。

ヴィラ鴨川［京都府］
https://www.goethe.de/ins/jp/ja/sta/kyo.html?wt_sc=villa-kamogawa_ja
〒606-8305 京都市左京区吉田河原町19-3
ドイツの国際文化交流機関であるゲーテ・インスティトゥートによって運営されているAIR施設。ドイツを拠点に活躍する芸術家を3か月間招へいし、日本に滞在しながら創作活動を行う機会を提供している。ヴィラ九条山や国内のAIR団体とも連携し、多彩なプログラムを実施している。

ヴィラ九条山［京都府］
https://www.villakujoyama.jp/ja/
〒607-8492 京都市山科区日ノ岡夷谷町17-22
1992年に設立され、アンスティチュ・フランセ日本がそのパリ本部と連携して運営に当たっている。日仏交流の拠点として、現代芸術創作や人文社会科学研究など、幅広い領域にわたりフランスから派遣されたアーティストや研究者を、これまで400人以上受け入れている。

Air Onomichi［広島県］
http://aironomichi.blogspot.com/
〒722-0033 広島県尾道市東土堂町2-1 AIR Onomichi実行委員会
2007年より、アーティストの制作現場をつくることを目的にプロジェクトをスタート。2年に一度、国内外のアーティストが尾道市内の空き家で長期間滞在制作できる環境を提供している。2009年からは、遊休施設であった光明寺會舘をリノベーションし、拠点施設として活用している。

AIR 3331（岩本町レジデンス＆スタジオ）［東京都］
https://residence.3331.jp/about/
〒101-0032 東京都千代田区岩本町3-6-8
3331 Arts Chiyodaは、2010年に旧千代田区立練成中学校を改修して誕生したアートセンター。現代アートに限らず、建築やデザイン、身体表現から地域の歴史・文化まで、多彩な展覧会やイベント、ワークショップなど年間を通じて開催してきたが、2023年3月末に閉館。しかし、AIR 3331は継続して実施されている。

AIT Residency［東京都］
https://www.ai-t.net/
〒150-0033 東京都渋谷区猿楽町30-8 ツインビル代官山 B-403
特定非営利活動法人 アーツイニシアティヴトウキョウ（AIT）は2001年、現代アートに興味がある誰もが学び、対話し、思考するプラットフォームづくりを目指している。2003年よりAIRプログラムを実施。IASPIS、Backers Foundation、モンドリアン財団など国内外の文化機関や財団との協働を通じて、多領域で活動するアーティスト、研究者の招へい及び派遣を行い、知識と経験を共有する国際交流の場を創出している。

NPO S-AIR〔北海道〕
https://s-air.org/
〒060-0032 札幌市中央区北2条東15丁目26-28
1999年、札幌拠点に活動する芸術関係者やまちづくり関係者などの民間の有志により立ち上げられ、その後、文化庁の助成を得て本格的に開始された。北海道で最初のAIRとして、道内のAIR事業を牽引してきている。インディペンダントな民間組織として、事務所やアトリエ、宿舎などの拠点や展示会場もフレキシブルに変化させる分散型フローティングスタイルのレジデンスを展開している。

LLOVE HOUSE Onomichi〔広島県〕
http://llovehouse.org/
〒722-0033 広島県尾道市東土堂町8-28
建築家の長坂常がオランダのアートディレクターであるスザンヌ・オクセナールの協力を得て、尾道市に創立したAIR。オランダ大使館は6人のアーティストをオランダから招へいしてLLOVE HOUSEに滞在させるべく運営組織と提携し、資金援助も行った。

オーストラリア・ハウス〔新潟県〕
https://japan.embassy.gov.au/tkyojapanese/aus_house_jp.html
〒942-1342 新潟県十日町市浦田7577
オーストラリア政府は、大地の芸術祭の「人間は自然に内包される」という理念に共感し、2000年の第1回以来、毎回芸術祭に参加しており、日豪交流の拠点として、2009年にオーストラリア・ハウスが誕生。以来、交流事業とともにオーストラリア人アーティストのAIRも実施されている。

黄金町エリアマネジメントセンター〔神奈川県〕
https://koganecho.net/
〒231-0054 横浜市中区黄金町1-4先 高架下スタジオSite-B
国内外のアーティストや工芸家、デザイナー、建築家など、様々な分野で活動する人を対象としたAIRプログラム。まちと一体化した環境で滞在や制作発表ができることが特徴。小規模の空き店舗や京急線高架下の文化芸術スタジオを活用した複数のスタジオが地域コミュニティの中に散在しており、同時に滞在する多数のアーティスト同士が刺激的な環境で制作を行うことができる。

公益財団法人大原美術館ARKO (Artist in Residence Kurashiki)〔岡山県〕
https://www.facebook.com/ohara.arko/?locale=ja_JP
〒710-8575 岡山県倉敷市中央1-1-15
「若手作家の支援」「大原美術館の礎を築いた洋画家・児島虎次郎の旧アトリエ・無為村荘の活用」「倉敷からの発信」の3点を機軸として、滞在制作と、完成作の大原美術館での公開を実施。毎年1名のアーティストを招へいし、アーティストが一定期間、無為村荘のアトリエで滞在制作を行っている。招へい期間終了後、完成作を大原美術館にて展示。また、記録集を作成、美術館などに配布している。

Omnicent〔福岡県〕
https://omnicent.org/
〒839-1333 福岡県うきは市吉井町富永2242
福岡を中心に熊本、東京などでフリーランスの通訳・翻訳者として活動する馬場亮子が、うきは市とその周辺に、豊かな伝統産業と多くの職人が存在することから、工芸に焦点を当て創設したAIR。

神山アーティスト・イン・レジデンス（KAIR）実行委員会［徳島県］
https://www.in-kamiyama.jp/art/kAIR/
〒771-3310 徳島県名西郡神山町神領字中津132 神山町農村環境改善センター内
1999年から開始されたAIR。毎年8月末から約2か月余りの期間、日本国内及び海外から3名~5名のアーティストが神山町に滞在し、作品を制作してきた。現在は、毎年10月下旬から作品展覧会を開催。アーティストは地域住民が選考している。

城崎国際アートセンター［兵庫県］
http://kiac.jp/
〒669-6101 兵庫県豊岡市城崎町湯島1062
豊岡市が運営する舞台芸術を中心とした芸術活動のための滞在制作を行うアートセンター。関西有数の温泉街である城崎温泉に建てられた旧・城崎大会議館を改修し、2014年に開館した。ホール（劇場）、6つのスタジオ、最大22名が宿泊可能なレジデンスやキッチンなどで構成され、アーティストが城崎のまちに暮らすように滞在し、創作に集中することのできる施設。

京都芸術センター［京都府］
https://www.kac.or.jp/
〒604-8156 京都市中京区室町通蛸薬師下る山伏山町546-2
京都に滞在制作するアーティストをパフォーミング・アーツ部門とビジュアル・アーツ部門を交互に隔年に招へいする公募プログラムを実施。また、国内のアーティストをパートナー機関に派遣するプログラムも行っている。国内のAIRに関するデータベース「AIR_J」を運営。

Creative Residency Arita（クリエイティブレジデンシーアリタ）［佐賀県］
https://cri-arita.com/
〒849-4192 佐賀県有田市立部2202 有田市役所
佐賀県と大使館の間で結ばれたクリエイティブ連携・交流協定の枠組みの中で、オランダ・クリエイティブ産業財団とモンドリアン財団との協力のもと、2016年に佐賀県により設立されたAIR。現在は有田町が2人のプログラムコーディネーターの協力を得て、佐賀県と共にAIR事業の運営を行っている。

クロスプレイ東松山［埼玉県］
https://bench-p.com/projects/crossplay-higashimatsuyama/
〒350-0052 埼玉県川越市宮下町2-17-4（一社）ベンチ
舞台芸術制作者を中心に発足した、アートプロデューサー・コーディネーター・マネージャーのコレクティブから成る団体。持続可能で豊かな芸術創造及び社会における創造的な時間・空間を創出していく活動を展開。埼玉のデイサービス楽らくと協働し、AIRで介護とアートの交差を試みている。

CAVE-AYUMIGALLERY（ケイブ-アユミギャラリー）［東京都］
https://caveayumigallery.tokyo/
〒162-0805 東京都新宿区矢来町114 高橋ビルB2
オランダのヘリット・リートフェルトアカデミー卒業生の鈴木歩が東京の神楽坂で営む商業ギャラリー。CAVEは公式なAIRではないものの、CAVEと大使館は2018年より提携して一連のAIRプログラムを実施し、鈴木が選出したアーティストに3か月間の滞在と、そのうち最後の3~4週間の中で展示作品を制作するためのスタジオとして、ギャラリースペースを提供している。

co-iki［東京都］
https://co-iki.org/ja/ ＊一般公開なし
Arts Living Space "co・iki"（こいき）は、都内にある一軒家を活用してAIRを運営。あらゆる芸術分野と様々な研究分野、職業人との架け橋となり、コラボレーションを生み出す場として、「生きる」ことそのものに焦点を当て、また実践していく新しい形のレジデンシープログラムであり、リビングスペースとなっている。

国際木版画ラボ／河口湖アーティスト・イン・レジデンス［山梨県］
https://endeavor.or.jp/mi-lab/
〒401-0310　山梨県南都留郡富士河口湖町勝山4018
日本の伝統的表現・技術である「水性木版画」の研修プログラム。アーティストが「摺り」「彫り」の職人から技術を学ぶとともに、歴史・文化背景、素材、道具についても知識を得ることで新たな表現方法を習得する。水性木版画の基本を学ぶ「ベーシックプログラム」、応用・周辺技法を学ぶ「アドバンスプログラム」さらに上級の技術を学ぶ「アッパーアドバンスプログラム」がある。

犀の角の上田街中演劇祭「アーティスト・イン・レジデンス in 海野町」［長野県］
http://sainotsuno.org/
〒386-0012　長野県上田市中央2-11-20
2016年より実施されている「上田街中演劇祭」が、劇場設備、カフェ、稽古場、ゲストハウスを有する民間文化施設「犀の角」と連携し実施するAIRプログラム。海野町商店街に拠点を置く犀の角に滞在しながら市民らとともに作品を制作し、演劇祭における成果発表の場を設けている。

滋賀県立陶芸の森［滋賀県］
https://www.sccp.jp/
〒529-1804　滋賀県甲賀市信楽町勅旨2188-7
1990年、信楽焼の産地において、やきものを素材に創造・研修・展示など多様な機能を持つ公園、文化施設として開設。創作研修館を拠点に、国内外からの陶芸家がスタジオ・アーティスト、公募ゲスト・アーティストとして1か月～1年までの制作活動を行うことができる。

女子美術大学アーティスト・イン・レジデンス JOSHIBI AIR［東京都］
https://www.joshibi.ac.jp/Artist-in-residence
〒166-8538　東京都杉並区和田1-49-8
女子美術大学が2022年より実験的に実施する女性アーティストを対象としたAIRプログラム。「グローバルに活躍するための国際性を身につける教育の推進」を目標に、AIRを通じ、学生が将来アーティスト、キュレーター、アートマネージャー、プロデューサーとして新たな創作活動・表現の場において活躍できるような経験・学びの場を創出する。アーティストの滞在中の研究・表現活動の支援、授業参加やワークショップによる学生との交流、オープンスタジオの実施を行い、滞在中の成果を学びの機会に繋げている。

Studio Kura［福岡県］
https://studiokura.info/
〒819-1613　福岡県糸島市二丈松末586
Studio KuraのAIRプログラムは、福岡県糸島市にある民家の米蔵及び近隣の空き家を改修し、をアーティストのスタジオとして開放して運営されている。アーティストは、1か月の間このスタジオで制作し、最後にその成果を発表。期間中はオープンスタジオとして開放しており、誰もが制作風景を見学することができる。

セゾン・アーティスト・イン・レジデンス［東京都］
https://www.saison.or.jp/air
〒104-0031　東京都中央区京橋3-12-7 京橋山本ビル4階
セゾン文化財団による運営。2016年から海外の芸術家や芸術団体等との双方向の国際文化交流の活性化を目的とする舞台芸術分野を中心とした「セゾン・アーティスト・イン・レジデンス」を実施している。財団と共同で実施する「セゾンAIRパートナーシップ」、海外のアーティスト、アーツ・マネジャーによる日本の現代演劇、舞踊の状況や背景、魅力等の研究を支援するプログラム「ヴィジティング・フェロー」を実施し、森下スタジオを拠点とする滞在機会を提供している。

瀬戸新世紀工芸館　国際交流プログラム［愛知県］
http://www.seto-cul.jp/program.html

〒489-0815 愛知県瀬戸市南仲之切町81-2
国外の優れた陶芸家とガラス作家を招へいするＡＩＲプログラムを行っている。瀬戸の長い陶芸の歴史とガラスの原材料（硅砂）の産地である特質に、世界で活躍する作家が加わることで、市民や瀬戸市および周辺地域で活動する作家等との交流を深め、陶芸・ガラス芸術の新たな展開が生まれること、そして芸術的感性と国際感覚豊かな地域づくりを目指している。

ダンスハウス黄金4422［愛知県］

https://dancedoor.jp/artistscompany/367
〒600-8092 京都府京都市下京区神明町241オパス四条503 特定非営利活動法人ジャパン・コンテンポラリーダンス・ネットワーク
5階建ての元縫製工場跡地をセルフリノベーションし、劇場、宿泊施設、スタジオ、ギャラリーなどを完備したコンテンポラリーダンスに特化したダンスハウスを2017年にオープン。国内外で活躍するダンサーや振付家とのネットワークを利用し、公演・ワークショップ・中高生育成事業・イベント・ダンスインレジデンス・展示を行っている。

ダンスボックス［兵庫県］

https://dancebox.studio.site/
〒653-0041 神戸市長田区久保町6-1-1アスタくにづか4番館4階
コンテンポラリー・ダンスの普及を中心にArtTheater dB神戸劇場の運営をはじめ、公演、専門家育成、国際交流、地域連携などを行うNPO DANCE BOXによるＡＩＲ事業。アーティスト、舞台制作者、研究者を招へいし、新長田に滞在しながらリサーチや作品制作活動の支援を行う。

つなぎ美術館［熊本県］

https://www.tsunagi-art.jp/
〒869-5603 熊本県葦北郡津奈木町岩城494
熊本県水俣・芦北地域における文化芸術活動の拠点として、2001年4月に開館した津奈木町立の美術館のＡＩＲ。第二次海老原美術研究所の所長を務めた画家の境野一之をはじめとする熊本県ゆかりの作家による作品やタイ山岳民族の衣装など約450点を収蔵している。展覧会のほか、現代美術による住民参画型のアートプロジェクトを実施するなど、アートを通じた地域内外の交流にも注力している。

天神山アートスタジオ［北海道］

https://tenjinyamastudio.jp/
〒062-0932 札幌市豊平区平岸2条17-1-80（天神山緑地内）
札幌市が保有していた中期滞在宿泊施設「旧札幌天神山国際ハウス」を転用し、創造的活動を行う人を支援する「国際的なアーティスト・イン・レジデンス拠点」へと変更して再出発した札幌市の文化芸術施設。国内外の創造的活動を行う人の3つのフェーズ「①リサーチ、アイデアの構築、②プロダクション／クリエーション、③発表／プレゼンテーション」を支援。

トーキョー・アーツ・アンド・スペース（前トーキョーワンダーサイト）［東京都］

https://www.tokyoartsandspace.jp/index.html
〒135-0022 東京都江東区三好4-1-1東京都現代美術館内
幅広いジャンルの活動や領域横断的・実験的な試みを支援し、同時代の表現を東京から創造・発信するアートセンター。若手アーティストの育成支援機関であるトーキョーワンダーサイトとして2001年に創設され、2017年にトーキョーアーツアンドスペース（ＴＯＫＡＳ）に改称。

Nagano Organic Air［長野県］

https://noa.nagano.jp/
〒380-0928 長野県長野市若里1-1-4 県立長野図書館1F
（一財）長野県文化振興事業団アーツカウンシル推進室
様々なジャンルで活躍するアーティストが、長野県内の各地域に滞在し、創造活動を行う取組み。「ORGANIC＝有機的」をキーワードに、公立文化施設や地域の文化芸術団体、教育委員会などがホストとなり、地域での創作のプロセスをコーディネートしながら、アーティストとの双方向的な協働を試みている。

PARADISE AIR［千葉県］
https://www.paradiseair.info/
〒271-0091 千葉県松戸市本町15-4 ハマトモビル
2013年、パチンコホール楽園の協力により、かつてホテルだったビルを活用し、アーティスト・コレクティブによるAIRプログラムを開始。かつての松戸宿の歴史伝統をふまえた「一宿一芸」をコンセプトとし、国内外のアーティスト達が行き交う文化・芸術のトランジットポイントとして「ショートステイ・プログラム」、3か月間の滞在制作をフルサポートする「ロングステイ・プログラム（公募）」、アーティストと地域をつなぐ多様な学びと交流を促す「ラーン・プログラム」の3つを軸とした活動を行う。

福岡アジア美術館［福岡県］
https://faam.city.fukuoka.lg.jp/residence/
〒812-0027 福岡市博多区下川端町3-1
リバレインセンタービル7・8階
1999年の開館当初から、毎年アジアの美術作家や研究者を一定期間招へいし、福岡に滞在しながら市民との共同制作やワークショップ、トークなどを通して交流を行う「美術作家、研究者・学芸員等招へい事業」を実施。地域の人々がアジアの美術や文化への理解を深め、同館がアジアの美術交流拠点となることを目指している。

府中市美術館［東京都］
https://www.city.fuchu.tokyo.jp/art/
〒183-0001 東京都府中市浅間町1-3（都立府中の森公園内）
「生活と美術＝美と結びついた暮らしを見直す美術館」をテーマに、2000年10月に開館した。名作の鑑賞そして学習や創作、発表の体験を通じて、身近に美術と出会える場所であり、美術品の収集・保存・展示を活動の中心とし、美術館ならではの教育普及活動を行っている。

穂の国とよはし芸術劇場PLAT［愛知県］
https://www.toyohashi-at.jp/
〒440-0887 愛知県豊橋市西小田原町123
穂の国とよはし芸術劇場は、豊橋市が東三河市民のための演劇・舞踊・音楽等の芸術文化の振興と芸術文化を活用した市民の交流と創造活動の活性化を図るため、芸術文化交流施設として2013年に開館。

益子陶芸美術館／陶芸メッセ・益子（益子国際工芸交流事業）［栃木県］
http://mashiko-museum.jp/residence/index.html
〒321-4217 栃木県芳賀郡益子町大字益子3021
2014年5月より、国内外のアーティストと益子町のさらなる交流や、益子の陶芸（工芸）文化の共有をめざし、「益子国際工芸交流事業（Mashiko Museum Residency Program）」を開始。益子町／益子陶芸美術館が招へいしたアーティストに益子で滞在制作してもらう「招へいプログラム」、応募・選考のプロセスを経たアーティストが益子で滞在制作する「公募プログラム」（2017年より）を実施。

遊工房アートスペース［東京都］
https://www.youkobo.co.jp/
〒167-0041 東京都杉並区善福寺3-2-10
日本のAIRの先駆けとなってきた施設。「ユー（あなた・遊）」の「工房」として、アーティストの自律的な活動の支援を通し、多くの方が芸術文化を身近に体験し、親しむことのできる場を提供しており、これまでに、約40か国280人の海外からのアーティストを迎えている。また、マイクロレジデンス・ネットワーク及びY-AIRネットワークの中核を担っている。

陸前高田アーティスト・イン・レジデンス［岩手県］
http://rikuzentakataair.com/
岩手県陸前高田市（＊事務局休止中）
東日本大震災で甚大な被害を受けた陸前高田および気仙地区の人々の心の復興を目指し、内外のアーティストを招いてＡＩＲを実施。各年のプログラムに応じて、旧校舎や公共スペースなどをスタジオとして確保し、滞在制作と地域交流、成果発表を行う。ウェブサイトのオンラインカタログで過去の取組みを閲覧できる。

Y-AIR［東京都］
https://www.youkobo.co.jp/y-air/archive.html
〒167-0041　東京都杉並区善福寺3-2-10　遊工房内
「AIR for Young」の略称。マイクロレジデンスから派生した実験的な活動で、「マイクロ」な存在であるＡＩＲと、マクロの存在である「美術系大学」が連携し、若手アーティストおよびアーティストを目指す美術大学生に滞在制作体験機会を提供するもの。個々のＡＩＲと美術系大学間の共同による実践を通し、国際間の交換プログラムへの拡大、継続性あるい仕組みづくりを目指す。内外の代表的な事例として、ＣＳＭ（ロンドン）アソシエイト・スタジオ・プログラム×東京藝術大学、BM Lab（マニラ）×女子美術大学（東京）、ＲＭＩＴ（オーストラリア、メルボルン）SITUATEプログラム、西ボヘミア大学（チェコ、プルゼニ市）アートキャンプへの派遣、などがある。

若葉町ウォーフ［神奈川県］
https://wharf.site/
〒231-0056　神奈川県横浜市中区若葉町3-47-1（一社）若葉町計画
横浜の繁華街伊勢崎町商店街と大岡川にはさまれた築60年の小さなビルを改装した、劇場、スタジオ、宿泊所が一体となった民間のアートセンター。個性豊かな舞台作品の上演、国際的なワークショップやＡＩＲなどの活動を行っている。

海外＊A to Z

A.I.R. Vallauris［フランス］
http://www.air-vallauris.org/
Place Lisnard, 1 boulevard des Deux Vallonsm 06220 Vallauris
フランス南部に位置するヴァロリス旧市街の中心部で運営されている非営利団体で、世界中のアーティストを宿泊施設やスタジオに迎え、地元のアーティストとの出会い、新しい作品の研究や制作を支援している。２００１年の設立以来、３５０人を超える国際的なアーティストを受け入れてきており、アーティスト同士の文化交流や知識、技術、経験の共有を図っている。

ACOSS［アルメニア］
http://acoss.org/
8 Roubinyants, apt 17, 0069 Yerevan, Armenia
２００２年に設立されたアルメニアの非営利団体で、アーティストや実践者たちから構成されている。２００６年からACOSS AIRを開始。アルメニアおよび国際的なアーティストや理論家による現代の創造性の発展とプロジェクトの実現を支援しており、展示、会議、討論、研究、セミナー、ワークショップなどを開催している。

Archie Bray Foundation（アーチー・ブレー・ファウンデーション）［アメリカ］
https://archiebray.org/
2915 COUNTRY CLUB AVENUE, HELENA MT. 59602
１９５１年、レンガ工場跡にその工場の経営者であり、熱心な芸術パトロンであったArchie Brayによって設立された非営利団体。陶芸の創造的な仕事を刺激する環境をアーティストたちに提供している。ＡＩＲを中心に、材料販売、コミュニティクラスなどの運営をしており、これまで６００人以上の陶芸家を受け入れてきている。

Art Break［フィンランド］
https://artbreak.fi/Koppelonniementie 12, 91100 Ii, FINLAND
EXPLORING ART IN THE NORTHプログラムを運営。フィンランド北部の文化芸術を研究、作品創作のためのアイデアを得ることを希望する来訪者のために、オーダーメイドの交流と探索プログラムを提供。探索のテーマは、環境アートとサイトスペシフィック・アート、北部の建築とデザイン、サーミ文化と北部現代の3点。

ArtCamp（西ボヘミア大学デザイン・芸術学部）［チェコ］
https://www.fdu.zcu.cz/en/ArtCamp/index.html
Univerzitní 28, 301 00 Pilsen, Czech Republic
2005年から開催されている国際サマースクール。夏休み期間中の大学校舎を会場に、アートやデザイン、パフォーマンスなど初心者から上級者向けまでの多様なコースが週ごとに設けられ、3週間の期間中、各自が選択して受講できる。受講生は、国内外の美大生や美術大学に進学を考えている中高生、社会人など幅広く、美術大学への進学準備の機会としても活用されている。

Bliss Market Laboratory（ブリスマーケット・ラボラトリー）［フィリピン］
https://blissmarket.wordpress.com/, https://www.facebook.com/blissdesignstudioph/,
https://www.instagram.com/blissmarket_laboratory/?hl=ja
BM Labは、マルチメディアアーティストであるハイメ・パセナⅡを代表とするコレクティブ。ハイメが教員を務めるアジア・パシフィック・カレッジ（フィリピン、マニラ）との連携によるインターンシップの受け入れと、女子美術大学と連携したY-AIRの実践などを行っている。

ボストン市AIR［アメリカ］
https://www.boston.gov/departments/arts-and-culture/boston-artists-residence-air
1 CITY HALL SQUARE, ROOM 802, BOSTON, MA 02201-2029
アーティストと市の各部局のスタッフが協働して、市内のコミュニティが抱えている課題に対して創造的なアプローチを提案するためのAIR。アーティストは行政について学び、市の職員は創造的な問題解決について学び合う。その後、アーティストと市の職員が、市の方針とプロセスに対する新しいアプローチを試みる協働プロジェクトを企画し、プロジェクトを実践。最後に、市民への社会的インパクトを検証している。

ケンブリッジ大学AIR［イギリス］
https://www.girton.cam.ac.uk/life-girton/arts
Girton College, Cambridge, CB3 0JG
ケンブリッジ大学のガートン・カレッジでは、2013年より、アーティストを招いてAIRを実施。学年度1年間、ガートン・カレッジに滞在し、学生や教職員と交流しながら創作活動を行っている。学際的なアートワークを実践し、ワークショップ、展示なども行っている。

CSM Associate Studio Programme（ロンドン芸術大学セントラル・セント・マーチンズ）［イギリス］
http://www.doubleagents.org.uk/
272 High Holborn, London, WC1V 7EY
2013年より実施されている、ロンドンを拠点とする非営利団体「Acme Artist Studios」と協働したスタジオ提供による支援プログラム。CSM学部卒業後1年以内という条件のもと公募で選出されたアーティストが、市内のシェアスタジオを2年間安価で使用でき、年数回、アーティストやキュレーター等、専門家からの批評やフィードバックを受けられる機会がある。

利川セラピア（Cerapia 韓国・京畿世界陶磁ビエンナーレ）［韓国］
http://www.kocef.org/jap/02_museum/07.asp
2697, Gyeongchung-daero 263beon-gil, Icheon-si, Gyeonggi-do

セラピアは陶磁器で作られたユートピアという意味が込められたテーマパーク。韓国陶磁財団が運営しており、２０１９年に開館。中核施設の京畿道陶芸美術館は２千点余りの世界的な現代陶磁作品を所蔵しており、様々な企画展と特別展示を通じ、世界各国の陶磁芸術作品を紹介している。この他、教育機関、陶磁専門図書館も併設している。

長春国際陶芸シンポジウム（China Changchun International Ceramics Symposium）［中国］
http://www.cctyg.com/En/
room A316-8, Administrative Committee, No. 1, Wujiu Road, Lotus Mountain Ecotourism Resort, Changchun, China
中国東北部の長春市に位置する２０１５年７月に設立された公益の陶磁器美術館で、創作部門、陶芸体験部門、焼成部門、学術講堂、研修室、事務部門などから構成されている。国内外の陶芸家による芸術作品の展示に重点を置き、陶磁器に関する教育の機会を提供し、学術フォーラムを開催している。

Cité internationale des arts（シテ・アンテルナショナル・デ・ザール）［フランス］
https://www.citedesartsparis.net/
18 rue de l'Hôtel de Ville, 75004 Paris
シテ・デ・ザール財団が運営するパリ市、マレ地区に位置する世界最大規模のＡＩＲ施設。建築家フェリックス・ブルノー夫妻により１９６５年に設立され、フランス外務省、文化省、芸術アカデミーから支援を受け、１９６５年からＡＩＲを開始。世界各国から常時、約３００名のアーティストが滞在している。

クレーアーチ金海美術館陶芸創作センター［韓国］
http://english.clayarch.org/index.do
275-51, Jillye-ro Jillye-myeon Gimhae-si Gyeongsangnam-do
Clayarchとは、土を意味する粘土と建築を意味するアークを組み合わせた造語で、科学と芸術、教育、産業分野とも連携を図りながら、建築陶磁分野の振興を図ろうとする美術館の精神を表現。展示スペースの他、レジデンシー事業のためのセラミック創作センター、直接土で作品を作ることができる陶磁体験館とミニタイル体験ができるアートキッチン、象徴造形物であるクレイアークタワーなどの施設がある。

コロンビア大学法科大学院［アメリカ］
https://www.law.columbia.edu/community-life/strategic-initiatives/artist-residence-program
435 West 116th Street, New York, NY 10027
コロンビア法科大学では、２０２１年からＡＩＲを開始。ロースクール・コミュニティに刺激と多様性をもたらし、創造性を共有することを目的として実施されている。

ComPeung［タイ］
http://www.compeung.org/
269 M.12 Cherngdoi, Doisaket, Chiang Mai, 50220 Thailand
２００７年、アーティストのOng（Pisithpong Siraphisut）の提唱により、タイで最初に創設されたアーティスト・イニシアティブＡＩＲ。チェンマイ、ドーイサケットに位置し、自然に囲まれ制作に集中できる環境を有し、地域との交流を行いながら、新しい作品の創作を奨励している。現在は、コロナ禍のため臨時休業中。

コベントリー市［イギリス］
https://coventry2021.co.uk/media/4mloaj22/wmp-artist-in-residence-pdf.pdf
コベントリー市が英国文化都市に指名された２０２１年、ウエスト・ミッドランド・ポリスは、青少年の犯罪防止と地域コミュニティとのコミュニケーションを図るためＡＩＲを企画し、アーティストを公募。アーティストたちは、警察官の仕事への理解、インタビューの実施などを行った。

Craft Limoges［フランス］

http://www.craft-limoges.org/

142 avenue Émile Labussière, 87100 Limoges, France

１９９３年、文化省のイニシアチブによって、フランスを代表する窯業地であるリモージュに設立された芸術研究所。セラミックの現代的可能性を探求するため、デザイナー、アーティスト、建築家などを招へいし、セラミックに関する多彩なプロジェクトを実践している。

Facebook［アメリカ］

https://www.artbusiness.com/facebook-artist-in-residence-program.html

アーティストたちは、社員たちと交流しながら、作品を創作。創作された作品は社員に刺激をもたらすとともに、社内に展示され創造性に溢れた社内環境を作り出している。社員への刺激は、就業意欲を高めることにも一役買っているという考えからＡＩＲを推進している。

Fifth Season（フィフス・シーズン）［オランダ］

https://www.vijfde-seizoen.nl/en/

P/a Waterkersweg 240, 1051 PH Amsterdam

Het Vijfde Seizoen (The Fifth Season) は、精神医学のレジデンシーで、アーティストは、精神疾患を持つ人々の物語を伝える役割を果たしている。現在、茨城県大子市にある袋田病院と連携して、ＡＩＲを実践している。

富平陶芸村（陝西省渭南市）［中国］

http://www.futogp.com/

No. 1, Qiaoshan Road, Fuping County, Weinan City, Shaanxi Province

中国初の現代陶芸をテーマとする陶芸博物館。国別につくられた展示館から構成され、５００名以上の陶芸家による様々な陶芸作品が1万点近く収集・展示されている。レジデンスに参加した作家の作品は、この国別の展示会場にて展示される。

Google［アメリカ］

https://artsandculture.google.com/entity/artists-in-residence-program/g11r2rrr3bl

２０１９年、Google Arts &Culture とJacquard（Google ATAP）は、パリの Google Arts & Culture Labでテクノロジー、アート、ファッションの相乗効果を探求することを目標に、ＡＩＲを開催した。公募で選考された3人のアーティストは、５か月の滞在期間中に、テキスタイル、接続性、創造性を探求する作品を構想し、制作した。

ハーバード大学ＡＩＲ［アメリカ］

https://artlab.harvard.edu/residencies

ArtLab, Harvard University, 140 N. Harvard Street, Allston, MA 02134

ArtLabは、アーティスト、学者のための実験的なワークスペース。ハーバードの学生と教職員をサポートしているが、指名によってのみ選考される招待ベースのＡＩＲも運営。ハーバード大学では、Office for the Arts, Hutchins Center for African & African American Research, The Lakshmi Mittal and Family South Asian Institute, EdPortal, Project Zero, Radcliffe Institute for Advanced Study などの研究機関でもＡＩＲが運営されている。.

エルメスＡＩＲ［フランス］

https://www.fondationdentreprisehermes.org/fr/programme/residences-dartistes

Fondation d'entreprise Hermès, 24, faubourg Saint-Honoré, 75008 Paris

２０１０年以来、毎年、エルメス財団は工房にビジュアルアーティストを招待し、エルメスの卓越した技術とノウハウを探求している。招待されたアーティストたちは、工房の職人たちと交流しながら、シルク、レザー、シルバー、クリスタルといった素材を用いて新しい作品を創造することに挑戦している。

INSTINC［シンガポール］
https://www.instinc.com/
12 Eu Tong Sen Street #04-163 Soho2, 059819 Singapore
2004年に、アーティストのYo Shih Yunによって設立されたシンガポールを拠点とするアーティスト・ラン・スペース。2009年から2019年までの長期にわたるレジデンシープログラムを通じて、地域内および国際的なつながりを築いてきている。現在は、物理的なスペースは有せず、活動を継続している。

景徳鎮陶瓷大学（Jingdezhen Ceramic Institute）［中国］
http://www.jci.edu.cn/
77V2+54G, Taoyang S Rd, Zhushan District, Jingdezhen, Jiangxi, China 333002
1909年に創立された「中国陶業学堂」を前身とし、1958年に景徳鎮陶磁学院に改称。2016年に景徳鎮陶瓷大学となり、江西省立で、陶磁工業学科を主体として文学、芸術、経済、管理学などの学部がある。国際的にも非常に珍しい陶磁器に特化した大学である。

John Michael Kohler Arts Center［アメリカ］
https://www.jmkac.org/calls-for-artists/
608 New York Avenue, Sheboygan, WI 53081
1967年に設立された、8つのギャラリー、2つのパフォーマンススペース、カフェ、ミュージアムショップ、立ち寄り型のアート制作スタジオから構成されるアーツセンター。アーティストのレジデンシー、ダンス、映画、音楽のプレゼンテーション。毎週無料のサマーコンサートシリーズクラスとワークショップなどを運営している。毎年、30名以上の独学およびプロの現代アーティストを受け入れている。

Künstlerhaus Bethanien（クンストラーハウス・ベタニエン）［ドイツ］
https://www.bethanien.de/
Kohlfurter Straße 41-43, 10999 Berlin
1975年、元病院だった歴史的建造物の中に、現代美術の展示やプラットフォームの場を作り、世界各国のアーティストが集まるAIRの原型となった非営利団体。2010年に同じ地区内の施設に移転。これまで、世界各国から約950名のアーティストを受け入れている。

Microsoft Research Artist in Residence program［アメリカ］
https://www.microsoft.com/artist-in-residence/
アーティスト、科学者、エンジニアが一堂に会し、人類、文化、テクノロジーが交差する広大な未開拓分野の可能性を切り拓き、創造することを試みるプログラム。アーティストとITセクターがそれぞれの得意分野に立脚し、研究者は、知的好奇心、理論、疑問を追求している。他方、アーティストは、観察し、アイディアを具現化し、対話の余地を作り出すことを試みている。

MIT AIR［アメリカ］
https://arts.mit.edu/mcdermott/residency/
Arts at MIT.
革新的な才能を有する者に授与されるユージン マクダーモット賞は、受賞者に10万ドルの賞金とMITのキャンパスでのAIRの機会を提供している。リスクテイク、問題解決、および分野を越えて創造的な心をつなぐというMITの考えを反映しており、受賞者の将来に対して、創造的作品への投資という考えのもと運営されている。

MoMA PS1［アメリカ］
https://www.momaps1.org/events/176-studio-museum-in-harlem-artists-in-residence-2021-22-roundtable
22-25 Jackson Avenue, Queens, NY 11101
ニューヨーク市にあるアート・センターのAIR。旧P.S.1コンテンポラリー・アート・センターは、1970年代以降「オルタナティブ・スペース」（作品を収蔵する美術館でも作品を売る画廊でもない作品発表の空間）の先駆けとして現代アートの重要な拠点となった。２０００年、ＭｏＭＡ（ニューヨーク近代美術館）と統合し、「MoMA PS1」となった。

モンドリアン財団［オランダ］
https://www.mondriaanfonds.nl/en/homepage-2/
Brouwersgracht 276, 1013 HG Amsterdam
モンドリアン基金は、オランダの6公的文化基金の1機関で、オランダの視覚芸術と文化遺産振興のため助成金を提供している。同基金のほか、文化参加基金、舞台芸術基金、オランダ映画基金、オランダ文学財団、創造産業基金がある。日本ではＡＩＴが提携。

ニューヨーク市ＡＩＲ［アメリカ］
https://www1.nyc.gov/site/probation/community/artist-in-residence.page
NYC Government パブリック アーティスト イン レジデンス（PAIR）は、アーティストを市政府に組み込んで、喫緊の市民の課題に対応する創造的な解決策を提案し、実施するＡＩＲ。このプログラムは、アーティストは創造的な問題解決者であるという前提に基づいている。すなわち、アーティストは、コミュニティの絆を築き、双方向の対話のためのチャネルを開き、現実を再考する役割を担っている。そして、プログラムに参加する人々に新しい可能性をもたらすために、アーティストと行政が協力して自由なプロセスで作業することにより、長期的かつ永続的な影響を生み出すことができるという考えに基づいている。

オックスフォード大学ＡＩＲ［イギリス］
https://www.sjc.ox.ac.uk/college-life/art/artists-in-residence/St John's College, St Giles, Oxford OX1 3JP
オックスフォード大学のセント・ジョンズ・カレッジでは、２０００年より毎年、1名のアーティストを学内に招へいしている。アーティストは、学生たちと交流しながら創作活動を行い、学期末には、成果発表として作品の展示や上演を行っている。

Penland School of Crafts（ペンランド・スクール・オブ・クラフト）［アメリカ］
https://penland.org/Post Office Box 37, Penland NC 28765-0037
創造活動を支援する、アメリカ国内における工芸教育の全国センター。ノースカロライナ州ペンランドに位置し、本と紙、粘土、ドローイング、ガラス、鉄、金属、写真、版画と活版印刷、テキスタイル、木材のワークショップを提供。ＡＩＲ、コミュニティ・コラボレーション・プログラム、ギャラリーと情報センターも併設している。

Pottery Workshop Jingdezhen［中国］
http://www.potteryworkshop.com.cn/Jingdezhen.asp
139 East Xinchang Lu Jingdezhen, 333001
民間の会社が運営する陶芸のレジデンスであり、個人の作家の受け入れを主としている。また、そのほかに欧米の美術系大学と提携して学生を受け入れ、講座や授業を行っている。

ロイヤルメルボルン工科大学ＲＭＩＴ（SITUATE）［オーストラリア］
https://www.intersect.rmit.edu.au/situate-residency-information
RMIT Building 39, Level 4, 459-463 Swanston St, Melbourne, VIC, 3000
ＲＭＩＴが運営するアーティスト、キュレーター、研究者向けのレジデンスプログラム。創造的実験、異文化間の対話、グローバルモビリティのために様々な機会を提供し、アートを通じて人々を繋ぐことを目的とする。ＲＭＩＴの新卒生の海外派遣、提携先とのアーティストの相互交換や、ＲＭＩＴのゲスト講師としての招へいなどを行う。

三宝国際陶芸インスティテュート（Sanbao International Ceramic Art Institute）［中国］
https://ja-jp.facebook.com/SanbaoCeramic/

PO Box 1000, Jingdezhen, Jiangxi Province, China 333001
景徳鎮の近郊にある個人の作家が運営するレジデンス。アットホームな雰囲気の工房、居住施設を提供しており、欧米の参加者が多い。

上虞青磁陶芸芸術国際センター（Shangyu Celadon Modern International Ceramic Center）［中国］

http://www.shangyuceladon.com/en/No.617,Jiangxi Road,Cao E Street,Shangyu County,Shaoxing County,Zhejiang, China
「青磁」の産地として知られる上虞市に位置する現代国際陶芸センターで、浙江省紹興市上虞区人民政府と清華大学美術デザイン学院が共同で設立した非営利学術機関。国内外の陶芸家や芸術家に自由な創作とコミュニケーションを提供することに特化した中国初の機関でもある。

STARWORKS CERAMICS［アメリカ］

https://www.starworksnc.org/clay-studio-artist-program
100 Russell Drive, Star, NC 27356
スターワークス粘土工場に隣接したスタジオ・スペース。陶芸家たちが、独自に粘土や釉薬を実験、研究、開発する機会を提供している。アメリカで最も古く最大の陶器コミュニティの1つであるシーグローブ地域の陶工たちとの交流の機会も提供。

StudionAme Leicester C.i.C［イギリス］

http://www.studionameleicester.co/
Ground Floor, 2 Brougham Street, Leicester, LE1 2BA
２０１７年、アーティストの滑川由夏とSteven Allbuttによって設立。無料のプロジェクトスペースを有し、国内外のアーティストやコミュニティに焦点を当てたプロジェクトを支援する。また、美術、ガラス、陶芸、版画の分野における制作者育成を目的としたワークショップ、家族向けのワークショップなども実施している。

景徳鎮国際工作室（Taoxichuan International Studio）［中国］

http://www.jingdezhenstudio.com/index.html
Taoxichuan Ceramic Art Aveune B9, #150, Xigchang West Rd., Zhushan District, Jingdezhen, Jiangxi Province
景徳鎮にある陶芸のテーマパーク陶渓川セラミック・アベニューの一角にあるレジデンス施設。陶渓川セラミック・アベニューはレジデンスのほかに、エデュケーション・センター、デザイン・スタジオ、ギャラリー、カフェ、ショップなどがある。中国最大の陶磁器の産地として知られる景徳鎮で、国際的なアーティストが滞在することを歓迎し、創作に集中できる環境を提供している。

Villa Médicis（ヴィラ・メディシィス）［イタリア（フランス政府）］

http://www.villamedici.it/
French Academy in Rome à Villa Medici, Viale della Trinità dei Monti, 1, 00187, Rome
フランス王立アカデミーによって１６６６年にローマに創設されたＡＩＲの原型の一つと言われる施設。ローマ賞を授賞した新進気鋭の若手アーティストが派遣され、芸術の先進の地であるローマで研鑽を積む機会を得ることができた。現在に至るまで、フランスのアーティストたちがローマに派遣され、創作活動を行っている。ルネサンス時代にフィレンツェで活躍したメディチ家が所有した別荘。その後、ナポレオンが所有し、最終的にフランス王立アカデミーに移管された。

ＡＩＲネットワーク／ポータルサイト

レズ・アルティス（Res Artis）［オーストラリア］
https://resartis.org/
30年の歴史を持つ、世界最大級のＡＩＲ運営者によるネットワーク組織。現在はオーストラリアを拠点に活動し、80か国以上、６００人以上のＡＩＲ事業者、関係組織、アーティスト、研究者のメンバーシップにより構成。対面によるミーティングやデジタルプラットフォームの提供、政策提言等を行っている。

トランス・アーティスツ（TransArtists）［オランダ］
https://www.transartists.org/
移動を伴うアーティスト、クリエイティブな専門家の国際的な活動の機会に関する情報を提供する中間支援組織。オランダ政府の文化機関DutchCultureにより運営されている。世界各国のＡＩＲの情報を収集したデータベースを公開し、世界中のＡＩＲパートナーとともにセミナーやワークショップ等を開催している。

オン・ザ・ムーブ（On the Move）［ベルギー］
https://on-the-move.org/
主に舞台芸術の分野における欧州を中心とした25か国以上約65の組織が会員登録し、ネットワークやパートナーの専門知識を活用した公募情報、資金調達ガイド、ビザや税法など、文化的な移動に対する情報を提供。また、レポートや出版物の発行、リサーチ、アーティストや組織のためのメンタリング・プログラムの企画なども行っている。

アーティスト・モビリティ（Artist Mobility）［オーストリア］
https://www.artist-mobility.at/en/
オーストリア政府（芸術・文化・スポーツ省）により運営される情報サイト。短期（6か月以内）から長期（6か月以上）の滞在、居住を希望するアーティスト、文化イベントの主催者に向け、ＡＩＲプログラム、ビザ取得、助成、雇用に関する情報のほか、用語集等を掲載している。

アーティスト・コミュニティ協会（Artists Communities Alliance）［アメリカ］
https://artistcommunities.org/
ＡＩＲ分野に携わる運営者、アーティスト、コミュニティに対する支援を行う国際団体。ＡＩＲ運営者に対するトレーニングやネットワーキング等の機会を提供し、評価の実践と開発を促し、アーティストへのレジデンスプログラムの公募や資金調達の情報、またアーティストとしてのスキルを生かすことのできる雇用、インターンシップなどの情報についても提供している。

アジアリンク・アーツ（Asialink Arts）［オーストラリア］
https://asialink.unimelb.edu.au/arts
オーストラリアとアジアとの文化交流、クリエイティブ産業の発展を促進する組織。アジア圏のＡＩＲや文化事業者とのパートナーシップや戦略的なプログラムを実施し、アーティストや団体の国際的な芸術活動を支援している。近年では地域コミュニティに着目し、アジアにおける地域芸術祭との連携プロジェクトを実施している。

トランス・カルチュラル・エクスチェンジ（TransCultural Exchange）［アメリカ］
https://transculturalexchange.org/
異なる文化圏のアーティストによる分野を超えた交流やコラボレーションを促進するため、Ｗｅｂによる情報発信、ソーシャルメディア、講演、国際会議を通じて、世界中のアーティストに新しい市場、キャリアの機会を提供するほか、国際機関や教育機関との新たなパートナーシップや交流を促進し、知名度の向上、文化理解、経済活動にもつなげている。

トライアングル・ネットワーク（Triangle Network）［イギリス］

https://www.trianglenetwork.org/

1982年に英国の彫刻家アンソニー・カロ等によって設立された国際パートナーシップによる支援組織。美術分野におけるアーティストに対し、ワークショップ、レジデンス、イベント、展覧会、インターンシップ、スタジオ提供などを通じたネットワークと自己研鑽の機会を提供している。

アーツ・ネットワーク・アジア（Arts Network Asia）［シンガポール］

http://artsnetworkasia.org/main.html

アジア圏のアーティスト、団体の国際的な活動を支援するネットワーク型の支援組織。1999年にシンガポールを代表する劇作家オン・ケン・センの提唱によって設立された。AIRやプロジェクトを通じたコラボレーション、リサーチ、ネットワーキング活動に対する助成を行い、文化を超えた対話を促進している。

AIR_J［日本］

https://air-j.info/

日本全国のAIRを地域ごとに網羅的に紹介した情報サイト。掲載団体からの登録希望により掲載。AIRプログラムデータベース、関連記事掲載、FAQやリンク集などを掲載。海外からの日本のAIR情報提供へのニーズの高まりから、2009年に国際交流基金により作成・運営が開始され、2019年から京都芸術センターに移管。情報掲載依頼、AIRに関する相談を受け付けるなど、AIRの活動促進を行っている。

AIRネットワークジャパン（AIR Network Japan）［日本］

https://www.airnetworkjapan.com/

AIRに携わる担当者、研究者によるネットワークによる非営利の任意団体。AIRに関する国内外の情報提供、ネットワークミーティングの機会を提供し、AIRの顕在化と持続可能な運営にむけた研究を行っている。

マイクロレジデンス・ネットワーク（MICRORESIDENCE Network）［日本］

https://microresidence.net/

遊工房アートスペースにより提唱された小規模運営のAIR団体による国際ネットワーク。大規模なAIR運営とは異なるフレキシブルで質の高い運営を行うAIR団体の信頼と顔の見えるネットワークを構築し、移動を伴うアーティストとホストの双方をつなぎ、魅力的で多様なAIR活動の顕在化に向けた活動を行う。

ムーヴ・アーツ・ジャパン（Move arts Japan）［日本］

https://movearts.jp/

アーティストの移動、日本国内での回遊を促進するための情報ポータルサイト。AIR運営組織・団体、シェアハウス、滞在型のゲストスタジオ、ホームステイなどの個人による新しい活動を含む日本各地の滞在拠点情報、地域のキーパーソン、キープレイス情報を掲載している。

舞台制作者オープンネットワーク（ON-PAM）（Open Netowrk for Performing Arts Management）［日本］

http://onpam.net/

舞台芸術制作者を対象とした会員制による国際ネットワーク。舞台芸術の制作に関わるアイディアの交換、共有と、活動の展開につなげる場を形成するとともに、舞台芸術の社会的役割の定義・認知普及、文化政策などへの提案・提言を行う。

AIR研究報告書

「MICRORESIDENCE! アーティスト・イン・レジデンス、マイクロレジデンスからの視点」
https://www.youkobo.co.jp/microresidence/
2012年から実践しているマイクロレジデンスおよびY－AIRに関する活動報告書のアーカイブ集。

「H24年度文化庁委託事業　諸外国のアーティスト・イン・レジデンスについての調査研究事業 報告書」
（発行：ニッセイ基礎研究所、2013年）
https://www.bunka.go.jp/tokei_hakusho_shuppan/tokeichosa/pdf/artist_houkoku.pdf
諸外国の代表的なAIRの事業や運営の実態、AIR運営やアーティストの活動を支えるファンドやグラント、ネットワーク機構の調査報告書。調査、検証をふまえた日本のAIRの今後の在り方にかかる方向性も示されている。

「アートNPOデータバンク2014-15」
（発行：アートNPOリンク、2015年）
https://arts-npo.org/databank/532
NPO法人および個人によるネットワークであるアートNPOリンクは、フォーラムや研究会の開催、全国のアートNPOの活動調査を行っている。本書は2014〜15年にかけてアートNPOが運営するマイクロレジデンスを中心としたAIR事業の実態調査報告書。

「文化庁と大学・研究機関等の共同研究事業　H30（2018）年度　新たな文化芸術の創造を支える活動支援および人材育成のためのプラットフォーム形成研究 報告書」
（発行：文化庁、編集：女子美術大学、2019年）
https://www.bunka.go.jp/tokei_hakusho_shuppan/tokeichosa/pdf/r1416056_04.pdf
芸術祭やAIRなど、新たな文化芸術の創造の場の創出と持続可能な運営に向けた今後の文化政策形成につながる調査研究を実施。AIRを対象とした事業者へのアンケート、インタビューの実施による実態調査と、その担い手であるキュレーター、コーディネーター、アートマネージャー等の人材育成にかかる課題の抽出、検証の結果を中間報告として発行。

「文化庁と大学・研究機関等の共同研究事業　R1（2019）年度　新たな文化芸術の創造を支える活動支援および人材育成のためのプラットフォーム形成研究 報告書」
（発行：文化庁、編集：女子美術大学、2020年）
https://www.bunka.go.jp/tokei_hakusho_shuppan/tokeichosa/pdf/92879001_01.pdf
H30（2018）年から継続された研究の最終報告書。主にAIRを通じた人材育成の在り方と、まちづくり、芸術祭、文化施設の運営など複数の分野にまたがる広義の文化政策としての位置付け、芸術活動全般をめぐる好循環をつくるシステムとして、定量と定性の双方からAIRの現状を調査・分析。

「舞台芸術AIR研究会2020報告書──舞台芸術におけるアーティスト・イン・レジデンスの現在」
（発行：公益財団法人セゾン文化財団、2021年）
https://www.saison.or.jp/airreport2020.pdf
2020年8月〜2021年3月に行われた「舞台芸術AIR研究会」による研究・調査報告書。日本国内の舞台芸術分野におけるAIRの実践報告、「舞台芸術AIRミーティング2021」で行われたピアレビューが掲載されている。

「パンデミック禍で考えたＡＩＲのこと」
（発行：ＡＩＲとパンデミック研究会、遊工房アートスペース、２０２１年）
https://www.airnetworkjapan.com/_files/ugd/ab0d34_b5d738d6c075487f816d41689eebd1d2.pdf
２０２０年パンデミック禍の国内外のマイクロレジデンスの実態調査と検証に関する報告書。

（以上すべて、作成：菅野幸子・日沼禎子）

AIR関連年表 ※（ ）内は所在地

年	○国内AIR関連事項　●海外AIR関連事項　＊社会の動き
1666	●フランス・アカデミーは、ローマ賞受賞者をローマにあるヴィラ・メディチに派遣し、3年から5年にわたり留学滞在する奨学制度を開始。フランス政府による芸術家派遣制度の起源とされる。
1830	●フランスで、コローやミレーなどの自然主義の芸術家たちがパリ郊外のバルビゾンにコロニーをつくり、バルビゾン派が形成されはじめる。
1847	○葛飾北斎、地元の豪商高井鴻山の招きにより、長野県小布施に逗留し、岩松院本堂大間の天井図「鳳凰図」を手掛ける。
1868	＊明治維新
1887	＊東京美術学校（現：東京藝術大学美術学部）設立。
1900	＊女子美術学校（現：女子美術大学）設立。
1929	＊帝国美術学校（現：武蔵野美術大学）設立。
1933	●ノースカロライナ州にブラック・マウンテン・カレッジ（Black Mountain College）（米）が設立され、サマー・レジデンス・プログラムが開始される。
1935	＊多摩帝国美術学校（現：多摩美術大学）設立。
1939	＊第2次世界大戦開戦。
1945	●米国政府によるドイツの民主化支援の一環としてベルリンでAIR開始（米）。 ＊第2次世界大戦終戦。
1949	＊東京藝術大学設立。
1965	●パリ市にシテ・アンテルナショナル・デ・ザール（Cité Internationale des Arts）（仏）設立。
1966	＊東京造形大学設立。
1968	＊フランスで5月革命が起こる。
1975	●クンストラーハウス・ベタニエン（Künstlerhaus Bethanien）（独）がAIRを開始。第2次世界大戦後のAIRのモデルとなり、その後に続くAIRのモデル・ケースとなる。
1976	●1971年に設立されたP.S.1（米）が国際スタジオプログラム（International Studio Program）を開始。
1980	●アジアン・カルチュラル・カウンシル（Asian Cultural Council）創設。アジア諸国出身のアーティスト、専門家、研究者を支援し、AIRも助成の対象となる。
1982	●トライアングル・ネットワーク（Triangle Network）（英）設立。世界のアーティストやキュレーターがAIR、ワークショップ、イベントを通じてつながるグローバル・ネットワーク。
1984	○日本におけるAIRの先駆けである遊工房アートスペース（東京）の前身「ヒロ美術の会」創設。（1988年より海外からのアーティスト・研究者、研修生の受け入れを開始。）
1987	○オーストラリア・カウンシル（Australia Council for the Arts）（豪）がAIRを開始。当時、オーストラリア政府は、日本でのパートナー団体がなく、東京・門前仲町のマンションの一室を借りて運営された。
1988	＊「ふるさと創生事業（正式名称：自ら考え自ら行う地域づくり事業）」（旧自治省）により、市町村が自主的・主体的に実施する地域づくりが支援され、その結果、都市基盤・環境整備、学習・文化・交流情報ネットワークおよび観光施設などが整備される。
1989	●アジアリンク（Asialink）（豪）設立。オーストラリアとアジア諸国との創造的交流を促進する機関。
1990	●アーティスト・コミュニティ協会（Artist Communities Alliance）（米）

年	○国内AIR関連事項　●海外AIR関連事項　＊社会の動き
	設立。米国におけるAIRネットワーク。米国内のAIR情報も提供する。
1991	○ドイツの財団ダイムラー・ファウンデーション・イン・ジャパンは、社会貢献事業の一環として、「アート・スコープ事業」を開始。日本人アーティストがフランスのレジデンスの美しい村モンフランカンに3か月滞在。帰国後に作品発表を行うという形式で、事業が開始される。（その後、2003年から、ドイツと日本の現代美術の若手アーティストが、ドイツ・ベルリンと東京都内のレジデンス機関でそれぞれ約3か月間のレジデンスを行うエクスチェンジ・プログラムとなった。原美術館とAITが協力して運営し、その成果を原美術館で展示した。） ○オーストラリア政府とアジアリンクが東京にAIRスタジオを設け、オーストラリアのアーティストを東京に派遣。
1992	○東洋のヴィラ・メディチとしてヴィラ九条山（京都府京都市）が設立される。 ○滋賀県立陶芸の森（滋賀県信楽町）が陶芸に特化したアーティスト・イン・レジデンス事業を開始。 ○オーストリア大使館が神奈川県藤野町の古民家を改修した「オーストリア芸術の家」を運営。
1993	○国際交流基金、ワコールアートセンター、フランス芸術文化活動協会（AFFA）が共催で、AIRに関するシンポジウム「美術館を超えて」を開催。 ○国際交流基金は、国内の自治体からAIRに関する照会が増えたことを受けて、アーティスト・イン・レジデンス研究会を立ち上げ、同時に国内外の約150件の団体・施設について調査を開始。また、同研究会を欧州に派遣し、現地調査を実施。 ○東京都が多摩東京移管100周年事業「TAMAらいふ21」の一環として多摩地区の4市町村（あきる野市、八王子市、日の出町、町田市）でAIR開催。あきる野市にあるアートスタジオ五日市レジデンス事業は、現在まで継続されている。

年	○国内AIR関連事項　●海外AIR関連事項　＊社会の動き
	●AIRの世界的ネットワークRes Artis（Worldwide Network of Arts Residencies）設立。
1994	○茨城県がパイロット・プロジェクトとして、守谷市でアーカスプロジェクトいばらきを開始。 ○岩瀬石彫展覧館（茨城県桜川市）が海外のアーティストを招へいして彫刻のAIRを開始。 ○セゾン文化財団（東京都中央区）が、森下スタジオ（東京都江東区）にAIR施設を建設し、舞台芸術分野のアーティストや研究者を招へいするセゾン・アーティスト・イン・レジデンス、ヴィジティング・フェロー・プログラムを開始。 ＊文化庁が、「地域における文化振興のための施策」の制定に伴い、組織を改編。「地域文化振興課」（現在の地域創生本部）を設置する。 ＊「財団法人地域創造」が設立され、ふるさと創生事業により全国に数多く整備された施設運営の充実を図るための支援策（ハードからソフト事業へ力点を置いたディレクション、マネジメントのスキルアップを図る支援）、事業提案が行われるようになる。 ＊新潟県知事が提唱した広地域活性化政策「ニューにいがた里創プラン」に則り、アートにより地域の魅力を引き出し、交流人口の拡大等を図る10か年計画「越後妻有アートネックレス整備構想」（新潟県）が開始。
1995	○国際交流基金は、アーティスト・イン・レジデンス研究会での研究成果と内外のAIR調査結果をまとめ、『「アーティスト・イン・レジデンス研究会」報告書'93-'95』として発行。 ●アジアのAIRの先駆けとして、台北にBamboo Curatin Sutido設立。 ＊阪神淡路大震災発災。
1996	○NPO法人DANCE BOX（大阪府大阪市）がコンテンポラリーダンスのAIRを開始。（その後2009年に神戸市長田区に移転。） ＊文化庁地域文化振興課「文化のまちづくり事業」開始。 ＊トヨタ・アートマネジメント講座（TAM）開始。
1997	○文化庁地域振興課が地方自治体と共催で「文化まちづくり事業」の一環として「アーティスト・イン・レジデンス」事業を開始。

年	○国内AIR関連事項　●海外AIR関連事項　＊社会の動き
	○長沢アートパークアーティスト・イン・レジデンスが水彩多色摺り制作研修プログラム（兵庫県津名町）開始。 ○美濃・紙の芸術村（岐阜県美濃市）が文化庁の助成金を獲得し、和紙を用いるアーティストを招へいするAIRプログラムを開始（現在は終了）。 ○現代美術センターCCA北九州（福岡県北九州市）が、フェローシップ・プログラム事業を開始（～2021年）。 ●オランダのAIRネットワーク組織TransArtistsが設立。世界約1500件のAIRに関するデータベースを構築、情報を提供している。 ＊外務省が国際美術展の定期開催方針を発表。
1998	○文化庁（地域振興課）の「アーティスト・イン・レジデンス事業」2年目の1998年には12件、1999年には15件の事業採択があったと記録されている。全国規模でAIRが展開されはじめる。全国の自治体の文化施策において、「文化的シンボル」としての施設、いわゆる「ハコモノ」ではなく、地域に根ざした「文化的資源の活用」による地域活性と、コミュニティの形成へとシフトしていく潮流をつくる。 ○秋吉台国際芸術村（山口県美祢市）が、現代アート、音楽、ダンスを対象としたAIRを開始。
1999	○NPO法人S-AIR（北海道札幌市）がICC+S-AIR新創造拠点交流事業を開始。 ○NPO法人グリーン・バレー（徳島県神山町）が神山アーティスト・イン・レジデンス（KAIR）を開始。地域住民がアーティストを選考。 ○福岡アジア美術館（福岡県福岡市）がアジアのアーティストを対象としたAIRプログラムを開始。 ●アーツ・ネットワーク・アジア（シンガポール）設立。 ＊横浜トリエンナーレ組織委員会（国際交流基金、横浜市、NHK、朝日新聞社）設立。 ＊取手アートプロジェクト（茨城県取手市）開始。
2000	○京都芸術センター（京都府京都市）が設立され、AIRプログラムを開始。 ＊「大地の芸術祭 越後妻有アートトリエンナーレ」（新潟県）開始。
2001	○遊工房アートスペース（東京都杉並区）リニューアルオープン。AIR運営を本格的に開始。 ○国際芸術センター青森（青森県青森市／現：青森公立大学国際芸術センター青森）がAIR開始。 ○「J-AIRネットワーク会議」設立。非営利による任意団体として、代表、副代表およびボランティアによる事務局で運営し、AIR運営者間における情報共有を行う。 ●オン・ザ・ムーブ（On the Move）（ベルギー）設立。同団体は文化的移動に関する情報を提供している。 ＊文化芸術振興基本法（現：文化芸術振興法）成立。 ＊横浜トリエンナーレ2001「メガ・ウェイブ」開催。 ＊米国で同時多発テロ「9.11」が起きる。
2002	○国際交流基金が日本のAIRプログラムのデータ・ベース「AIR_J」（日・英）を開設。海外から、日本国内のAIRに関する照会や相談が増えたため立ち上げる。 ●トランス・カルチュラル・エクスチェンジ（TransCultural Exchange）（米）設立。
2003	○NPO法人AIT（東京都渋谷区）がレジデンス・プログラムを開始。 ○「第1回J-AIRネットワーク会議」開催（主催：J-AIRネットワーク会議実行委員会、産業人文学研究所）。（～以後、2015年の第10回まで実施。）
2004	○横浜市は創造界隈形成事業の一環として、NPO法人BankART Studio NYK（神奈川県横浜市）アーティスト・イン・スタジオへの支援を開始。

年	○国内AIR関連事項　●海外AIR関連事項　＊社会の動き
	＊横浜市が創造都市施策を策定し、横浜トリエンナーレをリーディング・プロジェクトに位置づける。
2005	○大原美術館（岡山県倉敷市）が、レジデンス・プログラムARKO（Artist in Residence Kurashiki, Ohara）を開始。
2006	○トーキョーワンダーサイト青山：クリエーター・イン・レジデンス（東京都江東区）がAIRを開始。（2017年に、トーキョーアーツアンドスペースレジデンシー（TOKASレジデンシー）へ改称。） ＊東京都は、文化振興施策を総合的かつ効果的に推進するための政策提言を行う知事の附属機関として「東京芸術文化評議会」を設置。
2007	○Studio Kura（福岡県糸島市）がAIRを開始。
2009	○黄金町アーティスト・イン・レジデンスプログラム（神奈川県横浜市）が開始される。 ○オーストラリア政府は、大地の芸術祭 越後妻有アートトリエンナーレの開催地に「オーストラリア・ハウス」を設立し、オーストラリアからアーティストを招へい。 ＊東京における多様な地域の文化拠点の形成を目指す「東京アートポイント計画」開始。
2010	○アーツセンター千代田3331（東京都中央区）がAIR 3331を開始。 ＊「瀬戸内国際芸術祭」、「あいちトリエンナーレ」開始。
2011	○「文化芸術の海外拠点発信拠点形成事業」が開始。補助対象者は地方公共団体のほか、NPO法人、一般社団・財団法人など法人格を有する者、実行委員会等。2013年からは2011年の東日本大震災への対策として「復興支援枠」が設けられ、AIRによる地域社会課題への取り組みへの支援も実施される。 ○国際木版画ラボ・河口湖アーティスト・イン・レジデンス（前身：長沢アートパークアーティスト・イン・レジデンス水彩多色摺り制作研修プログラム）（山梨県富士河口湖町）が水彩木版画に特化したAIRを開始。
	○NPO法人コンテンポラリーアートジャパン（埼玉県さいたま市）がAIRプログラムを開始。（現在休止中） ○ドイツの国際文化交流機関ゲーテ・インスティテュートがドイツよりアーティストを招へいするAIR施設としてヴィラ鴨川（京都府京都市）を開設。 ＊東日本大震災発災。
2012	○国際ネットワーク組織Res Artisがトーキョー・ワンダー・サイトと共催して、アジア域内での初の総会として、東京大会を開催。 ○マイクロレジデンス・ネットワーク（MICRORESIDENCE Network）が遊工房アートスペースを中心に設立。 ＊「アーツカウンシル東京」が設立される。 ＊ロンドン・オリンピックが開催され、「カルチュラル・オリンピアード」が展開される。
2013	○文化庁は、（株）ニッセイ基礎研究所に委託し、「諸外国のアーティスト・イン・レジデンスについての調査研究事業」報告書を発表。 ○アーティスト・コレクティブ（一財）PAIRによるPARADISE AIR（パラダイスエア）（千葉県松戸市）が開始される。 ○浜松市鴨江アートセンターが制作場所提供事業として、AIRを開始（静岡県浜松市）。
2014	○さっぽろ天神山アートスタジオ（北海道札幌市）が設立され、国際公募プログラムが開始される。 ○ふわりの森 国際アーティスト・イン・レジデンス「FAIR（フェアー）」（千葉県成田市）開始。 ○城崎国際アートセンター（兵庫県豊岡市）が設立され、舞台芸術分野に特化したアーティスト・イン・レジデンスプログラムを開始。
2015	○「AIR NETWORK JAPAN」実行委員会準備会設立。 ○マイクロレジデンス・ネットワークフォーラムがさいたまトリエンナーレプレイベントとして開催される。
2016	○Re-search（京都府）開始。

年	○国内ＡＩＲ関連事項　●海外ＡＩＲ関連事項　＊社会の動き
	＊「さいたまトリエンナーレ」開始。
2017	○青雲館 ＡＩＲ（長野県小諸市）開始。
2018	○新潟市芸術創造村・国際青少年センター（ゆいぽーと）（新潟県新潟市）開始。 ○Travel & Art Okubo studio（長野県小諸市）開始。 ○軽井沢版画教室（長野県軽井沢町）開始。 ○東座ＡＩＲ（岐阜県白川町）開始。 ○南島原市アートビレッジ・シラキノ（長崎県南島原市）開始。 ＊文化庁によるＡＩＲ助成事業の所轄が地域文化創生本部へと移り、「アーティスト・イン・レジデンス活動支援を通じた国際文化交流促進事業」と改称し、国際性・地域性の双方を合わせもつ事業が推進されていくことになる。いずれも補助対象事業としての条件は、招へいアーティストの半数以上は海外からの受け入れとし、また、帰国後の成果報告会や展覧会なども条件として取り入れることで、個々のアーティストによる発信力を戦略的に取り入れるなど、文化芸術の国際交流の場としてのＡＩＲが継続して推進される。
2019	○Res Artis京都大会「創造的遭遇――アーティスト・イン・レジデンスの再想像」が京都芸術センターと共催で開催される。 ○SAIKONEON（山梨県富士河口湖町）開始。 ○河岸ホテル（京都府京都市）開始。
2020	○ONVO STUDIO INAMACHI（オンヴォスタジオ伊奈町）（埼玉県伊奈町）開始。 ○メディア芸術クリエイター育成支援事業キュレーター等海外派遣プログラム（東京都中央区）開始。 ○たけのま tenjishitsu:Tür aus Holz 竹之丸（神奈川県横浜市）開始。 ○Super Studio Kitakagaya（SSK）（大阪府大阪市）開始。 ○Art Meets ふるさと（鹿児島県鹿児島市）開始。 ＊コロナ禍が世界に広がり、国際的な移動が困難になる。インターネットを活用したＡＩＲの試みが活発に展開される。 ＊文化庁「文化芸術活動の継続支援事業」新型コロナウィルス感染拡大の影響により活動自粛を余儀なくされた文化芸術団体、個人に対する補助金制度実施。
2021	○宮古市民文化会館（岩手県宮古市）でＡＩＲ開始。 ○遠刈田レジデンス・マルヨシ（宮城県蔵王町）開始。 ○秋田市文化創造館（秋田県秋田市）でＡＩＲ開始。 ○大石田ＡＩＲ（山形県大石田町）開始。 ○Nagano Organic AIR（長野県長野市）開始。 ○津市久居アルスプラザ HISAI芸術家の住む町プロジェクト（三重県津市）開始。 ○芸術準備室ハイセン（滋賀県大津市）開始。 ○萬福寺アーティスト・イン・レジデンス（京都府宇治市）開始。 ○なら歴史芸術文化村（奈良県天理市）滞在アーティスト誘致交流事業開始。 ○iki base artist in residence（長崎県壱岐市）開始。
2022	○水郡線 奥久慈アートフィールド（茨城県大子町）開始。 ○川久ミュージアム（和歌山県白浜町）でＡＩＲ開始。 ○ひろしまアーティスト・イン・レジデンス（Ｈ－ＡＩＲ）（広島県広島市）開始。 ○江郷第一ビル（香川県高松市）開始。 ○KOBE Re: Public ART PROJECT（兵庫県神戸市）開始。

（年表作成：菅野幸子・日沼禎子）

主要参考文献：
菅野幸子「現代アートとグローバリゼーション」『グローバル化する文化政策』勁草書房、２００９年
国際交流基金『「アーティスト・イン・レジデンス研究会」報告書'93－'95』国際交流基金、１９９５年
ニッセイ基礎研究所「諸外国のアーティスト・イン・レジデンスについての調査研究事業報告書」ニッセイ基礎研究所、２０１３年
参考ウェブサイト：
https://air-j.info/
https://www.nettam.jp/course/residence/1/
https://www.nettam.jp/course/residence/2/
https://www.nettam.jp/course/residence/3/
https://www.nettam.jp/course/residence/4/

執筆者紹介（執筆順）

編者

菅野幸子（かんの・さちこ）

AIR Lab アーツ・プランナー／リサーチャー、ＡＩＲネットワークジャパン実行委員。ブリティッシュ・カウンシル東京、国際交流基金を経て現職。グラスゴー大学美術学部装飾芸術コースディプロマ課程修了。東京大学大学院人文社会系研究科文化資源学研究（文化経営学）専攻後期博士課程満期退学。博士（文学）。専門領域は、アーティスト・イン・レジデンス、国際文化交流、文化政策。主な著作に「現代アートとグローバリゼーション――アーティスト・イン・レジデンスをめぐって」（『文化政策のフロンティアI――グローバル化する文化政策』（勁草書房、２００９）所収）など。

日沼禎子（ひぬま・ていこ）

女子美術大学教授、陸前高田ＡＩＲプログラムディレクター、ＡＩＲネットワークジャパン事務局。１９９９年から国際芸術センター青森設立準備室、２０１１年まで同学芸員を務め、ＡＩＲを中心としたアーティスト支援、プロジェクト、展覧会等の企画、運営を行う。２０１３年より陸前高田ＡＩＲプログラムを立ち上げ、プログラムディレクターを務める。「さいたまトリエンナーレ２０１６」ではプロジェクトディレクター、２０１７年より緑と花と彫刻の博物館（宇部市 ときわミュージアム）アートディレクターを務める。

著者

小田井真美（おだい・まみ）

１９６６年広島市生まれ。3 ART PROJECT（東京）、特定非営利活動法人Ｓ－ＡＩＲ（北海道）、TransArtists（オランダ）、アーカスプロジェクト（茨城）、VISUAL ARTS FOCUS（フランス）など国内外のＡＩＲ事業とその背景に関するリサーチ及び、ＡＩＲ事業設計・事業運営や創造的活動支援の環境整備に多数かかわる。２０２３年現在、アートとリサーチセンター、さっぽろ天神山アートスタジオＡＩＲディレクター、チームやめようメンバー。

勝冶真美（かつや・まみ）

１９８２年広島市生まれ。広島市立大学国際学部卒業。民間財団や京都芸術センターを経て、現在は京都市アーティスト・イン・レジデンス（ＡＩＲ）連携拠点事業コーディネーターのほか、国際芸術祭「あいち２０２２」コーディネーターなど。ＡＩＲを中心にアートプロジェクトや芸術祭でのコーディネートを行う。これまでの主な企画に日豪インドネシアのアーティストが滞在制作を行った「The Instrument Builders Project Kyoto」（２０１８、共同企画、京都芸術センター）、フランスのＡＩＲ施設ヴィラ九条山との共同展「Synchronicity」（２０２２、ヴィラ九条山、京都芸術センター）など。

森 純平（もり・じゅんぺい）

１９８５年生まれ。東京藝術大学建築科大学院修了。２０１３年より千葉県松戸を拠点にアーティスト・イン・レジデンス「PARADISE

AIR」を設立。今まで400組以上のアーティストが街に滞在している。主な活動に《MADLABO》(2011～21)、《遠野オフキャンパス》(2015～)、《八戸市美術館》(西澤徹夫、浅子佳英と共同、2017～)、《たいけん美じゅつ場VIVA》設計/共同ディレクター(2019～)、有楽町アートアーバニズムYAU(2021～)、《相談所SNZ》など。2020年interrobang設立。

村田達彦(むらた・たつひこ)

遊工房アートスペース共同代表、ResArtis名誉理事。1988年、創作・展示・滞在のできるアーティストのための創作館(AIR)を東京・杉並にパートナーである村田弘子と開設。アートを通した多様な文化の違いを受け入れられる土壌づくりの活動を開始。2010年、世界にあるアーティスト主導で独自運営のAIRプログラムを「マイクロレジデンス」と名付け、その顕在化と、AIRの社会装置としての役割を調査・研究し、国内外のネットワーク活動も実践している。

稲村太郎(いなむら・たろう)

公益財団法人セゾン文化財団プログラム・ディレクター。高校生の時に見た「人間の条件展」(青山・スパイラル)に衝撃を受けて、アートの世界に興味を持つ。大学で芸術学を専攻する傍ら、都内でクラブDJとしてイベントをオーガナイズする。民間の文化施設で現代美術展やAIRの企画制作に携わり、その後、渡英。2011年からセゾン文化財団のAIR事業を担当。また、2011年から2019年まで株式会社ニッセイ基礎研究所芸術文化プロジェクト室で研究員として文化政策や事業に関する調査研究を担当した。

杉山道夫(すぎやま・みちお)

1960年アメリカ生まれ。大阪芸術大学工芸科在学中にアメリカのカリフォルニア美術工芸大学に留学し、1986年同修士課程修了後、1989年までアーチーブレー陶芸研究所で滞在し制作をする。同年日本に帰国し、滋賀県商工労働部に勤務。滋賀県立陶芸の森の設立準備にあたり、以後、アーティスト・イン・レジデンス事業の企画運営管理。2015年より海外のレジデンス機関とのネットワーク構築等に取り組み、国内の陶芸のレジデンス施設の交流の活性化にも尽力。また、2016年に信楽町内に店舗及び倉庫を購入し、共同の工房をシガラキ・シェア・スタジオとして運営。現在、一般社団法人シガラキ・シェア・スタジオ代表理事、公益財団法人滋賀県陶芸の森参与。IAC国際陶芸アカデミー会員。日本陶磁協会会員等。

バス・ヴァルクス(Bas Valckx)

オランダ王国大使館 広報・政治・文化部。オランダ、ライデン大学日本語・日本の文化学科卒業。在学中に留学と国際交流のために長崎・京都・島根に滞在。卒業後に2005年に国費留学生として東京へ転居。2007年より大使館勤務。現在、主にヴィジュアル・アーツ、デザインや文化遺産の分野で日蘭の文化交流促進に努める。

柳沢秀行(やなぎさわ・ひでゆき)

大原美術館学芸統括。日本の近現代美術史研究。また、美術(館)と社会の関係について調査し、実践。筑波大学芸術専門学群芸術学専攻卒業。1991年より岡山県立美術館学芸員。6本の自主企画展を担当し、社会における美術館が果たし得る機能への関心から、同館の教育普及事業、ボランティア運営にも関わる。2002年より大原美術館に勤務。現代作家との事業や、所蔵品を活用した展示活動を担当。同館の社会連携事業を統括する。

石井潤一郎（いしい・じゅんいちろう）

1975年福岡生まれ。美術作家。2004年よりアジアから中東、ヨーロッパの「アートの周縁／インターローカルな場」を巡りながら、20か国以上で作品を制作・発表。国際展『ISTANBUL BIENNIAL: Nightcomers（トルコ'07）』『4th / 5th TashkentAle（ウズベキスタン'08／'10）』『2nd Moscow Biennale（ロシア'10）』『ARTISTERIUM IV/ VI（グルジア'11／'13）』『Larnaca Biennale（キプロス'21）』参加ほか、個展、グループ展多数。ICA京都、レジデンシーズ・コーディネーター。KIKA gallery（京都）プログラム・マネージャー。京都精華大学非常勤講師。

辻真木子（つじ・まきこ）

公益財団法人東京都歴史文化財団東京都現代美術館 トーキョーアーツアンドスペース（TOKAS）職員。女子美術大学博士前期課程アートプロデュース研究領域修了。在学中からマイクロレジデンスである遊工房アートスペースのインターンシップに参加し、2016年より同AIRのコーディネーターとして従事。国内外アーティストの派遣・招聘活動と並行して、AIRと美術大学の協働事業にも注力し、プログラムの運営に当たった。現在はTOKAS本郷にて、展覧会などの企画、運営を行う。

大澤寅雄（おおさわ・とらお）

株式会社ニッセイ基礎研究所芸術文化プロジェクト室主任研究員。特定非営利活動法人アートNPOリンク理事、特定非営利活動法人STスポット横浜監事、九州大学ソーシャルアートラボ・アドバイザー。慶應義塾大学卒業後、劇場コンサルタントとして公共ホール・劇場の管理運営計画や開館準備業務に携わる。2003年文化庁新進芸術家海外留学制度により、アメリカ・シアトル近郊で劇場運営の研修を行う。帰国後、特定非営利活動法人STスポット横浜の理事および事務局長、東京大学文化資源学公開講座「市民社会再生」運営委員を経て現職。共著に『これからのアートマネジメント――〝ソーシャル・シェア〟への道』『文化からの復興――市民と震災といわきアリオスと』がある。

作田知樹（さくた・ともき）

文化政策研究者、Arts and Law ファウンダー。東京芸術大学美術学部卒業、東京大学大学院修了。行政書士。メディア・デザイン研究所所属。京都精華大学非常勤講師。専門は文化政策とアートマネジメントの実務および法務。単著に『クリエイターのためのアートマネジメント』（八坂書房、2009）、共著に『美術の日本近現代史――制度・言説・造型』（東京美術、2014）など。ミュージアムや国際展の事務局で学芸スタッフとして勤務した後、2016年から2年間国際交流基金ロサンゼルス日本センターで副所長を務める。また非営利活動として2004年「Arts and Law」を立ちあげ、プロボノの弁護士による無料相談を提供するほか、芸術・文化関係者向けの法、契約、人権、倫理、会計に関する正確な情報共有と議論の場を作っている。

柴田 尚（しばた・ひさし）

特定非営利活動法人S-AIR代表、北海道教育大学岩見沢校芸術・スポーツ文化学科教授。S-AIRの代表として、23年間に37か国105組以上のレジデントの日本での滞在製作に関わるほか、海外13か国へ23組の日本人レジデント派遣も行っている。専門の現代美術だけでなく、音楽、ヌーヴォーシルク、廃校の芸術文化活用調査から縄文文化関連など、多彩な文化プロジェクトを実践。

アーティスト・イン・レジデンス
まち・人・アートをつなぐポテンシャル

2023年5月10日　初版第1刷発行

編　者──菅野幸子・日沼禎子
発行所──美学出版合同会社
〒113−0033 東京都文京区本郷2−16−10 ヒルトップ壱岐坂701
Tel 03(5937)5466　Fax 03(5937)5469

装　丁────右澤康之
印刷・製本──創栄図書印刷株式会社

ISBN978-4-902078-77-0　C0070
＊乱丁本・落丁本はお取替いたします。＊定価はカバーに表示してあります。